昌 序

清乾隆年間纂修的四庫全書，其緣起固有政治的陰謀，但其匯聚傳世中國歷代典籍，延聘當代著名學者，整理校讎，區分著錄、存目、有系統、有條理，因之在學術文化上的貢獻，也是不容否認的事實。四庫全書包容了中國傳統文化的精髓，若干傳世稀珍的著作，藉四庫而得以傳存。是以全書完成後，除了北方各宮殿保存了四部外，乾隆帝又下令抄了三部，分置揚州、鎮江、杭州三地存貯，准讀書人借閱，以嘉惠江南的士子，入閣抄書者，絡繹不絕。經過洪楊之亂，楊州大觀堂之文滙閣，鎮江金山寺之文宗閣悉燬於火。杭州聖因寺的文瀾閣亦遭刼掠散佚，賴丁丙兄弟蒐輯燼餘，予以抄配，雖補緝成書，已非原貌。而北方所存，翰林院所貯底本，圓明園之文源閣亦燬於英法聯軍之役。不及百年，四庫七閣所餘不及一半。

因四庫全書對於保存中華文化的價値鉅大，民國九年以來倡議影印傳佈之聲迭起，終以卷帙過鉅，需費太大，未成事實，上海商務印書館始選印珍本，以饜學術界之需。直至民國七十一年，台灣商務印書館在影印四庫珍本多集的基礎上一鼓作氣，與故宮合作，將存世最完整，繕寫也最精美的文淵閣本，歷時三年餘，化身百千，分存世界各地，由世人親炙研究。近幾十年來，或輯錄有關四庫的檔案，或研究四庫採進、禁毀圖書的情形，或研究四庫所收書的版本，或正補四庫提要的謬誤，環繞四庫領域而作各種研究的論文、專著如雨後春筍，使「四庫學」成爲當代顯學之一。

淡江大學中國文學系在高柏園主任與周彥文教授領導下，汲汲推動以文獻學的研究爲系所教學重心，蓄意主辦研討會。去歲與本院商討建立學術合作關係，即提出了籌辦中國文獻學學術研討會的意願，因本院典藏有文淵閣四庫原本、摛藻堂四庫薈要、與大量的四庫檔案資料，建議與本院合作主辦第一屆文獻學研討會，以四庫學爲會議主題，邀請兩岸與香港的四庫研究學者參與，獲得本院贊同。因受經費所限，研討會採小型，應邀學者不過五十餘位，於本年五月二十三日揭幕，歷時兩天，在淡大驚聲國際會議廳舉行。除專題演講外凡五場討論會，發表論文十五篇。次日下午會議人員移駕故宮圖書文獻大樓，除參觀文淵四庫與摛藻堂薈要外，並舉行一場座談會。此雖屬小型研討會，而百餘人的會議廳，每場皆座無虛席，除應邀出席的學者與少數聞訊而來的社會人士外，旁聽者率皆淡大文史系所學生。會中討論熱烈，對於青年學子無疑具有啓迪的作用。余閱歷學術會議多矣，每見開幕時人潮擁擠，會議進行後逐漸寥落稀疏，四庫學會議之異於此，揆其原由，殆會場在郊區，出席者因交通不便，難以離席他往，多能終場參與，抑主辦單位服務週到，與會者無不舒適之感，誠爲此次研討會之特色。

研討會結束方僅三個月，主辦單位已將此次會議所發表之論文，經過作者重訂後，整理輯印成冊，丏余一言以序其耑，余遜謝不獲已，除嘉執事者之敏捷，謹聊述會議緣起與特色以諗世人。

中華民國八十七年八月二十日
孝感昌彼得謹識

張　序

國際化是淡江大學既定的發展政策，也是臺灣高等教育要突破現有窠臼，走向世界舞臺必然要發展的方向。因爲淡江大學國際化政策的落實，引導出淡江第三波的新里程，更啓動國內高等教育普遍的重視國際活動。但是我們深知國際化的基礎在於本土化，只有提出豐厚的自我學術成果，提升自我的學術地位，才可能和國外知名高等學府進行實質的雙向交流，否則只是向國外取經，並不足以達成國際化的眞正目的。著眼於此，本校的國際化除了加強國際交流活動外，特別重視本土化學術議題的研討，和國際級師資的延聘及培養。

國立故宮博物院不僅是世界文化重鎭，同時也是中國文明的表徵，其館藏之豐富，研究人才之完整，都是世界欲了解中國文明不可或缺的一環。在秦院長和昌副院長宏觀視野的主導下，正跨越博物館的展覽模式，積極的和國內大學進行學術合作，以開發中國文化遺產。時值本人負責淡江大學的學術業務，在中文系的牽引推動下，遂和國立故宮博物院簽定學術合作計畫，在雙贏的理念下，不僅厚實了淡江大學本土化的基石，更使本校的國際化更向前邁進了一大步。

本次會議的召開，也就是雙方合作的第一項具體成果。以文獻學中的四庫全書爲主題，則是結合雙方的專長。四庫全書是中華民族現存最完整的叢書，故宮所珍藏文淵閣本，是四庫七閣中最寶貴的一套，在故宮文獻處吳哲夫處長的努力下，其研究成果備受肯定；而淡江中文系的文獻學專長，係發展重點之一，近來更成立了漢學資料中心，其中包含了文獻研究室，專業人力充沛，其中多人更和故宮的前輩有著密切的師生關係，所以本次會議召開，其成果之豐碩自是不待言喻。

除了故宮博物院和淡江大學之外，本次會議的召開，尚有大陸的四庫學者，和國內外文獻學專家的共襄盛舉，使得內容更加充實。當然，對於舉辦會議同仁辛勞，我們也要致以最大的謝意。本論文集的集結成書，是故宮博物院和淡江大學合作的產物，相信在永續合作的觀念下，將陸續有更新的成果，展現在世人的眼中。同時這應該也是中華民族文化的驕傲。

張紘炬 序於
一九九八年八月十七日
淡　江　大　學

兩岸四庫學——第一屆中國文獻學學術研討會論文集

目　錄

「四庫學」的展望

昌彼得*

「四庫」之名，源起甚早，李唐天寶中內府的藏書，分置經、史、子、集四間庫房存貯，當時編寫了一部《秘閣四庫更造見在庫書目》。《崇文總目》著錄有《開元四庫書目》十四卷，《宋志》有《唐四庫搜訪圖書目》一卷，此後「四庫」之名漸為人習用，所謂的「四庫」，指中國典籍的總稱。到清乾隆年間整理校讎歷代典籍，將所選定乾隆以前傳世的重要典籍，抄繕七部，分貯各處，賜名《四庫全書》，四庫之名遂大著。

乾隆之修《四庫全書》，固然有他的政治意圖，但他大規模地整理中國傳世歷代典籍的行動，的確具有文化上的深遠意義，對後世發生了很大的影響，紛紛圍繞著這個主題，或補、或續、或辨訛、或正誤、或考訂、或研究，形成了當代的顯學之一。「四庫學」名稱，我不知何時始見於文獻，一九八三年台灣商務計畫影印文淵四庫時，我寫了一篇〈影印四庫的意義〉一文中，即標出了「四庫學」一辭。

《四庫全書》纂修完成後，最先有阮元在嘉慶年間續輯了四庫失收的書一七四種，並各撰附提要一併進呈，貯之宮中，名曰「宛委別

＊國立故宮博物院副院長

藏」。宣統元年有林鶴山將四庫全書卷首的永鎔郡王等進呈四庫表文，予以箋注，成《四庫表文箋釋》四卷。民國以後，十年（一九二一）上海商務據涵秋閣所抄各省採進書目，排印入涵芬樓秘笈第十集，名曰「四庫採進書目」，提供了研究四庫所錄之書版本的研究。一九二六年，周青雲箋注了《四庫總目》的四部總敘與四十八類小序。一九三一年，楊家駱編印《四庫大辭典》以便檢索，並出版了《四庫全書概述》。故宮博物院成立後，陳援庵整理集靈囿所藏的軍機檔案中有關四庫全書檔案，輯爲三大冊，一九三四年王重民據之編印爲《辦理四庫全書檔案》，未幾，郭伯恭依之撰成《四庫全書纂修考》。賡續研究四庫的有吳哲夫處長的《清代禁燬書目之研究》、《四庫薈要纂修考》、《四庫纂修之研究》等。

關於研究《四庫》所著錄之書版本的，清末有邵懿辰的《四庫簡目標注》，莫友芝的《郘亭知見傳本書目》，民國初年有葉啓勳的《四庫全書版本考》。

《四庫》所收各書的書前提要，雖說是出自各科專家之手，但或所依據的版本欠佳，或新資料尙未發現，以致論說之文不無可議之處。民國初年胡玉縉氏廣搜博採清人藏書志、讀書記、筆記、日記、文集等資料，以補提要之失，由王欣夫整理編成《四庫提要補正》，於一九六四年由中華書局出版兩大冊，凡補正了四部之書二、三八八種提要，並補正了阮元未收書目提要七九種。自一九三一年始，余嘉錫氏依據文集、筆記資料，並博採方志，考訂《四庫總目提要》，辨正訂訛，陸續發表於學報或出專刊，一九五二年寫定四百一十篇，一九五八年由科技出版社出版，視胡氏補正尤精。近年則有浙江圖書館崔富章再撰《四庫提要補正》，依據版本優劣辨正，凡六百餘條，一九九〇年由杭大出版社出版。

繼阮元搜輯四庫未收書的，一九二五年，日人利用庚子賠款以發展文化，在北京成立東方文化事業委員會，邀集中國學者與日本漢學家從事續修四庫全書工作，先選編了一部《四庫未收書分類目錄》，著錄乾隆以前四庫失收，及乾隆至清末的著作達二萬七千多種，仿《四庫》例區爲「著錄」與「存目」，依據此目，分別邀集各科的專家學者撰著提要。提要的撰著工作開始於一九三一年，一直到一九三五年七月日本投降才告一結束，所收得的提要稿盈三萬篇，因其中或有一書的提要重複邀二人分撰的，故提要篇數超出預定之數。此提要稿起初隨收到整理，曾打印若干份分贈日本的學術機構以供參考。一九七一年台灣商務經由平岡武夫教授借得京都大學人文科學研究所所藏的一份，經整理句逗分類排印爲《續修四庫全書提要》十二冊，另索引一冊，共收書一萬零八十種。約當全稿三分之一。

提要的全稿，在抗戰勝利後，由沈兼士教授代表國民政府接收。中共建政，此稿撥交北京中國科學院圖書館，由該館古籍組典藏整理，一九九三年，將整理點校竣事的經部提要，委由中華書局出版爲兩大冊，不知何故未再續印。一九九六年，中科院將依提要撰著入彙編的全稿二百一十九函，全部委由齊魯書社影印發行，分訂三十七冊，並附索引一冊，名曰《續修四庫總目提要》，爲續修《四庫全書》工作預作了準備。

一九八六年，台灣商務將故宮所藏的文淵閣《四庫全書》全部影印畢工，可以說是四庫學發展新的里程碑。從一九三三年上海商務選印《四庫珍本初集》，來台後從一九六九年再版珍本初集後，又陸續選印了十二集，雖說已將四庫所收的書，出版了將半，但終不能一睹全貌。從一九八三年開始，台灣商務不惜斥巨資，將全書一口氣精印爲一千五百大冊，並附印民間鮮少流傳的武英殿本《四庫全書總目》。當年我曾撰文，認爲此書之出版能傳存中華文化的精萃，提供四庫學研究的資料，予研究者以便利。《四庫全書》雖然有許多缺憾，但它是有系統，有條理的將宋元以前以及明與清初重要典籍匯聚爲一，每書前的提要，對於研究中華文化的世界學者，極有價值，只是此書當年繕抄時爲了節省時間與紙張，將目次多省略了，以致查閱不易，必須有索引配合才能便於利用。在台灣商務影印工作進行一年之後，我獲得文建會的貲助，花了八年，編印了《四庫全書》中的《傳記資料索引》、《文集篇目分類索引》、《藝術資料分類索引》等三個索引共十五冊。全書之中仍有若干資料可以編製索引的，只有留待後來的有心人士。

在文淵《四庫》出版後的近十二年中，有若干圍繞四庫的工作，諸如大陸出版的《四庫存目叢書》、《四庫禁燬叢刊》、《四庫未收書輯刊》，都是爲續修《四庫全書》作的準備工作。故宮圖書文獻處在吳哲夫處長領導之下，將《四庫》所收之書與傳世版本作了一番校勘工作，凡《四庫》所收之書有所刊削校改之處，予以復原，名曰《四庫全書補正》，現已出版經、史兩部的補正，子集兩部尙在繼續付印中。

回顧了近兩百年有關四庫研究的成果，我對未來四庫學的發展，有幾點期望：

一、《四庫》的書前提要，全書與薈要本不盡相同，據說各閣的提要亦不盡相同，書前提要又與《四庫總目》有若干差異。武英殿刻本《四庫總目》自乾隆六十年刻成後，僅印置宮中，甚少向外發行，民間通行的是嘉慶年間杭州刻本，即後來廣雅本的系統。我曾取武英殿本與浙江本、廣雅本互勘，發現其間有很大的差異，不僅提要的內容，就是卷首的上諭，纂修銜名也不盡相同，但勘不透其緣故，只是懷疑通行的《四庫總目》並不一定是紀昀所纂定的。我期望當代的四庫學者能取總目的武英殿本、廣雅本，現存三閣（文淵、文溯、文津）與薈要的書前提要，以及尚存世的紀曉嵐氏手訂提要殘本，匯聚一起校勘，希望能瞭解其間差異之故。

二、《續修四庫提要》全稿雖已出版，因係依手稿影印，固然查檢不便，但有三個索引，倒也不太困難，只是稿本多為行草書寫，對於現代習慣了印刷正體字的青年學子，在使用研究上仍是有困難的。台灣商務出版的《續修四庫提要》固然所收僅及全稿三分之一，校勘不精，訛誤滿紙，不堪卒讀，但與中華本經部亦酌有不同，如柯劭忞撰的《周易鄭注》十二卷提要，為中華本未收，又如《周易鄭注》三卷之提要，商務本為柯劭忞撰，中華本作尚秉和撰，兩者文不同，此類例子尚有，是商務本仍具有校勘的價值，我期望四庫學者們能將《續四庫提要稿》全部重編句逗排印，並取商務版校勘，凡未著明「著錄」、「存目」者，亦宜分別加注，庶幾此目可作為《續四庫全書》的重要參考。

三、故宮所作的四庫補正工作，是四庫的功臣，用意甚佳，就已出版的經史兩部，我曾約略瀏覽一遍，發現尚有可予訂補的地方。譬如南北朝的《七史》，今傳本都是從明代中葉修補宋刻九行大字本出，其間頗有缺葉，自明南北監以至清武英殿本悉同。昔年張菊生覓得明初修補宋本，曾補《南齊書》兩葉，補正已據百衲本輯補，但陳援庵據《冊府元龜》、《通典》所引，輯補《魏書》（志第十六）一葉，《周書》（〈本紀〉第六）所缺八十八字，則補正未收，類此恐尚不乏。期望故宮在全書出版後，能續予訂補，俾能羽翼全書以行。

四、《四庫》包羅了中華文化的精髓，也就是研究中華文化的寶庫，如何使這寶庫所蘊藏的資料，能便利研究者擷取，應是未來發展的重點。我聽說有香港商人與大陸合作，已將《四庫全書》製成光碟片，可供應用，雖說是很好，但據說尚無資料檢索的功能，仍是不夠。去年底，中央研究院提出了「新四庫古籍電子文獻資料庫」的計劃，曾召開了一次座談會，出席文獻學者多人。所謂「新四庫」，除了包括《四庫》及《續修四庫》之書以外，還擬大量增入佛教重要典籍、敦煌資料、以及墓銘碑版資料。資料的輸入電腦工作不難，難在軟體的設計要好，才能達到研究的需要。中研院有電算所，技術人才衆多，又有史語所、近史所、文哲所，文史專家也不乏，期望能仿《廿四史》資料庫，使中國所有古籍文獻都能供作文史專家研究的資料。

以上四點是我個人對四庫學未來發展的期望，提出來希望與會或因故未來參加的所有四庫學研究者共同研討，如何合作達成，以使中華文化能發揚光大。

《四庫全書》纂修外一章：阮元(1764－1849)如何提挈與促進嘉道時代的學術研究*

魏 白 蒂**

阮元，字伯元，號雲(芸)台，又號「雷塘庵主」。晚年自稱「頤性老人」、「節性齋老人」、「北湖破叟」。致仕後，家書自簽名爲「心肅」。籍貫江蘇揚州❶。乾隆五十一年(1786)中舉。謝

* 作者借此機會謹謝下列圖書館：香港大學圖書館；香港大學馮平山圖書館；哈佛大學哈佛燕京圖書館；普林斯頓大學Gest圖書館；倫敦大英圖書館（British Library）；華盛頓美國國會圖書館（Library of Congress）；台北國立故宮博物院圖書館及清史文獻檔案處；台北中央研究院歷史語言研究所傅斯年圖書館，近代歷史研究所檔案收藏；台北國家圖書館；台北台灣大學圖書館；北京第一歷史檔案館；北京人民大學清史研究所；北京圖書館善本書庫。

** 香港演藝學院人文社會科學教授

❶ 乾隆二十九年（1764）生於揚州舊城府西門北瓦巷（後改爲海岱庵）。道光二十九年（1849）卒於揚州太傅街文選樓（今疏賢街）。舊居和家廟仍存。葬雷塘。墓與墓誌銘碑現亦存。家屬將道光皇帝御賜祭文刻碑存在家廟。家廟房屋還在，現爲揚州市政府幹部居住。碑已破爛，在院子地上用來放破鍋、破碟、花盆等雜物。

墉爲江蘇學政；考試官爲朱珪。當年隨謝墉去北京會考，居朱府及揚州會館。五十四年(1789)中進士，選翰林庶吉士。散館大考第一名，授編修（正七品），直起居注官，詹事府少詹事（正四品）。到南書房工作，參加編定在內廷懋勤殿收藏書畫。充詹事府正詹事（正三品），石經校勘官。又直文淵閣學士（正三品）、兼禮部侍郎（正二品）。五十八年督山東學政(1793–1795)。六十年調浙江學政(1796–1798)。任滿回都，攝兵部侍郎（正二品）、轉禮部；仍直南書房。調戶部侍郎；經筵講官；己未會試副總裁。嘉慶五年任浙江巡撫（從二品、1799–1805）。十年至十二年(1805–1807)爲父丁憂，住揚州。十二年（1817）服滿入都，補兵部侍郎。十三年再撫浙江（1807–1808）。因劉鳳誥代辦監臨科場舞弊事落職，返京。十五（1810）年仁宗氣消，派阮元以編修（正七品）兼國史館總裁；寫儒林文苑傳稿。❷十六（1811）年官內閣學士（正三品）。十七年調漕運總督（正二品、1812–1814）。十九年任江西巡撫（從二品、1814–1816）。破朱毛里與另外幾項與秘密社會有關的案子，得太子少保銜。二十一年調河南巡撫（從二品），又遷湖廣總督（正二品）。二十二年派任兩廣總督（正二品、1817–1826）。道光六年調任雲貴總督（正二品、1826–1835），加大學士銜（正一品）。十三年北京（1833）殿見，充會試副總裁。十五年（1835）任滿回京，拜體仁閣大學士（正一品），管兵部事。❸十八年（1833）致仕歸里、得太子太保銜。

這篇論文旨在闡明阮元承繼編纂《四庫全書》時所凝聚的嚴謹質

❷有手抄本現藏台北中央圖書館善本書庫。

❸北京第一歷史檔案館收藏有當時大學士管理兵部阮元奏摺。

樸的學風，並廓大而發揚之。對嘉道一代的學術研究，起了無可替代的提挈與促進的作用。阮元不是一位瀟灑有閒的學者，而是責任特重的地方行政官員。在政府服務五十餘年，辦省行政、治安各種問題。所處理棘手的大事在浙江有海盜，在江西、河南、兩廣有秘密會社，在兩廣又有外商和鴉片私入的難題。公務百忙之中，先後羅致四百多名學者立學編書，研究與校勘各項學術。在杭州辦詁經精舍，寧波建安瀾書院，廣州立學海堂。這些教育機構培養人才，爲發展考證學的單位，做修書刻書中心。阮元特長爲組織專家學者纂修大型巨作。編選纂修著作現仍存七十多種，至今嘉惠後學。另外還有幾十篇替其他著作寫的序跋，表示他與這些書籍出版有關。❹

當時皇帝也並不贊成阮元花費工夫研究學問這樣的生活作風，下旨責備他不專心辦公。阮元在南昌印行《十三經》時正好朱毛里案發生，仁宗將此案與天地會相連；而阮元以爲雖然朱自稱明裔，他主要目的是在欺騙愚人，其組織與天地會無關。仁宗說社會治安問題極多，「而阮元不思上緊督緝。每次奏摺僅以虛詞搪塞，實屬延玩。又思館修書乎？文章、政治事一理貫通，豈可自棄。」❺仁宗又看該省其他官員奏摺，與阮元看法不同，下旨問：「何以未據阮元奏聞？阮元係棄瑕錄用之人，於地方此等重要大案件，理應加倍認眞查訪。如謂毫無聞見，豈非竟同木偶？如知而不奏，是誠何心？」❻所以阮元對清代學術的貢獻，大多不是他自己埋頭的學術研究，而是擔負各種

---

❹ 參考本文附件二。

❺ 宮中檔〔嘉慶朝〕019008。

❻ 宮中檔〔嘉慶朝〕019639。

規劃的著作。到底他自己做了多少研究工作，其他學者做了多少；研究題目是如何確立的；對學術研究和資助學者的興趣是何時開始；他怎麼處置各學者的研究工作等等問題，都是值得研究的。他與《四庫全書》纂修工作的關係，也值得檢查一下。所以作者敢大膽在專家學者面前探討阮元如何從《四庫全書》纂修的影響來提挈與促進嘉道時代的學術研究。

阮元在學術界的地位

中外歷史和文學學家談論清代學術，都提到阮元對立學、刻書和資護學術下的工夫。張舜徽學者在1962年寫的《清代揚州學記》引述清代學者劉壽曾評論阮元對當代學術研究的貢獻：「學術之興也，有倡導之者必有左右翼贊之者，乃能師師相傳。賡續于無窮而不爲異說言所奪。文達早膺通顯，年又老壽。爲魁所歸仰。其學衣被下下矣。」❼張舜徽覺得劉氏「這段話確與事實相符。對阮元的推崇並不過於誇大，毫無疑義。阮元對十八、十九世紀的中國文化，作出了一定的貢獻，這成績是不可湮沒的。」❽蕭一山教授談論「阮氏之有功於清代學術界者，尚不盡在本人之作品，而在其能提倡文化，獎勵經學。在浙則立詁經精舍，在粵則立學海堂。延名流以課士子。其影響於當時學風之鉅。而又先後提倡刻書，尤於文化有莫大裨益。」❾晚清國學大師梁啓超以爲阮元「本以經師致身通顯，任封疆有力養士。所至提

❼ 劉壽曾《傳雅堂文集》卷一。見張舜徽《清代揚州學記》142頁。

❽ 張舜徽同上。

❾ 蕭一山，《清代通史》（1935），台北1976年版，II：717。

倡，隱然玆學之護法神也。」⑩胡適更指出：「阮元的特別長處在於能收羅一時大師，請他們合作，編撰重大的書籍。」⑪

阮元能成功資助學術研究最重要的因素是因爲他自己學問優秀。錢穆教授認爲阮元是「清代經學明臣最後一重鎭。」⑫何佑森教授說阮元是清代學術研究的橋樑，因爲：

> 阮元在清代經學史上是一位承先啓後的人物。在他以前有所謂江藩的《漢學師承記》中標榜的漢學。在他死後，有所謂陳澧《東塾讀書記》所主張的漢宋兼采之學。他的論學觀點，可說是居於兩者之間的一座橋樑。他不但是乾嘉戴學的繼承者，也是學海堂學風的倡導者。近人由於過份重視了戴，段，錢，王的治經方法，因而忽略了從乾嘉到同光，這一過渡時期經學思想的轉變，尤其低估了阮元在清代經學發展史上的貢獻。⑬

這樣，阮元就承繼清代大家的學問。他受了顏李學術的影響，又接收戴震的研究方法。「用戴學治經的方法來治哲學的問題，……指出古

⑩ 梁啓超，《清代學術概論》（1921），台北版，1975，108頁

⑪ 胡適，《戴東原的哲學》，台北商務印書館版，1976，138頁。其實汪中和阮元並沒有直接關係。兩人都生長在揚州；汪中大幾歲。汪中中舉，未考會試；也未做官。後來他的著作是阮元印的。揚州有許多關於阮元和汪中的傳說，都不可靠。只有凌廷堪寫的汪中墓誌銘值得引述：「甲辰歲阮伯元詹事方弱冠，余偕之訪君（汪中），君與談論頗折服。越數日。治具招焉。伯元畏其好罵，謝不往。君深恨之，遂成饑隙。然而每與余論其當代學人，終爲伯元屈一指也。」（《國朝稽獻類徵初編》卷420）。

⑫ 錢穆，《中國近三百年學術史》（台北，1976），529–541頁。

⑬ 何佑森，「阮元的經學及其治學方法」，《故宮文獻》2：1：19–34（1970）

人文字的意義的變遷沿革；剝去後人塗飾上去的意義，回到古代樸實的意義。這是歷史眼光，客觀的研究。」⓮

朱珪的提拔與贊助

阮元出身普通家庭，他的教育背景也不特別。雖然生長在文化中心的揚州，一直是唸私塾；沒有上過有名的書院。他考上舉人以後，才入儀徵縣學。啓蒙老師是自己母親。教師中間學問最高的只是李道南。李氏雖考上進士，沒有著作，也沒有做過官，見識不多，名聲只在地方而已。阮元考鄉試得到學政謝墉賞識，介紹他給朱珪（1731-1807）。才到北京時，與其他來參加會試的學生唯一不同的地方就是他享有朱珪的提拔與贊助。朱珪，字石君，大興人。祖父退休定居北京之後，朱府就成爲許多學者在京相聚的中心。朱珪與其兄朱筠在高宗乾隆十三年（1748）同時考成進士。珪選入翰林院。人品學問優良。十分受高宗乾隆皇帝欣賞。散館後直入上書房，做後來仁宗嘉慶的講學教師；師生感情很好。嘉慶四年（1799）太上皇帝高宗駕崩，仁宗即馳驛召朱珪返回北京。命直南書房，管理三庫，兼禮部辦理高宗後事。阮元也隨朱珪到禮部工作。仁宗用人行政，悉以諮朱珪。因當時仁宗重新整理國家行政，需要人才，才三十歲毫無行政經驗的阮元受聘爲一個重點行省浙江的巡撫，就是由朱珪推薦的。⓯

阮元在北京這段時間，奠定了他仕途暢達的根基。他會考名列前茅，入翰林院。散館大考第一名，很得高宗賞識。⓰派阮元做日講起

⓮ 胡適，139頁

⓯ 昭槤，《嘯亭雜錄》卷十。

⓰ 在1971年三月乾隆皇帝對阿文成公說：「阮元人明白老實，象箇有福的。不意朕八旬外又得一人。」《雷塘庵主弟子記》卷一，張鑑選。

居注官，常在皇帝身邊。在南書房做編定書畫、校勘石經等工作。其實這也是給阮元一個交結關係的機會。考上進士靠自己的能力，升官就需要靠人事了。他官銜詹事、學士、侍郎；得到禮部、兵部、工部和內閣工作的經驗。第一個京外差事就是山東學政。這種升遷之速，是不多見的。仁宗親政後又由朱珪推薦，官浙江巡撫。後來從江西湖南巡撫做到兩廣雲貴總督、體仁閣大學士，封少子少保銜。⑰在翰林院和南書房工作時候，認識到曾在《四庫全書》館工作，和珅被黜以後有勢的幾個大臣。阮元入翰林時彭元瑞（1731－1803）為教習大臣，與阮元有師生關係；後來他的曾孫女嫁給阮元的兒子，又成親家。阮元做山東學政時，彭職吏部尚書。他在南書房做事時，董誥（1740－1818）已是長官之一。被提出做浙江巡撫的時候，董誥是文華殿大學士、軍機大臣。另一位大學士軍機大臣是王杰（1725－1805），阮元會考時的考官。劉墉（1720－1805），大學士，是阮元同班劉鐶之的伯（叔）父。阮元準備會考時住在劉府。朱珪當然更不用說了，嘉慶當權時他的勢力極為高大。阮元派到各部學習時，尚書就是這幾位，都替他開道。仁宗自己也認識阮元。他們在南書房同事。後來仁宗的著作《味餘書室隨筆》，是阮元注的。嘉慶初年，仁宗下旨給阮元，都稱他為「卿」。可以說當時從皇帝以下，所有當權的高官，都贊助阮元的。他在京外，地方官民熟悉這種情形，讓他說話辦事也比較方便些。

《四庫全書》纂修對阮元的影響

在阮元學術進展方面，朱珪的角色也很重要。乾隆五十一年冬

⑰ 參考此論文附表一。

（1786）阮元初到北京時，《四庫全書》纂修已告完成。不過許多參與四庫館工作的學者尚滯留京都；在朱氏昆仲周遭。美國R.Kent Guy（蓋博堅）教授在他一本關於《四庫全書》的著作裏談到朱氏昆仲：「兄朱筠就是建議給乾隆皇帝纂修《四庫全書》的大臣。朱氏昆仲圈裏滿是學者。不論私人見解距離多遠，學者們在朱府十分融和及互助的環境下，討論當時各種學術題目，加強友誼關係。」⓲阮元從在朱珪和朱筠昆仲周遭學者親承與瞭解到方興未艾的漢學理論及其代表戴震的學養。四庫館工作的學者大都是漢學家，所以《四庫全書》的觀點是漢學的。⓳阮元在朱府認識和戴震有關係的學者，如邵晉涵（1743－1796）和王念孫（1744－1832），這兩位學者替阮元大開眼界，介紹給他戴震的思想和研究方法。阮元在朱家也見到任大椿（1738－1789）；不過任氏在阮元中進士那年過世，對阮元學術進展影響不大。

二十世紀研究清代學術的中外學者認爲戴震（1724－1777）是乾隆時代影響最大的漢學家。梁啓超以戴氏爲清代最新穎的思想家。「故苟無戴震，則清學能否卓然自樹立，蓋未可知也。」⓴戴氏研究精神已成獨立一門哲學，「實近世科學所賴以成立。」㉑，可惜他的

⓲ R. Kent Guy, *The Emperor's Four Treasuries: Scholars and the State in the late Ch'ien-lung,* Cambridge: Harvard University Press, 1987, p53.

⓳ Benjamin Elman, *From Philosophy to Philology: Intellectual and Social Aspects of Change in Late Imperial China,* Cambridge: Harvard University Press, 1984. p64.

⓴ 同上，p56。

㉑ 同上，p57。

承繼人，連阮元在內，沒有將他的思想完全傳下來。所以戴震對學術重要的貢獻只限於考證學。㉒戴氏主張用考證方法研究語言，音韻，歷史地理，數學和歷史。用這方法尋找眞理，戴氏一定堅持要證據。所有語言文字都一定要本來的發音和意思。這研究法就成了考證學的根基。阮元研究哲學就是從戴氏出門，「阮元的《揅經室集》裏頗有不少的哲學文章。我們研究這些文章，可以知道他………從戴學治經的方法來治哲學的問題；……指出古今文字的意義的變遷沿革，剝去後人塗飾上去的意義，回到古代樸實的意義。」㉓用這種研究方法，考證，清中葉漢學學者創建了一套如新的知識。阮元自己的著作和資助其他學者的著作對這成就貢獻極大。

阮元到北京時，戴震已經去世。所以阮元所瞭解的戴氏思想和研究方法，都是從邵晉涵和王念孫二手得來。邵氏和戴震曾在四庫館同事。邵氏專門爲宋元史，又精通《爾雅》。王念孫與其子王引之（1766－1831）爲「清代學術界影響最大之流」。㉔王念孫爲戴學專家，堅持無論如何所有資料都要考證後才能接收。阮元稱贊王氏能將數千年誤解的詞語改正：「所有所誤解者，無不旁徵曲論，而得其本

㉒ Fang Chao-ying, "Dai Chen", in Arthur W Hummel, *Eminent Chinese of the Ch'ing Period,* Washington DC: Government Printing Press, 1943, p699.

㉓ 胡適，《戴東原的哲學》，139頁 Also see Benjamin Elman, "Schools of Scholarship and Lineage", in *Education and Society in Late Imperial China, edited by Benjamin Elman et al, Berkeley, University of California Press, p9.*

㉔ *Elman, "Schools of Scholarship and Lineage", 9.*

意之所在。」㉕梁啓超覺得阮元對王氏的贊語並沒有太過份；云：「吾今日（清末民初）讀王氏父子之書，只覺得其條條皆犁然有當於吾心。前此之誤解，乃一旦渙然冰釋也。」㉖二十世紀末期學者的眼光和意見就不同了，人民大學清史研究所的王俊義和黃愛平覺得王氏父子說不定太過份。他們熱心找錯字，有時把前代學者用來解釋的詞語誤作錯字。㉗

清中葉學術研究資助

無職務薪水又沒有家庭背景的學者依靠他人資助，否則不能研究寫作。這不是只限於清中葉中國學者的難題，歷代中外藝術家和學者都靠熱心人資助，資助藝術和學術的動機不定，清代朝廷學術資助有政治性。美國Lynn Struve(司徒琳)和蓋博堅，已用英文出版他們對清代學術研究資助的研究。司徒教授發現在1680到1710之間，康熙皇帝召集大批學者編纂《明史》，其動機是政治性。清廷當時想要攏絡學者替清朝做事。蓋教授說乾隆皇帝也是依樣召集學者修纂大型作品的《四庫全書》研究。同時有些大臣也資助學術，在自己周圍收羅無職的學者，康熙年代的徐氏昆仲和乾隆時代的朱氏昆仲就是如此。㉘清

㉕ 王引之撰《經義述聞》。阮元序說此書在江西巡撫任上刻印。內有王氏父子文章。

㉖ 梁啓超，74頁。

㉗ 王俊義、黃愛平，《清代學術與文化》，340－341頁。

㉘ Lynn Struve, "The Hsu Brothers and Semi-Official Patronage of Scholars in the K'ang-hsi Period, *Harvard Journal of Asiatic Studies* 42：231－226（1982）. The Hsu Brothers

中葉在資助學術最有貢獻的大臣是朱筠、朱珪、畢沅（1730－1797）和阮元。朱氏昆仲幕內曾有章學誠（1738－1801）、邵晉涵、洪亮吉（1746－1809）和阮元。不過阮元收羅學者範圍最廣大，他收學者入幕，或請在他們在學院任教，或纂修圖書，給薪金和津貼。蓋教授又說：

> 雖然朱氏昆仲周圍的學者是清代最先這樣的資助學術，其實這種情形後來變成很普遍。朱氏承繼人中，最重要的機構有在1770年代晚期陝西的畢沅和十九世紀在廣東學海堂的阮元。畢沅比較重視纂修出版。畢沅資助許多書籍印刷一千四百卷的《皇清經解》，是由阮元功勞編修出來的。㉙

北京人民大學的王俊義教授將清中葉資助學術看法的結論如下：

> 在……中央政府的大力提倡下，康乾時期朝中的一些要官和封疆大吏，也都熱心提倡學術，如徐乾學、畢沅、阮元等，都在幕府中養了一批學人。他們創辦學堂，經舍、主持編纂書籍。一時間，搜書、編書、校書、刻書、藏書蔚然成風。學術氣氛濃厚。另外由於有些古籍，因年代久遠，遂漸湮沒散失，乃至

---

were Xu Qianxu徐乾學（1631－1694）, Xu Bingyi徐秉義（1833－1711）, and Xu Yuanwen徐元文（1634－1691）. Other officials who patronized scholars included Ye Fang ai葉方藹（1629－1682）, Song Deyi（1622–1687）, and Yu Guozhu（died circa 1688）.

㉙ R. Kent Guy, p52, Guy漏下了阮元在浙江召集的學者，阮元在浙江學政任上得到一百多名門生，有好幾名跟了他幾十年，蓋都未提。

> 出現眞假難辨，以假爲眞的情況。有的學者便盡畢生精力，搜羅群籍，據他書所引，將失散的古書重新輯佚成書，或進行辨僞，也頗有成績……在上下熱心提倡學術的流風影響下，競相刻書、藏書。因爲有這樣的條件和土壤，才使得乾嘉學派蓬蓬勃勃的發展盛行。㉚

畢沅（1730－1797），江蘇人，乾隆二十五年（1760）會試狀元。做官以後，周圍一直有許多學者修書。畢沅編纂書籍有《關中金石記》、《中州金石記》等等。阮元到山東學政任時，畢沅已因高宗怪他失察白蓮教亂，從湖廣總督降到山東巡撫位，給阮元能學習畢式資助學術風格的一個機會。那時阮元才三十歲，原配江夫人已故，又是皇帝面前的紅人，很有前途的大官員，可以說是想像中適宜的女婿。山東是孔子家鄉，孔子後裔仍住曲阜。阮元的父親作媒將畢沅的女兒聘給當代的衍聖公；畢沅又作媒將衍聖公的親姐姐孔璐華（1777－1835）嫁給阮元。所以畢、阮的關係不止在公事限內。畢沅又推薦一些前輩學者給阮元。在畢沅領導下，阮元研究興趣的範圍和刻書的雄心更加擴大，畢沅的鼓勵態度也將阮元放上在資助學術一條路線。

資助學術的條件

阮元能夠創始學術性的資助項目，是因爲他有籌款的能力。在嘉道時代做地方行政官一定要有在當地籌款的能力。除了交稅以外，政府還期待地方紳商捐款。嘉慶初政時，大批軍需（如平白蓮教亂等

㉚王俊義，〈康乾盛時與乾嘉學派〉，《清史研究集》4：342－366（1996），349頁。

等）已將國庫盈餘用盡，同時稅收又降低，在經費支絀中，清廷只能用另外方法籌款。各省的紳士商人就變成籌款的對象。美國的Susan Mann教授稱商捐爲「特別稅」㉛。高級官員替朝廷開口，紳士商人怎能不服。阮元官至巡撫總督，有政位財權在手。他駐的又是經濟豐富地方。兩浙和兩廣的紳士商人有財力資助出版工作，給許多學者研究寫作的機會。作者的意思並不是將學術研資助和「特別稅」混在一起，不過希望各位讀者能注意在清中葉的紳士商人如何習慣幫助官員解決財政問題。

阮元任浙江巡撫，清剿海盜有功。編練保甲，製造大船大炮的費用，以及籌款的方法，均見於檔案中。「軍機大臣奉上諭：撲艇匪必得另造大號船隻，添製大炮，方得有益。其需用銀兩，本當官爲造辦；但此時軍需用度浩繁，未必動用正項。浙省（造船）約計銀不過數萬兩，著玉德阮元籌辦。」㉜製造三十隻大船材料人工共八萬九十九兩。官方庫內經費不足，其中二萬八十八兩由兩省商捐。㉝在浙江賑災款項，也是由紳士商人捐，所以商捐的習慣已經完成。阮元在廣州籌款規模和數目更大。1819年仁宗六十大壽，阮元囑行商送禮二十萬兩。㉞次年，兩廣行商鹽商捐三十萬兩，爲「軍費」；又捐五十萬

㉛ Susan Mann, *Local Merchants and the Chinese Bureaucracy 1750—1950*, Stanford: Stanford University Press, 1987.

㉜ 寄信檔嘉慶朝五年正月二十四日。玉德（1809卒）爲當時閩浙總督。

㉝ 宮中檔〔嘉清朝〕011333；軍機錄副〔嘉慶朝〕050793。

㉞ H B Morse, The Chronicle of East India Company Trading to China 1635－1834, London and Oxford: Oxford University Press, 1925, III, p334.

兩，爲「工程費」㉟。道光時代，1826年，鹽行商捐六十萬兩爲「新疆回亂軍需」㊱。

已有習慣捐款這麼大的數目，紳士商人對行政官員的學術資助要求，反應不會不好的。阮元在浙江建造學宮孔廟的經費，也是由籌款得到。「建廟用銀八千五百兩，內俸捐一千一百餘兩」。㊲杭州孔子廟用銀六千兩。官士所輸二千五百兩。「其他制禮樂器，則元所籌捐也。」㊳阮元在廣州建立學海堂的時候，撥了地方田地出租。用收入作學海堂經費。「撥番禺縣八塘海心坦二十三頃四十畝零。又鎮涌海心沙坦二頃三十七畝零。每年共租銀五百七十五兩，作爲堂中經費。」㊴其實「八位學長每年每人潤筆費銀三十六兩」㊵，學海堂經費數目也不太高。

阮元如何辦理學術研究工作

經費問題解決後，阮元就可以召集他自己認識和其他學者介紹的各類專才。嘉道時代學者很多，而官職位置有限。阮元老家揚州江都地方，和他做學政的山東浙江兩省，都有學術傳統，出產的學者很多。司徒琳對徐氏兄弟的觀察也可以用來形容阮元，他「運用做學政和會試考官的機會收集門人，建立師生關系。」㊶從各種參考書籍資

㉟ 兩廣鹽志，嘉慶卷。
㊱ 同上，道光卷。
㊲ 阮亨，《瀛舟筆談》卷四。
㊳ 阮元，〈修杭州孔子廟碑序〉。
㊴ 林伯桐，《學海堂志》。
㊵ 同上。
㊶ Struve, p233.

料得到四百二十六名與阮元有關的學人。[42]阮元在浙江已得到一百多位學者，嘉慶乙未會試副總裁又得二百零九名進士，不過不是每一個人都加入阮元周圍的。學者可以加入阮元工作作幕友，在書院講學、作文章；做阮元子女的家庭教師；同時自己研究，也可以參加修纂項目工作。

此論文〈附表二〉載與阮元有關係的學者，其中有六十幾名先後在阮元幕中做事。學者入幕因爲清朝官僚制度與教育制度沒有訓練專門人才的項目，而地方官員需要有專門如稅政、法律等知識的幕友。從阮元任上需要的觀點看來，他要懂得海防、治安、漕運等項的專才。阮幕前後有汪家禧、陳鴻壽、陳文述、朱爲弼、張鑑、施國祈、楊鳳苞、趙魏、洪頤煊、嚴杰等人。阮元揭示他如何運用這些幕友：寫公文時「每發一函、出一令，皆再三謀慮而爲之。有自起草者，有幕友起草者，有幕友起草而自爲改訂者。」[43]這些專家也是學者，也想研究學術。跟著阮元，兩樣都可以齊全。

阮元自己形容他如何辦理著作工作，他喜歡學問，「無狗馬絲竹之好，又不能飲。惟日與書史相近，手披筆抹，雖似繁劇，終不似著書之沈思殫精。」[44]在每一部書序裏，他解釋這書提意起源和編寫出自何人。他在年輕當翰林和編修時候，著作如《考工記車制圖解》、《儀禮石經校勘記》和《石渠隨筆》，題目都不是自己選的，而是

[42] 除了三十幾篇中文阮元列傳，德、英、法、日文每文一篇阮元傳記，另外有國史館（台北國立故宮博物院藏）〈阮元列傳〉一份及〈阮元列傳〉稿四份。《三十三種清代傳記綜合引得》，哈佛燕京學社引得、第九號。

[43] 《瀛舟筆談》卷一。

[44] 阮元，《定香亭筆談》卷四。

上師給的，後來他著作的項目也有別人提出的。《疇人傳》本意始在李瑞（1765－1814）；修纂《十三經注疏附校勘記》的願望來自盧文弨（1717－1796）。除了學識組織領導和籌款外，阮元將收集資料和寫作事項交給其他學者。他年輕時著書，後來修書。「修書與著書不同。余在京俸士修《石渠寶笈》，校太學石經，又常纂修國史及《萬壽盛典》諸書目。自持山左浙江以來，復自纂《山左金石志》、《浙西金石志》、《經籍纂詁》、《淮海英靈集》、《兩浙輶軒錄》、《疇人傳》、《康熙己未詞科摭錄》、《竹垞小志》、《山左詩課》、《浙江詩課》諸書皆修也，非著也。」㊺

張鑑（1768－1859）跟阮元時間久，關係十分親密。他告知阮元如何辦理纂修工作。他說阮元纂修範圍比較大的書籍時候，如「《十三經注疏校勘記》、《經籍纂詁》、《疇人傳》、《金石志》等書，篇帙浩繁，皆自起凡例，擇友人弟子分任之；而親自加朱墨改訂甚多。自入翰林後直內廷編定書畫，校勘識經；旋督學莞部，領封邊疆，無暇潛研。故入官以後，編纂之書較多；而沈思精覃思獨法古誼之作甚少；不似經生時之專力矣。」㊻

阮元周圍其他不是幕友也不在書院教書的學者，就作纂修工作。從開始起凡例一直到最後校對，阮元自己領導工作，他又負責籌備資金。其他細節詳情，就分給別人做了。比較大的項目總有一位負責人、總編。《經籍纂詁》由臧鏞堂，《廣東通志》由江藩（1763－1843），《皇清經解》由嚴杰爲總編。阮元在任山東學政以後的著、

㊺ 同上。

㊻ 張鑑等《雷塘庵主弟子記》卷一。

纂、選、修的書籍都是有其他學者幫忙的，結果就不一定靠得住。因爲《十三經注疏校勘記》是歷朝之經典釋文章纂修時侯，預備自己校閱的。「後來屬友人門生弟子分編，而自下鉛黃、定其同異。」㊼書印成後，發現錯字很多，阮福解釋其原因：「此書未刻完竣，大人受命撫河南。校之人不能如大人在江西時細心，其中錯字甚多。大人不以此刻本爲善也。」㊽

阮元在浙江與《四庫總目》和《四庫未收書》的關係

《四庫全書》修纂完成之後，高宗又下旨囑各地官民將未收書進呈入京。阮元在浙江就得到一百多種，每次進呈一種，都寫一篇提要。當時仁宗已在位，十分賞識這些書。將一百六十種書定成一百零三函，裝成一百零三匣，加目錄二匣，賜名《宛委別藏》。放在清宮養心殿。其實到底阮元獲得幾種、進呈幾種，學者仍是不太清楚的。國立故宮博物院文獻處處長吳哲夫，今日《四庫全書》和《宛委別藏》的保安人，曾作文討論《宛委別藏》㊾，阮元的學友嚴杰說有一百七十多種，阮元的堂弟阮亨又說先後有一百種。總而言之，這些《四庫未收書》是由阮元負責進呈入宮的。

用今日學術研究的立場來看阮元

用今天的眼光來瞭解阮元，一定得承認他對各門知識都有貢獻。

㊼ 《雷塘庵主弟子記》卷五。

㊽ 昌彼得，〈武英殿本《四庫全書總目》考〉，《故宮學術季刊》1：1：68。

㊾ 吳哲夫，〈《宛委別藏》簡介〉，《故宮圖書季刊》1：2：39－57。

他編著的書籍有經學：《十三經注疏附校勘記》、《皇清經解》、《詁經精舍文集》、《學海堂文集》等等；考古、銘文、藝術、藝術史：《積古齋彝器鐘鼎款識》、《山左金石志》、《兩浙金石志》、《漢延熹西獄華山碑考》、《石畫記》等等；天文，數學，科學史，中西文化交流：《疇人傳》；歷史、地理：《廣東通志》、《雲南通志稿》等等；科技、經世文：《海運考》、《糧船量米考》；詩文：《淮海英靈集》、《兩浙輶軒錄》、《小滄浪筆談》、《定香亭筆談》等等，成績相當可觀。

不過也不能說他沒有短處，《疇人傳》的纂修表示他對天文數學有興趣，對西洋文化也有關心。書裏含有三十七名西洋天文數學家傳記，也含有文藝復興時代對後來西方文化十分重要的科學發現。而阮元不肯接受非中國文化傳統的思想，Copernicus（1473－1543）在十六世紀發表他對宇宙觀察的結論：地球是行星，在不動的太陽周圍轉動。《疇人傳》評：「地球動而太陽靜……不可爲訓。」[50]同時阮元以爲明末接受基督教的大臣徐光啓等，不該對傳教士湯若望態度那麼客氣。「亦湯若望輩夸大其詞，以眩吾中國；而徐（光啓）諸公受其欺而不之吾也。」[51]所以，雖然阮元肯接受西洋學術，用今天的眼光看，他並沒有完全採取客觀和科學化的研究方法。他的學術還是反應了十九世紀儒家典型的思想和態度。

這兩百年來學術界一直以爲阮元是金石專家《積古齋鐘鼎彝器款識》在1807年刊行後，研究銅器銘文的學者一直將它當作最有價值的

---

[50] 阮元，《疇人傳》卷46。

[51] 同上。

參考書，可惜阮公的知識也不一定完全靠得住，最近故宮博物院的張副院長臨生查出幾個《積古齋鐘鼎彝器款識》裏面的錯誤。[52]舉例：阮元家裏收藏銅器有一座「文王方鼎」，他並沒有懷疑方鼎是僞品。另外，阮元認一國名爲邑名。這種錯誤將他對學術研究貢獻的價值減低，不過從大體看來，阮元的貢獻是值得佩服的。

結　論

阮元由朱珪提拔，翰林散館後，在北京能建立人事關係，對他政府事業幫忙極大。他接受《四庫全書》纂修的學風，又受朱珪、畢沅資助學者的影響，後來阮元居高位時，歷官所至，均以提倡學術自任。在外省做官近半世紀，駐杭州、淮安、南昌、廣州、桂林、昆明、貴州等地，做學政和會試考官（1799）。不但提拔人才，立學修書，又給許多學者機會研究著作。他和他周圍的學者的研究範圍廣，編纂的書籍又多，所以對當時各門學術影響極大。他和他周圍學者在重點的書院選測學生課本，和確定考試程度，他的影響不止自己一代。因爲寫這篇論文時間有限，作者只得將阮元的著作和與他有關係的學者的名字放在附件裏，貢獻給研究清代學術的學者們做一參考。

---

[52] 張臨生，「文王方鼎與仲駒父簋」《故宮學術季刊》15：1，1－44（Taipei, 1997）。

Appendix I 附表一

Chronology of Ruan Yuan's Government Appointments 阮元官職表

官職	居住地方	品級	公元日期
翰林院庶吉士	北京		1789/5
翰林院編修	北京〔武英殿〕	7A	1789/5
詹事府少詹事	北京〔南書房〕	4A	1790/3
起居注官	北京		1791/3
詹事府正詹事	北京〔文淵閣〕	3A	1791/11
文淵閣學士			
事兼禮部侍郎			
山東學政	濟南		1793–1795
浙江學政	杭州		1795–1798
禮部右侍郎	北京〔南書房〕	2A	1798–1799/2
兵部右侍郎	北京〔南書房〕	2A	1799/2
充經筵講官			
戶部右侍郎	北京〔南書房〕	2A	1799/4
會試副考官	北京		1799
兼署禮部左侍郎	北京	2A	1799/7
兼管國子監算學			
浙江巡撫	杭州	2B	1799–1805

			1807-1809
翰林院編修	北京	7A	1809/10
翰林院侍講	北京	4B	1810/5
起居注官北京			1810/10
國史館編修	北京		1810/11
詹事府少詹事	北京	4A	1811/9
內閣學士	北京	2B	1812/1
兼禮部侍郎	北京	2A	1812/1
工部右侍郎	北京	2A	1812/5
兼管錢法堂事務			
漕運總督淮安		2A	1812-1814
江西巡撫	南昌	2B	1814-1816/6
加太子少保銜			
河南巡撫	開封	2B	1816/8
湖廣總督	武昌	2A	1816-1817
兩廣總督	廣州	2A	1817-1826
雲貴總督	昆明	2A	1826-1835
會試副考官	北京		1833
大學士	昆明／北京	1B	
體仁閣大學士	北京	1A	1835/3
管理刑部／工部事務北京		1A	
賜紫禁城騎馬			
兼都察院左都御史	北京	1A	1835/10
會試副考官	北京	1A	1836

殿試讀卷官	北京	1A	1836
翰林院教習庶吉士	北京	1A	1836
以老病致仕			1838
加太子太保銜			

Appendix II 附表二

Ruan Yuan's Publications 阮元著作

Anthologies 集 部

瀛舟筆談

文選樓叢書

Archaeology and Epigraphy 考古金石銘文

雲風拓碑圖

山左金石志

〔王復齋〕鐘鼎款識

薛氏鐘鼎款識

焦山定陶鼎考

積古齋鐘鼎彝器款識

兩浙金石志

漢延熹西獄華山碑考

石畫記

布幣圖識

阮氏積古齋漢銅印得

漢石經殘字

修雷塘隋煬帝陵記

皇清碑版錄

Bibliography and Annotated Catalog 書 目

山東學政阮芸台示童生書目

石渠隨筆

四庫未收書目提要

天一閣書目

靈隱寺書藏書目

焦山書藏書目

文選樓藏書記

Biography（contemporary and past）　傳　記

淨因道人傳

疇人傳

國史儒林傳稿

國史文苑傳稿

戶部上書太子太保何文安公神道碑銘

刑部上書太子太保史公神道碑銘

畢韞齋母郭儒人墓誌銘

江都春谷黃君墓誌銘

揅經室二集

Classics　經　學

考工記車制圖解

儀禮石經校勘記

曾子十篇註疏

詁經精舍文集

十三經注疏附校勘記

揅經室一集
揅經室文集
學海堂集
宋本十三經注疏
詩書古訓
皇清經解
塔性說
三家詩補遺
論語論仁論
孟子論仁論

Dictionary　辭典

經籍纂詁
經籍纂詁補遺
十三經經郛〔未印〕

History and Geography　歷史地理

重修表忠觀記
竹垞小志
地球圖說
重修會稽大禹陵廟碑記
重建揚州會館碑銘
兩浙防護〔陵寢祠墓〕錄
浙江圖考
瀛舟書記

洋程筆記

皇清碑版錄

海塘志

揚州阮氏家廟碑

隋文選樓銘

瀛洲書記

曲江亭記

江西改建貢院號舍碑記

廣東通志

揅經室集

改建廣東鄉試闈作碑記

雲南通志稿

選平樂府重建聖廟碑記

文選樓藏碑錄

Letters　信　函

阮文達公致仕後家書

Literature　詩　文

山左詩課

浙江詩課

淮海英靈集

兩浙輶軒錄

江蘇詩徵

小滄浪筆談

丁香亭筆談
揅經室詩錄
八轉吟館刻竹記
瑯環仙館詩

Scienceand Technology　　科　技

海運考
糧船量米考
杭州文廟鋪鐘記

Miscellaneous Writings　　其　他

味餘書室隨筆註
小滄浪筆談
丁香亭筆談
廣陵詩事
重修阮氏族譜
鄭士農年譜序
刻七經孟子考文並補遺序
王伯申經義述文序
王伯申經傳釋詞序
惠半農先生禮說序
漢讀考周禮六卷序
任子田侍御服釋例序
張皋文一禮圖
王實齋大戴禮記解詁序

春秋公羊通義序

國朝漢學師承記序

孔檢討大戴禮記補注序

焦禮堂群經宮室圖序

揚州北湖小志序

續北湖小志序

泰山志序

知足齋詩集後序

王文端公年譜序

葉氏廬墓詩文卷序

惜陰日記序

焦氏雕菰樓易學序

四書文話序

學蔀通辨序

嶔涯考古序

毛西河檢討全集後序

全謝山先生經史問答序

南江邵氏遺書序

王西莊先生全集序

通監訓纂序

四史疑年錄序

嵇文達公集序

海塘攬要序

皇清碑版錄序

續疇人傳序
雷塘自定壽壙記
劉孟瞻項都江都考跋
刻宋元鎮江府志序
梅花屋詩序
揚州畫舫錄序/跋
重刻舊唐書序
嵇文恭公家訓墨蹟跋

Appendix Ⅲ 附表三

Scholars Associated with Ruan Yuan 與阮元有關的學者

＊阮　幕　　＊＊曾在四庫館工作　＋阮元家屬

Bao Shichen	包世臣
Bao Tingbo	鮑廷博
Bi Heng	畢亨
Bi Yuan	畢沅
Cai Ruping	蔡如平
Cao Luanyang	曹鑾揚
Cha Fei	查飛
*Cha Kui	查楑
Che Yunlong	車雲龍
Chen Changqi	陳昌齊
Chen Chuanjing	陳傳經
*Chen Hongshou	陳鴻壽
Chen Li	陳澧
Chen Mengzhao	陳夢照
Chen Qiaocong	陳喬樅
*Chen Shouqi	陳壽祺
Chen Songqing	陳嵩慶
Chen Tong	陳同

Chen Wenzhan	陳文湛
*Chen Wenshu	陳文述
Chen Yuzhong	陳豫鍾
Chen Zhan	陳鱣
*Cheng Bangxian	程邦憲
Cheng Enze	程恩澤
Chen Jinfang	程晉芳
Cheng Tongwen	程同文
Cheng Yaotian	程姚田
*Cheng Zanhe	程贊和
*Cheng Zanning	程贊寧
Cui Bi	崔弼
Cui Shu	崔述
Cui Yingliu	崔應榴
Dai Cong	戴聰
Dai Guangzeng	戴光曾
Deng Chun	鄧淳
*Ding Chuanjing	丁傳經
*Ding Shoujing	丁受經
Ding Yan	丁晏
Ding Zifu	丁子復
**Dong Gao	董誥
Dong Renjie	董人傑
Duan Yu	段煐

Duan Songling	段松苓
Duan Yucai	段玉裁
*Duanmu Guohu	端木國瑚
*Fashishan	法式善
Fan Feng	樊封
Fan Jingfu	范景福
*Fang Dongshu	方東樹
Fang Guanxu	方觀旭
Fang Maochao	方楙朝
Fang Maosi	方楙嗣
*Fang Pu	方溥
Fang Qiqian	方起謙
Fang Tinghu	方廷瑚
Feng Dengfu	馮登府
Feng Pei	馮培
Fu Xuexian	傅學灦
Gong Zizhen	龔自珍
Gu Deyan	顧德言
Gu Guangqi	顧廣圻
Gu Tinglun	顧廷綸
Gui Fu	桂馥
Gui Wencan	桂文燦
*Guo Lin	郭麟
Guo Pei	郭培

Hao Yixing	郝懿行
He Landing	何蘭玎
He Qijie	何其杰
He Qiying	何啓瀛
*He Yuanxi	何元錫
He Zhaoji	何兆基
*He Zhiyun	何治運
Hong Kunxuan	洪坤暄
Hong Tongsheng	洪桐生
*Hong Yixuan	洪頤煊
*Hong Zhenxuan	洪震暄
Hou Kang	侯康
Hu Baokun	胡寶琨
Hu Bingji	胡秉
Hu Fu	胡傅
Hu Jin	胡縉
Hu Jinti	胡金題
Hu Jing	胡敬
Hu Kaiyi	胡開益
Hu Su	胡傈
Hu Yuanzao	胡元早
*Hu Tingsen	胡廷森
Hua Ruihuang	華瑞黄
Huang Chunxi	黃春熙

Huang Guangzong	黃光宗
Huang Kaijun	黃凱鈞
Huang Shi	黃奭
*Huang Wenyang	黃文暘
*Huang Yigui	黃一桂
Huang Yu	黃鈺
Huang Zigao	黃子高
Ji Heng	紀珩
**Ji Yun	嵇昀
*Jiang An	江安
Jiang Deliang	江德量
*Jiang Fan	江藩
Jiang Ning	江寧
Jiang Suideng	姜遂登
Jiang Tong	蔣烔
*Jiang Zhengwei	蔣徵蔚
Jiao Tinghu	焦廷虎
*Jiao Xun	焦循
Jin E	金鶚
Jing Tingdong	金廷棟
Jin Yanxu	金衍緒
Jin Yibao	金以報
Ju Pu	居溥
Ke Xiaoda	科孝達

Kong Guangse	孔廣森
+Kong Luhua	孔璐華
Lang Suifeng	郎遂鋒
Li Cheng	李誠
Li Daonan	李道南
Li Fangzhan	李方湛
Li Fusun	李富孫
Li Gu	李穀
Li Guangzhao	李光照
Li Guoguang	黎國光
Li Qinghua	李清華
*Li Rui	李銳
Li Youqi	李有祺
Li Yingzhong	李應中
Li Yusun	李遇孫
*Li Yun	李雲
Li Zhaosun	李照孫
Li Zhongkai	李中楷
*Li Zhongpei	李中培
Liang Guochen	梁國琛
Liang Guangzhao	梁光釗
Liang Jiagui	梁家桂
Liang Jian	梁鑑
Liang Jie	梁傑

Liang Mei	梁梅
Liang Zhangju	梁章鉅
Liang Zuen	梁祖恩
Lin Botung	林伯同
Lin Chengdong	林成棟
*Lin Daoyuan	林道原
*Lin Shuzeng	林述曾
Ling Mingjie	凌鳴喈
*Lin Shu	凌曙
Lin Yong	凌鏞
*Ling Tingkan	凌廷堪
Liu Binhua	劉彬華
Liu Fenggao	劉鳳誥
Liu Guangju	劉廣鉅
Liu Huanzhi	劉鐶之
Liu Shusong	劉毓崧
Liu Taigong	劉台拱
Liu Tianhui	劉天惠
+Liu Wenru	劉文如
*Liu Wenqi	劉文淇
Liu Xingen	柳興恩
Liu Xi	劉熙
Liu Xiyu	劉錫瑜
Liu Ying	劉瀛

**Liu Yong	劉墉
Lu Bintao	盧彬濤
*Lu Jiluo	陸繼駱
Lu Xiaochun	陸曉春
Lu Yan	陸言
*Lu Yaoyu	陸耀遹
Luo Lin	羅琳
*Luo Shilin	羅士林
Ma Fu'an	馬福安
Ma Liangyu	馬良宇
Ma Zonglian	馬宗璉
Mao Fengwu	毛鳳五
Mao Mo	毛謨
Mei Zhizhi	梅植之
Neu Shuyu	紐樹玉
Ni Shou	倪綬
Pan Guozhao	潘國詔
Pan Xuemin	潘學敏
**Peng Yuanrui	彭元瑞
Qi Lin	漆璘
Qian Baofu	錢寶甫
Qian Daxin	錢大昕
Qian Dazhao	錢大昭
Qian Dian	錢坫

Qian Fu	錢馥
Qian Fulin	錢福林
Qian Lin	錢林
Qian Taiji	錢泰吉
Qian Tang	錢塘
Qian Yiji	錢儀吉
Qian Yong	錢泳
Qian Yue	錢樾
Qiao Chunling	喬椿齡
Qin Enfu	秦恩復
Qin Ying	秦瀛
**Ren Dachun	任大椿
Ren Zhaolin	任兆麟
+Ruan Changsheng	阮常生
+Ruan Fu	阮福
+Ruan Heng	阮亨
*Ruan Honghang	阮鴻行
*Ruan Yinzeng	阮蔭曾
Shao Baochu	邵保初
Shao Baohe	邵保和
**Shao Jinhan	邵晉涵
Shen Chen	沈宸
Shen Erzhen	沈爾榀
Shen Hedou	沈河斗

Shen Ling	沈齡
Shen Shusun	沈疏蓀
*Shi Guoqi	施國祁
Shi Huaibi	石懷壁
Shi Bin	施彬
Shi Yingxin	施應心
Song Baochun	宋葆醇
Song Xianxi	宋咸熙
Song Xiang	宋湘
Su Lin	蘇琳
Su Yingheng	蘇應亨
Sun Chengyan	孫成彥
Sun Dongyang	孫東暘
Sun Fengqi	孫鳳起
*Sun Shao	孫韶
Sun Shilun	孫事倫
Sun Tongyuan	孫同元
Sun Xingyan	孫星衍
Sun Zengmei	孫曾美
Sun Zhizu	孫志祖
*Tan Ying	譚瑩
Tang Jinzhao	湯金釗
Tang Lixiang	湯禮祥
Tang Sui	湯燧

Tang Xifan	湯錫蕃
Tao Dingshan	陶定山
Tong Guangqi	童光起
*Tong Huai	童槐
Tong Huang	童璜
Tong Renjie	童人傑
Tu Zhuo	屠倬
Wang Chang	王昶
Wang Chun	王純
Wang Danchi	王丹墀
Wang Duanlu	王端履
Wang Jipei	王繼培
Wang Jiaxi	汪家禧
**Wang Jie	王杰
**Wang Niansun	王念孫
*Wang Pinzhen	王聘珍
Wang Ren	王仁
Wang Ruyuan	汪如淵
Wang Shushi	王樹實
Wang Shuzeng	王述曾
Wang Song	王崧
Wang Wenchao	王文潮
Wang Wengao	王文杲
Wang Yanmei	王衍梅

Wang Yinzhi	王引之
Wang Yu	王豫
Wang Zhong	汪中
Wen Chun	溫純
**Weng Fanggang	翁方綱
Weng Shupei	翁樹培
Wu Chengxun	吳成勳
Wu Daban	吳大本
*Wu Dongfa	吳東發
Wu Jie	吳傑
Wu Keqin	吳克勤
Wu Kuiguang	吳奎光
Wu Lanxiu	吳蘭修
Wu Lin'guang	吳林光
*Wu Shucheng	吳書成
Wu Songliang	吳崧亮
Wu Wenjian	吳文健
*Wu Wenpu	吳文溥
*Wu Xiqi	吳錫琪
Wu Yi	武憶
*Wu Yingkui	吳應逵
Wu Yinnian	吳引年
Wu Yue	吳岳
Wu Zengguan	吳曾貫

Wu Zhuo	鄔倬
*Xiang Yong	項墉
*Xie Guangfu	謝光傳
Xie Jiang	謝江
Xie Huai	謝淮
Xie Lansheng	謝蘭生
Xie Niangong	謝念功
Xie Yong	謝墉
Xiong Jinxing	熊景星
Xu Bitang	徐碧堂
Xu Dayou	徐大酉
Xu Fu	徐復
Xu Heng	徐珩
Xu Kun	徐鯤
Xu Naigeng	許乃賡
Xu Naiji	許乃濟
Xu Qing	徐青
Xu Rong	徐榮
Xu Rongqing	徐榮慶
*Xu Xiongfei	徐熊飛
*Xu Yanghao	徐養灝
*Xu Yangyuan	徐養原
*Xu Zongyan	許宗彥
Xu Zuliu	金祖鎏

Yan Chonggui	嚴崇葵
Yan GuangzhaoAY	光照
*Yan Jie	嚴杰
Yan Jiujing	言九經
Yan Li	顏立
Yan Sizong	顏斯總
*Yan Wenzhao	嚴文照
Yang Bingchu	楊秉初
Yang Changxu	楊昌緒
*Yang Fengbao	楊鳳苞
Yang Maojian	楊懋建
Yang Pan	楊蟠
Yang Shiji	楊時濟
Yang Wensun	楊文蓀
Yang Zhixin	楊知新
Yao Jinguan	姚覲元
Yao Wentian	姚文田
Yao Zhang	姚樟
Ye Menglong	葉夢龍
Yu Baohua	俞保華
*Yu Zhuo	俞卓
Yuan Jun	袁鈞
Zang Litang	臧禮堂
*Zang Yong[tang]	臧庸〔庸堂〕

Zeng Zhao	曾釗
Zhang Hui	張慧
Zhang Huiyan	張惠言
*Zhang Jian	張鑑
Zhang Jieyuan	張解元
Zhang Liben	張立本
Zhang Menggan	張孟淦
Zhang Mu	張穆
Zhang Qihan	張其翰
Zhang Rufang	張汝房
Zhang Ruocai	張若采
Zhang Shu	張澍
*Zhang Shao	張杓
Zhang Tingji	張廷濟
*Zhang Xingyong	張興鏞
*Zhang Xu	張詡
Zhang Xuecheng	章學誠
Zhang Yanchang	張燕昌
*ZhangYanzhen	張彥眞
Zhao Chunyi	趙春沂
Zhao Bingzhong	趙秉中
Zhao Huaiyu	趙懷遇
Zhao Jun	趙昀
Zhao Tan	趙坦

*Zhao Wei	趙魏
Zhao Yun	趙均
Zheng Fen	鄭棻
Zheng Hao	鄭灝
*Zheng Xian	鄭顯
Zheng Xun	鄭勳
Zhong Dayuan	鍾大源
Zhong Huai	鍾懷
Zhong Qishao	鍾起韶
Zhou Gao	周誥
Zhou Jiangong	周建功
Zhou Liankui	周聯奎
Zhou Shilian	周師濂
Zhou Yiqing	周以清
Zhou Yunzhi	周雲幟
Zhou Zhiping	周治平
Zhou Zhongfu	周中孚
**Zhu Gui	朱珪
Zhu Jiale	褚嘉樂
Zhu Jian	朱間
Zhu Shiyan	朱士彥
Zhu Shizhi	朱軾之
*Zhu Weibi	朱爲弼
Zhu Wenhan	朱文翰

*Zhu Wenzao	朱文藻
Zhu Xigeng	朱錫庚
**Zhu Yun	朱筠

參考資料

Bartlett, Beatrice S, *Monarchs and Ministers: The Grand Council in Mid-Ch'ing China, 1723-1820,* Berkeley: University of California Press, 1991.

Chang Chung-li *The Chinese Gentry,* Seattle: University of Washington Press, 1955.

張臨生 〈國立故宮博物院收藏源流史略〉，故宮學術季刊，13:3:1-82（Taipei 1996）.

—— 〈王方鼎与仲駒父簋〉，故宮學術季刊，15：1：1－44（Taipei 1997）。

昌彼得 〈武英殿本《四庫全書總目》考〉，故宮學術季刊，1：1：55－68（Taipei 1983）。

陳乃乾 《清代碑傳文通檢》，北京中華書局版，1959。

陳壽祺（1771-1834）《左海文集》。

陳天錫 〈清代幕賓中刑名錢穀與本人業此經過〉，慶祝蔣慰堂先生七十榮慶論文集，中央圖書館館刊特刊（1968），161－175。

Ch'ü T'ung-tsu, *Local Government in China under the Ch'ing, Cambridge:* Harvard University Press, 1962. 4th printing 1988.

DeBary, William Theodore, et al, *Sources of Chinese Tradition,* New York: Columbia University Press, 1960.

Ebrey, Patricia Buckley, and James L Watson (editors) ,

Kinship Organization in Late Imperial China 1000－1940, Berkeley: Universityof California Press, 1986.

Edwards, EC, "A Classified Guide to the Thirteen Classes of Chinese Prose", *British Society of oriental and African Studies* 12: 777－788（1948）.

Elman, Benjamin, *From Philosophy to Philology: Social and Intellectual Aspects of Change in Late Imperial China,* Cambridge: Harvard University Press, 1984.

—— *Classicism, Politics, and Kinship: The Ch' ang-chou School of New Text Confucianism in Late Imperial China,* Berkeley: University of California Press, 1990.

Elman, Benjamin（editor）, *Education and Society in Late Imperial China 1600－1900,* Berkeley: University of California Press, 1994.

Fang Chao-ying, "Juan Yuan", in Hummel, 399－402.

房兆楹等 《清朝進士題名碑錄》,哈佛燕京引得，1941。

Folsom, Kenneth E, *Friends, Guests, and Colleagues: the Mu-Fu System in Late Ch'ing Period,* Berkeley: University of California Press, 1968.

Franke, von Wolfang, "Ruan Yuan 阮元（1764-1849）", *Monumenta Serica* IX: 53-80（1944）。

Fuitsuka Chikashi 藤塚鄰 「阮芸臺李朝金元堂」 書苑6：2，1－14（東京）1942. pp1－12。

宮中檔〔嘉慶道光朝〕，台北國立故宮博物院藏。

Guy, R Kent, *The Emperor's Four Treasuries: Scholars and the State in Late Ch'ien-lung Era,* Cambridge MA: Harvard University Press, 1987.

韓石秋　《清代文學史》，台灣高雄百成書店刊本　1973。

Hinton, Harold C, "The Grain Transport System of the Ch'ing Dynasty", *Far Eastern Quarterly* 2：3：339－354（1952）.

Ho Ping-ti, *The Ladder of Success in Imperial China,* New York: Columbia University Press, 1962.

——, "The Salt Merchants of Yang-chou: A Study of Commercial Capitalism in Eighteenth Century China", *Harvard Journal of Asiatic Studies* 12：1－2：130－168（1964）.

何佑森　〈阮元的經學及其治學方法〉，故宮文獻，2：1：19－34（1970）.

——　〈陳蘭甫的學術及其淵源〉，故宮文獻，2：4：19－34（1971）.

Hsu, Immanuel *C Y, The Riseof Modern China,* New York: Oxford University Press，1970.

Hu Shih, "A Note on Ch'uan Tsu-wang, Chao I-ch'ing and Tai Chen: a study of independent convergence in research as illustrated in their works on the Shui-ching-chu", in Hummel, 970－982.

胡適　《戴東原的哲學》，台北商務印書館版，1976。

黃愛平　《四庫全書纂修研究》，北京人民大學出版社，1989。

——　〈王念孫、王引之父子與乾嘉揚州學派〉，揚州研究，台北聯經事業公司，1996，253－298。

—— 〈乾嘉學者王念孫、王引之父子學術研究〉，清史研究集，五集，（北京 1986），267－304。

黃惇 〈康乾時期的揚州書壇—揚州八怪與徽商〉，香港中文大學中國書法國際書法會議報告 （1997）。

Hummel, Arthur, *Eminent Chinese of the Ch'ing Period*, Washington DC: Government Printing Office, 1943.

寄信檔〔嘉慶道光朝〕

江藩（1761-1831） 《國朝漢學師承記》，北京中華書局版，1983。

—— 《炳燭室雜文》。

—— 《隸經文》。

焦循（1763-1820），《雕菰樓集》，1824。

孔璐華（1777-1833），《唐宋舊經樓詩稿》。

Li Man-kuei, "WangNien-sun", in Hummel, 829-830.

—— "WangYin-chih", inHummel, 841-842.

李桓 《國朝耆獻類徵初編》，1884。

梁起超 《清代學術概論》，台北商務印書館，1977。

梁乙眞 《清代婦女文學史》，（1925），台灣中華書局刊本，1968。

林伯桐 《學海堂志》，1839。

劉家駒 〈四庫全書修書秘辛〉，故宮文物4：1：116－123（Taipei, 1986）。

劉文如 （1777－1846）《四史疑年錄》。

Mann, Susan, *Local Merchants and the Chinese Bureaucracy 1750－1950,* Stanford: Stanford University Press, 1987.

Mayers, William Frederick, *The Chinese Readers Manual,*

Shanghai: American Presbyterian Mission Press, 1874. (Taipei reprint: Ch'eng-wen Publishing, 1971).

繆全吉　〈清代幕府制度之成長原因〉，思與言，3：25－33, 41 (Taipei，1967)。

閔爾昌　《碑傳集補》，北平燕京大學出版社　1922。

Nivison, David, *The Life and Thought of Chang Hsueh-ch'eng,* Stanford: Stanford University Press, 1966.

（余英時譯〈章學誠的生活與思想〉）

—— and Arthur F Wright（editors）, *Confucianism in Action,* Stanford: Stanford University Press, 1959.

Pelliot, Paul, "Les Yi Nien Lou", T'oung Pao, 30：67（1928）.

錢穆　《中國近三百年學術史》，台北商務印書館　1972。

錢大昕　〈經籍纂詁序〉。

清史儒林傳稿，手稿存中央圖書館。

清史文苑傳稿，手稿存中央圖書館。

容肇祖　〈學海堂考〉　嶺南學報，3：4：1－147（Guangzhou，1934）。

阮亨　《瀛舟筆談》，揚州文選摟刊本，無出版日期，香港大學馮平山圖書館藏。

阮衍喜　〈阮元籍貫正〉，揚州師範學院學報（社會科學版）1986：3：158。

〈阮元列傳〉，國史館手抄本，台北國立故宮博物院藏。

〈阮元列傳稿〉，國史館手抄本，台北國立故宮博物院藏。

阮元　《揅經室集》1820－1840　廣州學海堂版　1864。

——　《定香亭筆談》，浙江書局版，台北廣文書局影印版　1970。

—— 〈阮文達公致仕後家書〉，手稿存北京圖書館善本書庫。

—— 《四庫未收書目提要》，台北商務印書館版，1967。

—— 《文選樓叢書未刻稿本》，稿存南港中央研究院歷史語言研究所傅斯年圖書館善本書庫。

上諭檔〔嘉慶道光朝〕，台北國立故宮博物院藏。

Struve, Lynn, "The Hsu Brothers and Semi-official Patronage of Scholars in the K'ang-hsi Period", *Harvard Journal of Asiatic Studies* 42：231－266（1982）.

隨手登記檔〔嘉慶道光朝〕 台北國立故宮博物院藏。

Tu Lien-che, "Hao I-hsing", in Hummel, 277－278.

—— "Shao Chin-han", in Hummel, 637－638.

Vissiere, Paul, "Le Biographe de Jouan Yuan", T'oung Pao, II：5：561－596（1904）.

王俊義 〈康乾盛世與乾嘉學派〉，清史研究集四集，1986, 342－366.

王家儉 《清史研究論藪》 台北文史哲，1994, 61－85。

王萍 〈阮元與疇人傳〉 中央研究院近代史研究所集刊4：下：601－611（1974）。

王引之 〈經籍纂詁序〉。

汪紹楹 〈阮氏重刻宋本十三經注疏考〉，文史 3：25－62（1963）。

王章濤 〈阮元與揚州學派〉，揚州研究，299－335。

Wei Peh T'i 魏白蒂 JUAN YUAN: A Biographical Study With Special Reference to Mid-Ch'ing Security and Control in Southern China 1799－1835, Ph D Thesis, University of Hong

Kong, 1981. Chapter 2 "Intellectual Foundations and Political Beginnings".

—— 〈探討在海外收藏研究阮元的資料—以檔案爲要〉，揚州師範大學揚州學派研討會　（揚州1988）。

—— "Ruan Yuan and Patronage of Scholarship during the Mid-Qing Period", unedited and un-proof read conference paper published without authorization of the author *in Bulletin of the Hong Kong Branch of the Royal Asiatic Society* （1996）.

—— "Mid-Qing Confucian Gentry Femininity: Ruan Yuan and the Womenin His Life"（1997）.

魏秀梅　《清季職官表附人物錄》，台北中央研究院近代史研究所，1977。

Wright, Arthur F（ editor ）, *The Confucian Persuasion,* Stanford: Stanford University Press, 1960.

吳哲夫　《四庫全書薈要纂修考》，台北故宮博物院，1976。

蕭一山　《清代通史》，1935，台北商務印書館版，1976。

徐珂　《清稗類鈔》，上海商務印書館，1928。

楊布生、彭定國　《書院文化》，台北雲龍出版社，1997，130－137。

Yang Lien-sheng, "Control of Urban Merchants in Traditional China", *Tsing Hua Journal of Chinese Studies, new series 8：1－2：186－206*（*1970*）.

仰彌　〈阮文達事述〉，中和月刊，*1：9：42－61*（*1940*）。

議覆檔〔道光朝〕。

引進檔〔道光朝〕，北京第一歷史檔案館藏。

尹旦侯　〈阮元—清中葉的教育家〉，湖南師範學院院刊，*1986*：*2*：*101*－*106*。

永瑢等　《四庫全書簡明目錄》，上海古籍出版社，*1985*。

——　《歷代職官表》，*1780*，東京中文出版社，*1968*。

余嘉錫　《四庫提要辨證》，台北中華書局，*1958*。

余英時　《論戴震與章學誠》，香港龍門書局，*1976*。

臧鏞　〈經籍纂詁序〉。

張純明　〈清代的幕制〉，嶺南學報，*9*：*2*：*29*－*50*（*Guangzhou1949*）。

張其昀　《清史》，台北國防，*1962*。

張舜徽　《清代揚州學記》，上海人民出版社，*1962*。

張鑑、阮常生等　《雷塘庵主弟子記》，揚州文選摟版本，無出版日期　南港中央研究院歷史語言研究所傅斯年圖書館藏。

趙爾巽　《清史稿》，*1928*。

支偉成等　《清代樸學大師列傳》，上海泰東圖書，*1925*。

朱爲弼（*1771-1841*），《蕉聲館集》。

——　《蕉聲館詩集》。

《四庫全書總目》與十八世紀中國文化的流向

周積明*

法國文化史家丹納（Hippolyto Adolphe Taine）在《〈英國文化史〉序言》中有一段名言：「如果一部文學作品內容豐富，並且人們知道如何去解釋它，那麼，我們在這作品中所找到的，會是一種人的心理，時常也就是一個時代的心理，有時更是一種種族的心理。」對於丹納的這段話，有三點必須加以說明或闡發。第一，丹納說的雖然是文學作品，但同樣的道理可以推行於其他類型的人文著作；第二，由於任何文學作品或哲學、史學著作都產生於特定的時代，誕生於一定的民族文化土壤，因此，從理論上言，即使一般性的文史著作也都包含著一定的時代文化信息與種族心理，但這並非意味著所有的作品都具有同等的文化深度。丹納把「如果一部文學作品內容豐富」作爲前提條件，如此原則也可推衍於對其他類型作品的選擇；第三，能夠從文史著作中發掘出豐富的文化內涵，不僅取決於客體的文化容量，而且取決於閱讀者、研究者的眼光，也就是丹納所說的「知道如

＊　湖北大學中國文化研究所所長

何去解釋它」。明了這三點，我們方可進入下面的討論。

在中國文學史上，文化內涵豐厚足以體現一個時代氣象的文史著作不勝枚舉。《四庫全書總目》就是其中極爲重要的一部。對於這部作品，向來的研究者多把它作爲「讀書之門徑」的工具書而看待。如張之洞在《輶軒語》中，向讀書士子宣傳：「今爲諸生指一良師，將《四庫全書總目》讀一過，即略知學問門徑矣。」積畢生精力研讀《四庫全書總目》的余嘉錫先生在《四庫提要辨正》中強調的也是這部大書「敘作者之爵里，詳典籍之源流，別白是非，旁通曲證」，「斟酌古今，辯章學術」的工具書價值，並一再指出：「漢唐目錄書盡亡，《提要》之作，前所未有，亦可爲讀書之門徑，學者捨此，莫由問津。」

毫無疑問，直到今天，《四庫全書總目》對於我們把握乾隆中葉以前重要文化典籍的要義，考察古籍的版本源流、文字異同、著作者事迹，仍然具有不可取代的價值。但是，《四庫全書總目》的價值決不僅於比。作爲中國古代規模最爲宏大、體制最爲完善、編制最爲出色的一部目錄書，它在本質上是一種文化產品、一種客觀化的精神，因而必然蘊含著鮮明的價值取向和特定的學術文化觀念。參與《四庫全書總目》編纂的是乾隆時期中國的第一流的學者，他們身上所負荷的民族和時代的思想情緒與時代精神也必然要以這樣和那樣的方式反映在《四庫全書總目》中。因此，在《四庫全書總目》中發現十八世紀中國的文化流向，是一種歷史的必然，也是一種文化的必然。

一、文化的熟落

人們往往注目於「乾隆盛世」的宏大，卻不太留意這種宏大的基礎是文化的熟落。正是在十八世紀，中國古典文化的基本形式和內容都趨於成熟、豐盈和完備，從而臨近了它的「穴結」。

規模宏大、爲「非常之制作」的《四庫全書》本身就是古典文化熟落的產品。這部「函溢六千，卷逾八萬」的大叢書「上沿虞夏，咸挹海以求珠。下采元明，各披沙而見寶」，❶「自有典籍以來，無如斯之博且精矣」❷。儘管出於鞏固王朝統治的政治目的，清王朝在編纂《四庫全書》的過程中，「焚」、「毀」了一些典籍，但平心而論，清中葉以前中國文化的重要典籍大體上搜羅入內。就數量而言。《四庫全書》搜集的書籍達3,503種，79,337卷，裝訂爲3,600餘冊；就範圍而言，《四庫全書》的四部不僅編入漢民族學者的著作，而且將少數民族學者與視野內的亞歐學者的著作收輯入內，從而構成中國古代最爲龐大而完備的知識世界。一座東方文化的金字塔。「水之積也不厚則其負大舟也無力。」《四庫全書》這樣巨型的叢書只有在典籍充分累積、文化高度成熟的前提下才可能造就。

與《四庫全書》同步，氣魄浩大的《四庫全書總目》也是古典文化進入成熟、總結階段的精品。由於歷史的沉積與缺乏有組織的整理，乾隆時的典籍已是「盈籍積案，或汗漫而難尋」❸，學術界迫切

---

❶ 《四庫全書總目·凡例》。

❷ 徐世昌：《清儒學案》卷18，《紀昀獻縣學案》。

❸ 《四庫全書總目·凡例》。

需要一部能綱紀群籍、指示治學門徑的大目錄書。而這樣一種條件在乾隆時已完全具備：爲編纂《四庫全書》而從各種途徑旁徵博採來的萬餘種歷代典籍，爲《四庫全書總目》審視和總結古代文化提供了實體基礎；諸體著作的大量積累使《四庫全書總目》得以對各體著作的發展源流、體制特點、撰寫方式進行系統評論；從漢魏到清中葉林林種種的公私藏書目錄和有關目錄學的研究，從理論到實踐上爲《四庫全書總目》的編制提供了豐富的借鑒經驗：

> 自隋志以下，門目大同小異，互有出入，亦各具得失。今擇善而從。如詔令奏議，《文獻通考》入集部，今以其事關國政，詔令從《唐志》例入史部，奏議從《漢志》例亦入史部。《東都事略》之屬不可入正史而亦不可入雜史者，從《宋史》例立別史一門。香譜、鷹譜之屬，舊志無所附麗，強入農家，今從尤袤《遂初堂書目》例立譜錄一門。名家、墨家、縱橫家，歷代著述不過一、二種，難以成帙。今從黃虞稷《千頃堂書目》例，并入雜家爲一門。又別集之有詩無文者，《文獻通考》別立詩集一門，多事區分，徒滋繁碎。今仍從諸史之例，爲別集一門。又兼詁群經者，《唐志》題曰經解，則不見其爲群經。朱彝尊《經義考》題爲群經，又不見其爲經解。徐乾學《通志堂》所刻改名曰總經解，何焯又譏其杜撰。今取《隋志》之文，名之曰五經總義。❹
>
> 焦竑《國史經籍志》多分子目，頗以餖飣爲嫌，今酌乎其中…

❹ 《四庫全書總目·凡例》。

…使條理秩然。❺

《四庫全書總目》正是在充分總結前代目錄學實踐的基礎上建構起中國古代最爲完備、最爲系統的圖書分類體系。而古代豐富的經學論、史論、文論又爲《四庫全書總目》準備了利鈍互見的龐大思想武庫，使它得以在學術評判中從心所欲的「援據紛論」。「摶扶搖而上」，《四庫全書總目》這部空前傑出的大目錄書，只有在古典文化大成熟、大總結的文人氣氛中才可能出現。紀昀在《進四庫全書表》中稱《四庫全書》具有「源流之大備」及「會歸」的特質，恰表明了四庫館臣對《四庫全書》及《四庫全書總目》集文化之大成的自覺認識。

《四庫全書》、《四庫全書總目》所透露出來的古典文化高度成熟的時代文化特徵，在清代文化領域中處處可以窺見。《紅樓夢》是古典長篇小說的頂峰，《聊齋志異》爲古典文言小說的頂峰，《閱微草堂筆記》是古典筆記小說的頂峰。「甚至駢文小說《燕山外史》也遠承當時已失的唐代《游仙窟》，下開清末民初的《玉梨魂》」。「由清代文學可以發現從《詩》、《書》、《易》、《春秋三傳》以來的傳統痕迹及其最後形態」。❻清代目錄學成績卓越，而無論是官修目錄還是私家目錄都顯示出一種總結前代開啓後來的特色。清代詩論的最基本特徵也在於它是中國古代傳統詩歌理論的總結。

---

❺ 《四庫全書總目·凡例》。

❻ 金克木：《談清詩》，《讀書》1984.9。

對於乾隆時期古典文化的高度成熟，乾嘉學者也有深刻的感受和體認。紀昀云「自校理秘書，縱觀古今著作，知作者固已大備，後之人竭盡其心思才力，不出古人之範圍。」❼又稱：「余嘗謂古人爲詩似難尙易，今人爲詩似易實難。余自早歲受書，即學歌咏，中間奮其意氣與天下勝流相倡和，頗不欲後人。今年將八十，轉瑟縮不敢著一語，平生吟稿亦不敢自存。蓋閱歷漸深，檢點得意之作，大抵古人所已道；其馳騁自喜，又往往皆古人所撝呵。」❽與紀昀感受相同，趙翼也感嘆長吟：「古來佳句本無多，苦恨前人已說過。今日或猶殘沈在，不知千載更如何。」這種無法超越的心理顯然只有在文化熟落的背景下才會產生。

據於文化成熟的制高點，乾嘉時期的學者往往有一種縱觀文化歷史的宏大眼光以及集古典文化大成的意向。章學誠在稱讚邵念魯學術時，便表露出欲將馬、班之史，韓、歐之文，程、朱之理，陸、王之學，「洪爐鼓鑄」、「自成一家」❾的意念。紀昀在主持乾隆己卯山西鄉試、乾隆甲辰會試、嘉慶丙辰會試時，將回溯經學史、史學史、文學史，評判各流派學術宗旨與研究方法的優劣、討論各類體裁的得失作爲策問內容❿。焦循云：「夫一代有一代之所勝。……余嘗欲自楚騷以下，至明八股，撰爲一集。漢則專取其賦，魏晉、六朝至隋，則專取其律詩，宋專錄其詞，元專錄其曲，明專錄其八股。……然而

---

❼ 陳鶴：《紀文達公遺集序》。

❽ 《紀文達公遺集》卷9，《鶴街詩稿序》。

❾ 《章氏遺書》卷18，《邵與桐別傳》後按語。

❿ 參見《紀文達公遺集》卷12。

未暇也。」⓫氣象盛大的乾嘉考據學則以清理傳統文獻典籍爲核心工作。凡此各各，都透露出這一時期社會文化所具有的回溯力強、帶有總結歷史意味的階段性特徵。而這樣一種特徵在《四庫全書總目》中又表現得特別充分：其《經部總序》以三百來字的篇幅大手筆地勾畫出「自漢京以來」到清初兩千年間經學歷史運動的波瀾起伏以及各流派的長短得失；《經部》「易類小序」「窮源竟委」，敘易學「兩派六宗」的更替嬗變言極簡扼；《楊仲宏集》提要和《明詩綜》提要縱論宋明文學，從西昆之雕琢、元祐之樸雅、江西之生新、江湖之寒陋敘及洪武文學之渾樸、臺閣體之從容和雅并冗沓膚廓、前後七子之復古擬古以及公安派之纖詭、竟陵派之幽冷，生動展示了宋明七百年「層層限定而又層層突破」的文學運動。如此一類史的鳥瞰以及對以往學術文化得失成敗的檢討在《四庫全書總目》的總序、小序、提要、案語中比比皆是，這樣一種氣度恢宏、視野開闊的文化反省和總結，在中國文化史上罕有匹敵。

中國古典文化在清代高度成熟並進入大規模總結階段，與這一時代政治、經濟的熟落是同步的。

清代政治的成熟主要表現在二個方面：⑴清王朝吸收了中國歷代王朝政權組織的經驗教訓，建立了中國歷史上最爲完備、最爲嚴密的君主集權專制。有清一代（清前期）既未發生過宗室作亂、也未出現過女后擅權、宦官干政，這正是王朝政治高度成熟的重要表現。⑵清王朝吸收了歷代王朝民族政策的得失經驗，對中國境內的少數民族地區實行了中國古代最爲成功的民族政策。自晚唐以來，中國各民族便

⓫ 《易餘籥錄》卷15。

處在大規模的互動過程之中，元、明兩朝雖以天下一統爲中華各民族的整體匯合奠定了堅實的基礎，但由於元明兩代各族分界較嚴，中央政權一族獨占，民族矛盾與衝突綿延不斷。而到了清代，民族矛盾雖然同樣存在，但由於從皇太極至康、雍、乾三朝對邊疆地區施行了遠較以往任何朝代有效的行政管理，中國境內形成了基礎堅實的以漢、滿、蒙、回（包括信仰伊斯蘭教的各族），藏爲主要成分的民族大聯合，文化形態也由分歧走向了統一。

清代經濟成熟的突出標誌便是土地占有者的身份地位出現了重大調整、庶民地主在土地占有中占據重要地位，縉紳地主特權地位削弱。租佃制度也獲得重大調整，定額租制取代分成租制。地主制經濟能量的充分釋放，推動整個社會經濟達到中國古代社會前所未有的發展水平，其重要標誌便是成功地承受了迄當時爲止中國歷史上最大的一次人口壓力。⓬

清前期的政治、經濟成熟，必然要求對傳統文化進行全面總結，提取文化傳統在千年流變中醞就的醇醪，糾正在這一流變中出現的偏頗。而文化本身也如梁任公所說，有它固有的生命節律。兩種歷史進程交錯於乾隆時代，形成一種文化成熟的格局以及文化總結的時代情緒。《四庫全書》與《四庫全書總目》的編纂就是這樣一種文化氛圍的產物。

由此可見，把《四庫全書》的纂修歸因於乾隆帝剷滅異端學說、「寓禁于徵」的個人動機與好大喜功的帝王心理都是理由不充分的。誠然，這種見解注意到社會歷史領域內人們活動的自覺性與目的性，

⓬ 參見方行：《論清前期地主制經濟的發展》，《中國史研究》19 83.2。

具有合理的一面。但是這種「私意說」卻忽視了老黑格爾的如下告誡：「把因果關係應用到自然有機生命和精神生活上的關係上是不允許的……因爲有生命的東西不讓原因達到其結果，有生命的東西把作爲原因的原因揚棄了。」⓭《四庫全書》的纂修是一項大規模的文化活動，如此規模的文化活動的出現，往往有一種文化大趨向作爲深層的原動力。而進入清代的中國古典文化因自身的成熟，已經隱含著整理歷代典籍、批評總結千年學術文化的大趨向，周永年所倡「儒藏說」，徐乾學、朱筠所倡校輯《永樂大典》之議，正是這一趨向化爲現實文化活動的先聲。正因爲如此，一旦《四庫全書總目》開始纂修，便部分地揚棄了乾隆帝「私意」這一「原因的原因」，而沿著總結古典文化的軌迹運行，從而最終成爲一部中國古典文化穴結時代的代表性著作。如果一定要以「私意說」來解釋《四庫全書》與《四庫全書總目》纂修的歷史動力，那麼，這兩部大書就全然成爲某種個人意圖的產物，帶有極大的隨意性，其所蘊含的豐富的文化價值將無從解釋。我們只有在十分注意清高宗的種種私意的同時，充分觀照歷史文化運行的大趨向，方能更爲合理地解釋《四庫全書》與《四庫全書總目》的誕生。

二、實證時代

清代乾嘉之世，貴實證、重考據的樸學支配整個學術界，這樣一種具有鮮明時代特徵的學術文化思潮在《四庫全書總目》「辨漢、宋

⓭ 黑格爾：《邏輯學》下卷，第220頁。

儒學之是非」的論說中有深刻映現。

平心而論，《四庫全書總目》對漢宋學的批評是力求公允的。提要一再強調，漢學與宋學各有所長，亦各有缺陷：

> 夫漢學具有根柢，講學者以淺陋輕之，不足服漢儒也。宋學具有精微，讀書者以空疏薄之，亦不足服宋儒也。⓮
>
> 夫漢儒以訓詁專門，宋儒以義理相尚。——《尚書》、《三禮》、《三傳》、《毛詩》、《爾雅》諸注疏，皆根據古義，斷非宋儒所能。《論語》、《孟子》，亦斷非漢儒所及。蓋漢儒重師傳，淵源有自。宋儒尚心悟，研索易深。漢儒或執舊文，過於信傳。宋儒或憑臆斷，勇於改經。計其得失，亦復相當。
>
> 考證之學，宋儒不及漢儒；義理之學，漢儒亦不及宋儒。⓰
>
> 宋儒若胡瑗、程子，其言理精粹，自非晉唐諸儒所可及。⓱

對於漢學，《四庫全書總目》也從不諱言缺失。如批評古文經學「自師承以外，罕肯旁徵」，「治此經者，不通諸別經。即一經之中，此師之訓故，亦不通諸別師之訓故」。「及其弊也，拘」。⓲批評清代樸學在「嗜博」中「失之拘執」，「一字音訓動辯數百言」，恰似「散錢滿屋」，「未及排貫」。⓳這些意見確是切中要害的。

⓮ 《四庫全書總目》經部總序。

⓯ 《閱微草堂筆記》卷1，《灤陽消夏錄一》。

⓰ 《四庫全書總目》卷35，經部，《四書集注》條。

⓱ 《四庫全書總目》卷3，經部，《周易窺餘》條。

⓲ 《四庫全書總目》經部總序。

⓳ 《四庫全書總目》卷6，經部，《易例》條。

《四庫全書總目》對宋學長處和漢學弊端的剖析，顯示了一種較爲理性的學術態度以及高人一等的學術識見。但是，《四庫全書總目》儘管批評東漢古文學「拘」、清代樸學「瑣」，卻在知識的價值體系上突出了宋學的缺陷。這一體系的核心內容就是《四庫全書總目」在《凡例》中所宣布的：

> 劉勰有言，意翻空而易奇，詞徵實而難巧。儒者說經論史，其理亦然。故說經主于明義理，然不得其文字之訓詁，則義理何自而推？——今所錄者率以考證精核、辯論明確爲主。庶幾可謝彼虛談，敦茲實學。

《四庫全書總目》對春秋三傳的評價，便深刻體現了這樣一種價值態度。春秋三傳，互有短長。但《四庫全書總目》認爲：左氏說經，「據事而言」，雖然往往有不甚得經義之處，「然其失也，不過膚淺而已」。公羊、穀梁二家說經，則「憑心而斷」，「鈎棘月日以爲例，辨別名字以爲褒貶」，在字句之間反覆推尋微言大義，「乃或至穿鑿而難通」。「不甚得精義」與「憑心而斷」雖然都屬學術上的缺陷，但「徵實迹者其失小，騁虛論者其失大」⑳。因此，《左氏春秋傳》的缺陷是可以原諒的，公羊、穀梁二傳的缺陷卻是難以接受的。

《四庫全書總目》「貴實徵而賤虛談」的學術立場，集中代表了參與《四庫全書》纂修的具有全國第一流學術水平的學者的意向。乾嘉一代樸學家絕不離開訓詁談義理，對於「道」採取普遍謹慎的態度。「由字以通其詞，由詞以通其道」是他們共同遵循的基本方法。

---

⑳ 《四庫全書總目》卷30，經部，《春秋類存目一案》。

這種從理解、闡釋文字形、音、義源流變化進而把握經典意蘊的路徑，是一種頗具特色的語言分析方法，與現代西方的分析哲學的思維邏輯頗爲相近。分析哲學認爲，哲學問題跟語言問題密切相關，要解決哲學問題，必需從分析語言著手。維持根斯坦更宣布「不弄清語言的意義，即無資格討論哲學。」兩者之間的另一驚人相似之處在於都以形而上學爲對手：分析哲學反形而上學，反知識論；樸學反宋明理學的形而上學系統，反「心、性、義、理」的「尊德性之學」。在這樣一種知識價值體系的裁判下，《四庫全書總目》自然顯示出「揚漢抑宋」的特色：凡是實證的、考據的、搜羅宏富的，亦即具有漢學風格的著作無不得到褒獎，遠離人事的、玄虛的、恣肆的乃至思辨的著作則被尖銳批評。在後一種作品中，宋學著作自不在少數。

評價《四庫全書總目》的重漢學、輕宋學有兩點似應加以注意。首先，「揚漢抑宋」是一種基於特定知識價值體系而產生的學術立場、學術態度，其中固然不免有偏見，但偏見不是它的本質。其次，對重漢學、輕宋學的學術價值體系的評價必須與樸學產生的歷史必然性聯繫起來考察，否則難以有一個正確的認識。

對於清代樸學的興起，學術界已有日益深入的研究。傳統的文字獄造成樸學興盛之說，已遭到越來越多人的反對。確實，文字獄固然對文化人的心理造成一種極大的壓力，致使某些陷入文網的士子發出「縱使平反能苟活，他年應廢蓼莪詩」㉑的絕望呼喊，但是，文字獄說畢竟是一種外緣的解釋。明代也有文字獄，但明代卻沒產生以主流形式出現的考據學，而是言心言性的王學蔚然成風。由此可見，以文

㉑ 《清稗類鈔》第8冊，第34頁。

字獄爲純學術性的考據學產生的直接原因，其理由實在是不夠充分。

另一種流行的意見便是將樸學的興起解釋爲對宋明理學的反動，這一思維邏輯合理的成分更大，但卻也不免令人產生若干疑難。從思潮整體特質來看，注重實證的樸學固然與傾心性理探究的宋明理學在思維方式上判然有別，但它們之間既是非延續性的，又在更深的層次上存在著延續性。其實，探本索源，清代經學考證本發端於宋明理學內在的矛盾衝突。宋明理學內始終存在客觀唯心主義與主觀唯心主義的矛盾，此即著名的「朱、陸之爭」，「朱、陸之爭」曠日持久，無法在純理論上得到解決。於是，一批理學家轉而從經典中尋找依據。程朱一派的羅欽順「取聖賢之書潛玩，久之漸覺其實」，[22]從而悟出「取證於經書」之理。羅氏將此體悟付諸學術論戰實踐，在《困知錄》中屢以「孟子之言」與「象山之學」比較。王陽明爲有效解決朱、陸之爭，也據古本《大學》立論，以爲古本《大學》爲孔門眞傳，從而指論朱子「改正補輯」的今本《大學》實際上是背離了眞實的孔學義理。劉宗周的弟子陳確亦以《大學辨》的考證，斷論「大學非聖經」，乃後世僞作。清初學者更傾盡全力據經學考證展開義理之爭。顧炎武、閻若璩的考證學具有反陸、王的意味。黃宗羲、毛奇齡的易學考證則蘊有反程、朱的旨意。總之，理學兩派的爭鬥從義理的戰場轉移到考證的戰場，從而合乎邏輯地推出了考據學，由此足見理學與樸學之間，既是非延續的又是延續的。

當然，晚明爲解決義理之爭而崛興的經學考證與乾嘉時期以經典的音韻、訓詁爲研究對象的純粹化了的考據學在本質上尚存在差異，

---

[22] 《四庫全書總目》卷93，子部，《困知錄》。

其間遷躍的關節點，或可運用庫恩關於科學革命的若干理論加以說明。

美國科學哲學家托馬斯·庫恩認爲，科學史上每當發生革命性的變化時，總會出現新的「規範」（PARADIGM），規範的作用就在於爲研究者們提供一種「理性上和方法論上的信念」㉓。每當學術演遷的關節點，歷史總會推出某些代表性人物來建立「規範」。建立「規範」的學者必須具有兩個特徵：一、在具體研究上以空前成就爲後來研究者提供一種方法論上的指導和示範；二、規定了一門科學的研究範圍，並在該領域內「毫無限制地爲一批重新組織起來的科學工作者留下各種有待解決的問題」㉔。晚期清初的經學考證思潮便產生了這樣一位建立「規範」的人物，他就是顧炎武。顧炎武明確提出「經學即理學」的口號，又以《日知錄》中的經學研究及《音學五書》等著作爲純粹化的「考據學」提供了方法論上的指導和示範。毫無疑問的是，顧炎武的考證之學並非前無所承，同樣毫無疑問的是，經學考證經顧炎武的中介而在規模和結構上發生革命性的轉變，從而發展成最終完善化、純粹化的考據學。正因爲如此，後人將顧炎武奉爲樸學的開山大師。

當然，對清代樸學的興起作全方位的說明，還必須把目光投向清代整個文化氛圍。

誠如前文所言，清代是一個圖書事業大發展的時代，不僅官方動

㉓ 《科學革命的結構》，〔美〕T·S·庫恩著，李寶恒、紀樹立譯，上海科學技術出版社1980年10月第一版。第13頁。

㉔ 同上，第8頁。

員巨大的財力、物力編纂規模巨大的叢書、類書以及其它「欽定」書籍，而且私人藏書、刻書、抄書、校書與搜訪秘籍蔚爲風氣。此種風氣影響學術界，必然導出專注於校勘、辨僞、史料搜補、文學訓詁的專門學問。㉕陳登原先生斷論：「吾人敢爲一言，即吾人欲明清學之所以盛者，雖知其由多端，要不能與藏書之盛漠無所關。」㉖其言實在是深有道理。

清代樸學的興起與十六、十七世紀歐洲博學派的崛起在背景上頗有相似之處。十六世紀，歐洲新教（包括路德教、加爾文教、長老會、聖公會）與天主教舊教展開激烈的論戰。儘管這是一場新興資產階級文化思潮與中世紀文化思潮的殊死搏擊，但在外觀上卻具有「爭正宗」的表象。路德派新教企圖證明天主教會歪曲並偏離了眞正的基督教，天主教會則企圖證明自己的教義是眞正的基督教教義，教皇的首腦地位完全符合基督教的組織原則。爲了證明各自立論的正確，雙方都以歷史批判和文獻資料爲戰鬥武器，路德派新教的《馬格德堡按世紀順序論述的教會史》（《世經史》）與天主教派的《教會年代記》以及其它一些論戰性著作便以發掘經典文獻資料爲特色。論戰的需要，促使歐洲越來越多的學者注意回溯歷史，深入研究文獻資料，也推動許多研究歷史的輔助科學，如年代學、古文字學、古文書學、語言學、題銘學等等都逐漸發展起來，從而直接推動了博學派的崛起。由新教、舊教論戰促成專門文獻研究崛起的背景顯然與中國「朱、陸之爭」最終產生經學考證的情形大爲相似。

㉕ 章學誠當其時便有「學士侈於聞見之富，別爲風氣」之言。

㉖ 陳登原：《古今典籍聚散考》，商務印書館1936年版，第319頁。

歐洲博學派的興起還有另一重要背景，這就是圖書資料的極大豐富。宗教改革期間，西歐各國多次發生戰爭。德國的施馬爾卡登戰爭、三十年戰爭、法國的胡格諾戰爭、尼德蘭革命等，都是在新舊教鬥爭形式下展開的新興資產階級與中世紀貴族的軍事、政治拼搏。蔓及城鄉的戰火，往往延及寺院，從而將僧侶秘守的寺院圖書館的大量藏書，拋入市場，公之入民間。面對這些罕有所見的極爲珍貴的文獻資料，學者們與藏書家們欣喜若狂，紛紛搶救、搶售。學者們的視野也自然而然地轉向收集、校訂、研究、考證、出版文獻資料，從而在學術界形成知識淵博、史料熟悉、以整理考訂文獻資料爲己任的博學家。這樣一種背景又與清代古典文化爛熟，極爲豐富的典籍吸引學者們校勘、考訂、發展專門考據學的情形極爲相似。而冷靜聚積考訂資料，以充分介紹原文和歷史文獻爲職志的博學派在學術風格上也頗類似清代的專門樸學家。西歐博學派與中國清代樸學在興起背景與學術特徵上的相似性，是否潛藏著學術思潮演進過程中的某些規律性的東西，這個問題值得我們作進一步的考察與研究。

三、理學文化霸權的消解

宋學在十八世紀的歷史命運實際上是與理學文化霸權的消解密切關聯的。儘管清初統治者運用政權力量把程朱理學重新推上思想界的宗主地位，但此時的理學，經清初思想家的反覆衝殺，已經「竭而無餘華」㉗，失去了對士子的強大吸引力。趙翼的《甌北詩鈔》中有

㉗ 章太炎：《訄書·清儒》。

「去古日以遠，道學世所鄙」㉘之句。章學誠也談到：「宋儒語錄，言不雅馴，又騰空說，其義雖有甚醇，學者罕誦習之。」㉙他們言論所反映出來的理學文化霸權消解的事實，在《嘯亭雜錄》的如下兩則記載中表現得更爲生動：

> 乾隆末期于敏中、和坤爲相以來，士風爲之一變，其黠者譏誚正人，文飾己過；其迂者株守考訂，以訾議宋儒爲能事。所謂濂洛關閩之書，束之高閣，無讀之者。
>
> 予嘗欲得明薛瑄之《讀書記》、胡居仁之《居業錄》，求之北京書肆。賈人謝曰：「近二十年，吾等書肆，久無此種書籍，恐購者無人，徒傷資本也。」

濂洛關閩之書不是風行學術界而是束之高閣、無人願讀。典籍薈萃、聚天下之書的北京竟然因「購者無人」而不見明代理學大師薛瑄、胡居仁著作的踪迹。理學典籍的冷落命運由此兩則記載可知，理學文化霸權的一去不復返也從此兩則記載可知。《四庫全書總目》雖然對「濂洛關閩之道學」有一種恭敬、尊崇的姿態，但在全書的總序、小序和群書的題解中，卻時時處處對程朱理學加以排擊：

程朱理學以「太極」爲「宗旨秘義」㉚，《四庫全書總目》卻批評道：

> 宋儒因性而言理氣，因理氣而言天，因天而言及天之先，輾轉

㉘ 趙翼：《甌北詩鈔》「五言古四」。

㉙ 章學誠：《文史通義》外篇卷3《答沈楓墀論學》。

㉚ 葉適：《習學記言序目》卷4。

相推，而太極、無極之辯生焉。……夫性善性惡，關乎民彝天理，此不得不辯者也。……顧舍人事而爭天，又舍共睹共聞之天而爭耳目不及之天，其所爭者毫無與人事之得失，而曰吾以衛道。學問之醇疵、心術人品之邪正、天下國家之治亂，果繫於此二字乎？㉛

《四庫全書總目》子部《讀書偶記》條又有一段批評：

太極一圖，經先儒闡發，已無剩義，而繪圖作說，累牘不休，殊爲支曼。夫人事邇，天道遠，日月五星，有形可見。儒者所論，自謂精微，推步家測驗之，其不合者固多矣，況臆度諸天地之先乎？㉜

前一則提要指出，「太極、無極之辯」無關國計民生，因此是無用學問。後一條提要指出，理學家所論的「精微」的宇宙本原，實是一種經不起推步家實驗觀測的「臆度」。兩則提要都很尖銳，也很有力。

宋明理學以「窮理」爲精髓，以成就「至賢氣象」的理想人格爲目標，由此而把「正心誠意」、「修身正心」作爲「盡性至命」之處。對於理學心性論談高於治平方略、聖賢位置勝過世俗功勛的理論，《四庫全書總目》頗不贊同：

治平之道，其理雖具於修齊，其事則各有制宜。此猶土可生

㉛ 《四庫全書總目》卷95，子部，《太極圖分解》條。

㉜ 《四庫全書總目》卷94，子部，《讀書偶記》條。

禾，禾可生谷，谷可爲米，米可以飯，本屬相因。然土不耕則不長，禾不獲則谷不登，谷不舂則米不成，米不炊則飯不熟。不能遞溯其本，謂土可爲飯也。[33]

對於上面這層意思，紀曉嵐在《閱微草堂筆記》中作了進一步的發揮。他說：

《西銘》講萬物一體，理原如是，然豈徒心知此理，即道濟天下乎？父母之于子，可云愛之深矣，子有疾病，何以不能療？子有患難，何以不能救？無術焉而已。……今不講體國經野之政，捍災御變之方，而曰吾仁愛之心，同於天地之生物。果此心一舉，萬物即可生存？吾不知之矣。……，西山作《大學衍義》列目至齊家而止，謂治國平天下可舉而措之。不知虞舜之時，果瞽瞍允若而洪水即平、三苗即格乎？抑猶有治法在乎？又不知周文之世，果太姒徽音而江漢即化、崇侯即服乎？抑別有政典存乎？今一切棄置，而本歸于齊家，毋亦如土可生苗，即竃土爲飯乎？

如上兩段議論以最簡單也最直觀的方式指出了一個鮮明的事實，任何事務的完成，都必須以技術性的「治術」或者「治法」爲必要手段，僅僅做到了修身正心，絕不意味著就能治國平天下。如果以爲「但能注《太極圖》、解《近思錄》，即爲有功於世道」，「一切國計民生皆視爲末務」，其結局必然是「務彼虛名，受其實禍」。[34]

---

[33] 《四庫全書總目》卷93，子部，《大學衍義補》條。

[34] 《四庫全書總目》卷39，史部，《小學史斷》條。

宋明理學以「存天理，去人欲」爲「存養」工夫，這種嚴厲的「理欲」說在《四庫全書總目》中也受到尖銳的批評。南宋眞德秀是朱熹的再傳弟子。他據朱子「文必一出於道」的教誨，編選了一部《文章正宗》。凡道本文末之明道之文皆納入正宗之屬。「仙釋、閨情、宮怨之類」，「必以坊淫正俗之旨，嚴爲繩削」。另一位道學家胡寅也在《讀史管見》中以「理欲之辨」去評史論事，「大抵其論人也，人人責以孔、顏、思、孟，其論事也，事事繩以虞夏商周」。對於眞、胡二氏的理論，《四庫全書總目》指斥爲悖背於「人情」、「事勢」的謬說：

> （德秀）其說亦卓然成理，而四五百年以來，自講學家以外，未有尊而用之者，豈非不近人情之事，終不能強行於天下歟？㉟
>
> （胡寅之論）名爲存天理、遏人欲，崇王道、賤霸功，而不近人情，不揆事勢，卒至于窒礙而難行」㊱。

如此批判竟出之於官修典籍，由此可見時代風氣的轉移。

《四庫全書總目》對理學的排擊，還可見於銳利非難「言不合朱子，率鳴鼓而攻之」的理學文化霸權。集部《畏齋集》提要言：

> 文章一道，則源流正變，其說甚長。必以晦庵一集律天下萬世，而詩如李杜，文如韓歐，均斥之以衰其壞，此一家之言，非千古通論也。

㉟ 《四庫全書總目》卷158，集部，《文章正宗》條。

㊱ 《四庫全書總目》卷89，史部，《讀史管見》。

集部《橫塘集》提要、《詩譚》提要又有如下議論：

> 詩本性情，義存比興，固不必定爲濂洛風雅之派，而後謂之正人。
>
> 以講學爲詩家正脈，始於《文章正宗》。白沙、定山諸集，又加甚焉。至廷秀等，而風雅掃地矣。此所謂言之有故，執之成理，而斷斷不可行於天下矣。

這是對理學文化獨斷論的抗議，也是對文化一元獨斷政策的有力抗頡。這些見解即使今天看來也是相當了不起。尤有深意的是《濂洛風雅》提要中的一段話：

> 以濂洛之理責李杜，李杜不能爭天下，亦不敢代爲李杜爭。然而，天下學爲杜詩者，終宗李杜，不宗濂洛也。此其故可深長思矣。

在這「可深長思」的文化現象之後，正隱藏著學術尊嚴與文化多樣性終不可違的鐵的法則。

《四庫全書總目》對理學的批評是晚明以來理學文化霸權逐益消解過程的邏輯產物，而它的批判又無疑加速了這樣一種消解進程。民國年間號爲「平等閣主人」的狄葆賢曾經指斥《四庫全書總目》的總纂官紀曉嵐「對於宋儒頗多微辭」。「數百年風氣之衰，紀氏之過也」。由此可見《四庫全書總目》在中國前近代的思想演變軌迹上具有不得不注意的地位和價值。

四、有限吸納西學

自從明代萬曆年間耶穌會士聯翩來華，西學在中國的傳播經歷了一個複雜曲折的過程。一方面徐光敬、李之藻、梅文鼎等開明士大夫熱烈歡迎西學並致力於譯介西學、超勝西學，另一方面，從沈確到楊光先等保守人士力加排拒、驅除西學，楊光先甚至有「寧可中夏無好曆法，不可使中夏有西洋人」的疾痛吶喊。康雍乾三朝君主對西學的態度很複雜。一方面他們對傳教士優容有加，另一方面他們對西方有一種天然的防範和警覺。康熙帝因羅馬教皇干預中國內政而禁教，其「禁止可也，免得多事」之語透露出擔心西方人擾亂中國社會政治秩序的隱秘心理。雍正帝在這一問題上說得更爲直率。他召見天主教司鐸諭之曰：「爾等欲我中國人盡爲教徒，此爲爾等要求，朕亦知之；但試思一旦如此，——教徒惟認識爾等，一旦邊境有事，百姓惟爾等之命是從，雖現在不必顧慮及此，然苟千萬戰艦來我海岸，則禍患大矣。」㊲雍正時的清帝國實力強大，但此刻的帝王已開始考慮「千萬戰艦來我海岸」的可能性，足見其對來自外部世界的威脅有高度的警覺。乾隆一朝中國國力達於高峰，對西方人的防範也更爲自覺。《乾隆御制詩》中有「間年外域有人來，寧可求全關不開」之句，道出了閉關防範的基本精神。

十八世紀中國對西學的複雜心態，同樣深刻表現於《四庫全書總目》中。

《四庫全書總目》首先把耶穌會士帶來的西學分割成制器和義理

㊲ 《坊表信札》，《耶穌會士通信集》第3卷，第363頁。

兩個部分。對不同的部分，採取不同的態度。

對於西洋科技，《四庫全書總目》盛讚不已，稱之爲「精密有據之術」。「其考驗天象，則較古法爲善」。[38]「其制器之巧，實爲甲於古今」。[39]其《幾何原本》「自始至終毫無疵類」，「於三角、方、圓、邊線、面積、體積、比例變化相生之義，無不曲折盡顯、纖毫畢露」。[40]在分析西洋科技各分支領域的優長的同時，《四庫全書總目》著重強調西洋科技對國計民生的價值。子部《泰西水法》提要云：

> 西洋之學，以測量步算爲第一，而奇器次之。奇器之中，水法尤切於民用，視他器之徒矜工巧爲耳目之玩者又殊，固講水利者所必資也。

子部《奇器圖說》提要又說：

> （《奇器圖說》）書中所載，皆裨益民生之具，其法至便，而其用溥。

從「有利民生」的價值觀念去認同西洋科技，進而將西方科技引爲「經世實學」的重要內容向中國文化人介紹和推薦，這樣的眼光比起那些泛道德主義的鼓吹者不知要高明多少。「寸有所長，自宜節取」。[41]《四庫全書總目》以如此明確的語言宣布了受容和吸納西方科技的

[38] 《四庫全書總目》卷106，子部，《天問略》條。
[39] 《四庫全書總目》卷115，子部，《奇器圖說》條。
[40] 《四庫全書總目》卷107，子部，《幾何原本》條。
[41] 《四庫全書總目》卷115，子部，《奇器圖說》條。

基本立場。

但是，對於與西洋科技同時進入中國的基督教神學，《四庫全書總目》卻是一種絕不寬容的態度。《四庫全書總目》認為，基督教神學與佛教「本原則一」，都屬「悠謬荒唐之說」。[42]更為重要的是，基督教神學鼓吹「神權至上」，以宗教與倫理的合一為社會法則。對於中國「君權獨尊」的傳統和宗法倫理合一的社會原則來說，它的教義當然無異於異端。《四庫全書總目》便嚴厲貶斥說：

> 西學所長在於測算，其短則在於崇拜天主以炫惑人心。所謂自天地之大，以至蠕動之細，無一非天主所手造，悠謬姑不深辨，即欲人舍其父母，而以天主為至親；后其君長，而以傳天主之教者執國命，悖亂綱常，莫斯為甚。[43]

有鑒於此，《四庫全書總目》對清王朝的西學政策作了權威性的闡述：

> 國朝節取其技能而禁傳其學術。[44]

這是十八世紀的中國為彌合中西文化巨大反差而提出的一個調解性方案，也是前現代性的中國在西方衝擊波即將到來前夕作出的維護自我生存的最初反應。這一主張的理論化和系統化，便是近代中國李鴻章、張之洞等洋務派和馮桂芬、鄭觀應等早期改良派所提出的「中體西用」論。

---

[42] 《四庫全書總目》卷125，子部，《辨學遺牘》條。

[43] 《四庫全書總目》卷134，子部，《天學初函》條。

[44] 《四庫全書總目》卷125，子部，《雜家類存目案》。

如上所論，顯示了《四庫全書總目》的內涵是何等豐富。十八世中國文化的流向，無論是成熟的博大、學術思潮的嬗變、對西方文化的反覆忖量和取捨、加強思想控制與社會控制的嚴厲，都可以在這本大書中找到踪迹。從這一意義上說，《四庫全書總目》是一部關於中國古典文化「穴結」形態的最重要的著作，從中我們可以發現「一個時代的心理，有時更是一種種族的心理」。

《四庫全書總目》的經學觀與清中葉的學術思想走向*

黃愛平**

《四庫全書總目》是清代乾隆年間進行的中國歷史上最大的文化工程——《四庫全書》編纂的重要成果之一。它既是中國古代最大的一部目錄著作，也是封建盛世時期最負盛名的文化巨著，以紀昀爲首的衆多著名學者對歷代典籍以及傳統學術所作的總結和評判，爲我們展示了中國古代文化最爲輝煌燦爛的篇章，其中，對傳統經學的梳理和總結以及在此基礎上形成的經學觀，構成了這一燦爛華章中的主旋律。一代學術思想狀況及其發展趨勢，幾乎都與之有著或多或少的聯繫，受到其或直接或間接的影響。因此，分析《四庫全書總目》的經學觀，探討其對學術思想發展、變化的影響，對了解清中葉的學術思想概況及其發展趨勢，或許是不無裨益的。

* 本文在「第一屆中國文獻學學術研討會——兩岸四庫學會議」上發表時，曾得到台灣大學中國文學系夏長樸教授的指教，謹致謝忱。

** 中國人民大學清史研究所教授

壹

在中國封建社會裡，儒家經典是封建階級進行思想統治的主要工具。經典的研究，亦即經學，也相應成爲封建社會的官方學術，構成封建文化的主體。歷代封建知識分子，根據不同時期統治階級的需要，在對儒家經典的研究中，不斷予以新的解釋，闡發新的涵義，經學本身也因此而經歷了不同的歷史發展階段，各有其長處，也各具其弊端。《四庫全書總目》（以下簡稱《總目》）以睿智的眼光，鳥瞰流瀉二千餘年的經學長河，精闢地概括出其發展變化的大致輪廓：「經稟聖裁，垂型萬世，刪定之旨，如日中天，無所容其贊述，所論次者，詁經之說而已。自漢京以後垂二千年，儒者沿波，學凡六變。其初專門授受，遞稟師承，非惟詁訓相傳，莫敢同異，即篇章字句，亦恪守所聞，其學篤實謹嚴，及其弊也拘。王弼、王肅稍持異議，流風所扇，或信或疑，越孔、賈、啖、趙以及北宋孫復、劉敞等，各自論說，不相統攝，及其弊也雜。洛、閩繼起，道學大昌，擺落漢唐，獨研義理，凡經師舊說，俱排斥以爲不足信，其學務別是非，及其弊也悍。學脈旁分，攀緣日衆，驅除異己，務定一尊，自宋末以逮明初，其學見異不遷，及其弊也黨。主持太過，勢有所偏，材辨聰明，激而橫決，自明正德、嘉靖以後，其學各抒心得，及其弊也肆。空談臆斷，考證必疏，於是博雅之儒引古義以抵其隙，國初諸家，其學徵實不誣，及其弊也瑣。要其歸宿，則不過漢學、宋學兩家互爲勝負。」❶可以說，這既是對經學發展變化歷史的高度概括，又是對經學各派得失利弊的中肯批評。而「要其歸宿，則不過漢學、宋學兩家互爲勝

❶ 《四庫全書總目》卷一，《經部總敘》。

負」的總結，則透過紛然雜陳的學派，汗牛充棟的經說，相當準確地把握住了兩千餘年經學流變的主要脈絡。當然，《總目》對經學派別的劃分和總結並非無可商榷之處，後世學者就多有修正和補充，或提出三派說，或主張四派說。❷但就其本質而言，人類認知的基本方式大致可以歸納爲兩大類型：或重經驗，主張就事論事，強調徵實有據；或崇理性，強調感悟發揮，注重建立理論體系。由此觀之，《總目》關於漢、宋學派的劃分，是基本符合人類認知的普遍規律的。

在比較準確地把握每一時代學術思潮的特點，揭示經學自身邏輯發展和變化規律的基礎上，《總目》通過對歷代書籍的進退取捨，分類編次，以及鈎玄提要，議論評介等方式，鮮明地表達出了自己的經學觀點。

一、堅持儒學正統觀念

自漢武帝「罷黜百家，獨尊儒術」之後，儒家經典便逐漸成爲封建社會統治階級的主要思想工具，儒學也相應成爲封建統治階級尊奉的正統學術。《總目》同樣「以孔子之是非爲是非」，以儒家的聖經賢傳爲準則，不僅在書籍的分類排列方式上承襲歷代目錄著作的做法，把儒家經典列於卷首，擡到至高無上的地位，而且在書籍的別擇取捨方面，獨於經部書籍「甄錄最寬」，其他各部則嚴於去取。至於經部與其他各部書籍的關係，也被視爲源與流、幹與枝的主從、支配關係。如果說，史部書籍因其具有「資治」作用還受到一定程度的重視，那麼，「自六經以外立說」的子書，以及數量龐大、流別繁雜的

---

❷ 參見周予同《經學史與經學之派別》、《關於中國經學史中的學派問題》，載《周予同經學史論著選集》，上海人民出版社1983年版。

集部書籍，則皆被視爲「雜學」，不過存之以爲「鑒戒」，❸或者姑備一格而已。所謂「聖朝編錄遺文，以闡聖學、明王道者爲主，不以百氏雜學爲重也」。❹當然，在崇奉儒學正統觀念的前提下，《總目》對各個學術門類及各種書籍大體能夠做到兼容并包，「以協于《全書》之名」。但處在清朝統治的全盛期，適應封建統治階級加強思想控制的需要，《總目》對異端思想的排斥抨擊仍十分嚴厲苛刻，對倫理綱常的宣揚提倡也更加不遺餘力。

《總目》毫不隱諱地宣稱：「今所採錄，惟離經叛道、顛倒是非者，掊擊必嚴；懷詐挾私、熒惑視聽者，屛斥必力。」❺東漢王充「內傷時命之坎坷，外疾世俗之虛僞，故發憤著書」，所著《論衡》敢於針砭時弊，表現了作者獨立思考、不隨波逐流的個性和樸素的唯物主義思想。《總目》雖然不能不承認其書「訂訛砭俗，中理者多」，但卻指責「其言多激，《刺孟》、《問孔》二篇，至於奮其筆端，以與聖賢相軋，可謂悖矣」，❻並因此將該書貶入雜家一類。明末李贄具有鮮明的反封建思想，所著《藏書》等著述堅決反對「以孔子之是非爲是非」的說教，在一定程度上偏離了正統儒學的軌道。《總目》對此深惡痛絕，攻擊其人「爲小人無忌憚之尤」，❼其著述「皆狂悖乖謬，非聖無法」。《藏書》更是「排擊孔子，別立褒貶，凡千古相傳之善惡，無不顚倒易位，尤爲罪不容誅」。指斥「其書可毀，其名亦不足以污簡牘」，只因「至今鄉曲陋儒，震其虛名，猶有尊信不疑

---

❸ 《四庫全書總目》卷九一，《子部總敘》。

❹ 《四庫全書總目·凡例》。

❺ 《四庫全書總目·凡例》。

❻ 《四庫全書總目》卷一二〇，《論衡》提要。

❼ 《四庫全書總目》卷五〇，《續藏書》提要。

者。如置之不論，恐好異者轉矜創獲，貽害人心，故特存其目，以深暴其罪焉」。❽對其他摻雜有非儒學思想的著作，《總目》也大多斥入雜家，橫加苛責。如謂北齊顏之推《顏氏家訓》中「歸心等篇，深明因果，不出當時好佛之習」；❾批評宋崔敦禮《芻言》「首卷以道德仁義分析差等，中又以諸經傳注為蠹道之書，其旨頗雜於黃老，未為粹然儒者之言」；❿指責呂希哲《呂氏雜記》「喜言禪理，每混儒墨而一之」；⓫抨擊明羅汝芳《一貫編》「持論洸洋恣肆，純涉禪宗，並失守仁之本旨」，並引明末楊時喬之語，斥其「假聖賢仁義心性之言，倡為見性成佛之教，謂吾學直截，不假修為。於是以傳注為支離，以經書為糟粕，以躬行實踐為迂腐，以綱紀法度為桎梏，逾閑蕩檢，反道亂德，莫此為甚」。甚而明末之所以「世道人心日加佻薄，相率而趨於亂亡」，⓬其因亦在於此。凡此種種，不一而足，直接表現出《總目》編纂者竭力維護儒學正統地位的思想宗旨。

在大肆貶低儒學內部異端思想的同時，《總目》對佛、道、天主教之類的著述以及詞曲一類的「倚聲塡調之作」，也採取了極為輕蔑的排斥態度。在《總目》編纂者看來，佛、道及天主教之類，皆屬「外學」、「外教」，其論有悖儒學正統，理當在摒棄之列。因此，盡管《總目》標榜其「兼收並蓄，如渤澥之納衆流」，即如「釋道外教，詞曲末技，咸登簡牘，不廢蒐羅」，但事實上，對釋道著述，不過「擇其可資考證者」，至於那些「經懺章咒」，則「凜遵諭旨，一

---

❽ 《四庫全書總目》卷五〇，《藏書》提要。
❾ 《四庫全書總目》卷一一七，《顏氏家訓》提要。
❿ 《四庫全書總目》卷一一七，《芻言》提要。
⓫ 《四庫全書總目》卷一二〇，《呂氏雜記》提要。
⓬ 《四庫全書總目》卷一二四，《一貫編》提要。

字不收」。⑬即使勉強收錄的「可資考證」的著述，也掛一漏萬，闕略頗多。如佛家一類，著錄《宋高僧傳》，而不著錄《梁高僧傳》、《續高僧傳》，著錄《開元釋教錄》，而不著錄《出三藏記集》和《歷代三寶記》。後世學者批評這種做法「猶之載《後漢書》而不載《史記》、《漢書》」，「載《唐書·經籍志》而不載《漢志》及《隋志》」，⑭確實切中要害。又如道家一類，就連宋人文集中有關道教齋醮祈禱的青詞一類文字，也借口「迹涉異端，不特周、程、張、朱諸儒所必不肯爲，即韓、柳、歐、蘇諸大家，亦正集所未見」，⑮一概予以刪除。至於西方天主教，《總目》也指責其「欲人捨其父母，而以天主爲至親；後其君長，而以傳天主之教者執國命。悖亂綱常，莫斯爲甚，豈可行於中國者哉」！⑯對明末清初傳教士著譯的有關介紹天主教義的著作，也大多摒棄未錄。當然，對任何一種宗教的性質及其作用，都應該而且有必要進行分析，特別是明末清初天主教在中國的傳播，還有其複雜的政治、歷史和文化背景，絕不可等閒視之。但《總目》對這些「外學」、「外教」的攻擊和排斥，歸根結底是爲了維護儒學正統地位，顯示出其衛道者的眞實面目。

對詞曲一類著述，《總目》也大加貶斥，認爲其體「在文章、技藝之間，厥品頗卑，作者弗貴，特才華之士以綺語相高耳」，⑰並稱

---

⑬ 《四庫全書總目·凡例》。

⑭ 陳垣《中國佛教史籍概論》。

⑮ 《辦理四庫全書檔案》，乾隆四十年十一月十七日諭。

⑯ 《四庫全書總目》卷一三四，《天學初函》提要。

⑰ 《四庫全書總目》卷一九八，詞曲類序。

自五代至宋，詩降而爲詞，自宋至元，詞降而爲曲。文人學士，往往以是擅長，如關漢卿、馬致遠、鄭德輝、宮大用之類，皆藉以知名于世，可謂敝精神於無用」。⑱因而，《總目》不僅將此類作品退之篇末，而且於曲文一概摒棄不錄，藉以顯示「大聖人敦崇風教，釐正典籍之至意」。⑲

與尊崇儒學相輔相成的，是《總目》對封建倫理觀念的大力提倡和表彰。儒家的綱常名教，是儒學的核心和基礎，歷來被封建階級奉爲維護社會秩序，加強專制統治的法寶。在清統治者看來，「若無孔子之教，則人將忽於天秩天敘之經，昧於民彝物則之理，勢必以小加大，以少陵長，以賤妨貴，尊卑倒置，上下無等，干名犯分，越禮悖義，所謂君不君，臣不臣，父不父，子不子，雖有粟，吾得而食諸？其爲世道人心之害，尙可勝言哉」！⑳

因此，盡管乾隆時期的中國封建社會，處在一個相對穩定並有所發展的階段，但統治者仍然大力扶植封建綱常名教，以防患於未然，確保封建王朝的專制統治。《總目》編纂者秉承統治者的意旨，在宣揚封建倫理道德方面花費了相當多的筆墨。乾隆四十一年（1776年），清統治者爲表彰忠義，在全國範圍內對明代「死不忘君，無慚臣節」的忠臣義士進行了一次大規模的普查、賜謚活動，「凡立身始末卓然可傳，而又取義成仁，撐拄名教者，各予專謚，共三十三人。若生平無大表現，而慷慨致命，矢死靡他者，匯爲通謚：其較著者曰忠烈，共一百二十四人；曰忠節，共一百二十二人。其次曰烈愍，共三百七

⑱ 《四庫全書總目》卷二〇〇，《張小山小令》提要。

⑲ 《四庫全書總目·凡例》。

⑳ 《清世宗實錄》卷五九，雍正五年七月諭。

十七人；曰節愍，共八百八十二人。至於微官末秩，諸生韋布，及山樵市隱，名姓無徵，不能一一議謚者，並祀于所在忠義祠，共二千二百四十九人」。與此同時，還將所有賜謚人名匯成一編，題爲《欽定勝朝殉節諸臣錄》，收入《四庫全書》。《總目》編纂者即在此書提要中，一方面稱頌這些明臣「毅魄英魂，自足千古」，一方面竭力吹捧清統治者表彰前代忠臣之舉，認爲「自古代嬗之際，其致身故國者，每多蒙以惡名」，「其間即有追加褒贈，如唐太宗之於堯君素，宋太祖之於韓通，亦不過偶及一二人而止。誠自書契以來，未有天地爲心，渾融彼我，闡明風教，培植彝倫，不以異代而歧視，如我皇上者」。㉑其他如將關羽的謚號改稱「忠義」，以崇獎忠義，風勵臣節，刪除宋穆修《穆參軍集》中歌頌曹操的篇目，斥其「獎篡助逆，可謂大乖于名教」，㉒這些極力凸顯「人品學術之醇疵，國紀朝章之法戒」的做法，㉓也都表現了《總目》編纂者大力維護儒學正統觀念的孤詣苦心。

二、倡導經世主張

經世，是中國文化的基本精神，也是傳統儒學所特有的一種價值取向。《總目》承襲這一基本精神，大力倡導經世主張，表現出明顯的「務切實用」的價值指向。在《總目》看來，儒家經典的重要價值之一，就在於它的經世性，如「《詩》之教、理性情、明勸戒」，

㉑ 《四庫全書總目》卷五八，《欽定勝朝殉節諸臣錄》提要。

㉒ 《四庫全書總目》卷一五二，《穆參軍集》提要。

㉓ 《四庫全書總目·凡例》。

「《春秋》之教，存天理，明王政」，㉔即便是其道廣大、無所不包的《易經》，其大旨亦在「即陰陽往來剛柔進退，明治亂之倚伏、君子小人之消長，以示人事之宜，于帝王之學，最爲切要」。㉕由此出發，《總目》明確提出：「聖賢之學，主于明體以達用。凡不可見諸實事者，皆屬卮言。」以此衡之，《總目》特別注意闡發典籍所包含的經世意蘊和實用價值，「庶讀者知致遠經方，務求爲有用之學」。㉖如北宋司馬光《溫公易說》一書，雖篇幅未完，「解義多闕」，但其書「意在深闢虛無玄渺之說，故於古今事物之情狀，無不貫徹疏通，推闡深至」。《總目》編纂者認爲，其「有德之言，要如布帛菽粟之切於日用」，所以專從《永樂大典》中輯入《四庫全書》，以使學者「知名賢著述，其精義所在，有不終泯沒於來世者矣」。㉗又明末黃道周所著《月令明義》等五書，本「借以納諫，意原不主於解經」。㉘但《總目》編纂者既嘉其立身正直，大節凜然，又推崇其書「議論正大，發揮深切，往往有關於世教」，㉙因而不僅將其列入經部《禮》類經解著述之中，還特別加以說明：「苟其切於實用，則亦不失聖人垂教之心。故雖非解經之正軌，而不能不列之經部焉。」㉚

㉔ 《四庫全書總目》卷九，《先天易貫》提要。
㉕ 《四庫全書總目》卷六，《日講易經解義》提要。
㉖ 《四庫全書總目·凡例》。
㉗ 《四庫全書總目》卷二，《溫公易說》提要。
㉘ 《四庫全書總目》卷二一，《儒行集傳》提要。
㉙ 《四庫全書總目》卷二一，《表記集傳》提要。
㉚ 《四庫全書總目》卷二一，《儒行集傳》提要。

他如唐代杜佑《通典》，凡分食貨、選舉、職官、禮、樂、兵刑、州郡、邊防八門，意在「征諸人事，將施有政」。《總目》高度評價其書「博取五經群史，及漢、魏、六朝人文集、奏疏之有裨得失者，每事以類相從，凡歷代沿革，悉爲記載，詳而不煩，簡而有要，元元本本，皆爲有用之實學，非徒資記問者可比」。㉛諸如此類，隨處可見，明白無誤地傳達出《總目》對「有裨世務」的經世精神的推崇。並且，這種強調經世實學的價值取向，也反映在《總目》對諸子百家書籍的分類排列以及重視的程度上。《總目》編纂者認爲：「自六經以外立說者，皆子書也。其初亦相淆，自《七略》區而列之，名品乃定。其初亦相軋，自董仲舒別而白之，醇駁乃分。其中或佚不傳，或傳而後莫爲繼，或古無其目而今增，古各爲類而今合，大都篇幅繁富，可以自爲部分者，儒家之外有兵家，有法家，有農家，有醫家，有天文算法，有術數，有藝術，有譜錄，有雜家，有類書，有小說家。其別教則有釋家，有道家。敘而次之，凡十四類。」面對種類繁多，包羅宏富的子部書籍，《總目》著眼於經世致用的角度，進行了分類排列：「儒家尚矣。有文事者有武備，故次之以兵家。兵，刑類也，唐虞無皋陶，則寇賊奸宄無所禁，必不能風動時雍，故次以法家。民，國之本也，谷，民之天也，故次以農家。本草經方，技術之事也，而生死系焉，神農、黃帝以聖人爲天子，尚親治之，故次以醫家。重民事者先授時，授時本測候，測候本積數，故次以天文算法。以上六家，皆治世者所有事也。」㉜所以《總目》把它們順序排在前

㉛ 《四庫全書總目》卷八一，《通典》提要。

㉜ 《四庫全書總目》卷九一，《子部總敘》。

面，而把那些與國計民生無直接效用的其餘各家，依次列在後面。特別是其中的「農家、醫家，舊史多退之於末簡」，而《總目》「獨以農家居四，而其五爲醫家」，就是因爲「農者民命之所關，醫雖一技，亦民命之所關，故升諸他藝術上也」。㉝總之，《總目》始終主張：「儒者之學，明體達用，道德事業，本無二源。歧而兩之，殊爲偏見。」㉞這種強調經世實學的價值取向，眞切地反映了封建盛世時期一代知識精英以社會現實和國計民生爲重積極向上的文化心態。

三、尊崇漢學，批評宋學

在比較準確地把握兩千年來經學流變主要脈絡的基礎上，面對宗旨迥別、學風各異的漢學、宋學兩大學術派別，《總目》承繼明末清初以來學術界崇實黜虛的潮流，鮮明地表現出尊崇漢學，批評宋學的思想傾向和學術特徵。

《總目》首先著眼於經世這一中國文化的基本精神，批評宋學的空疏無用，不切人事。《總目》認爲，宋明理學「崇王道，賤霸功」，熱衷心性空談，講求內省自修，「一切國計民生，皆視爲末務」，㉟結果是「務彼虛名，受其實禍」，㊱最終誤國誤民。對此，《總目》在諸多書籍的提要中都有所闡發。如對宋儒熱衷的理氣、心性、太極諸說，《總目》抨擊說：「宋儒因性而言理氣，因理氣而言天，因天

㉝ 紀昀《紀曉嵐文集》卷八，《濟眾新編序》。

㉞ 《四庫全書總目》卷六一，《守令懿範》提要。

㉟ 《四庫全書總目》卷八九，《小學史斷》提要。

㊱ 《四庫全書總目》卷五七，《慶元黨禁》提要。

而言及天之先，輾轉相推，而太極、無極之辨生焉。朱、陸之說既已連篇累牘，衍朱、陸之說者又復充棟漢牛。夫性善性惡，關乎民彝天理，此不得不辨者也。若夫言太極不言無極，於陽變陰合之妙，修吉悖凶之理，未有害也。言太極兼言無極，於陽變陰合之妙，修吉悖凶之理，亦未有害也。顧捨人事而爭天，又舍共睹共聞而爭耳目不及之天，其所爭者毫無與人事之得失，而日吾以衛道。學問之醇疵，心術人品之邪正，天下國家之治亂，果係於此二字乎？」㊲又如理學家推崇的道統心傳，全據僞《古文尚書》立論，其他「言性、言心、言學之語，宋人據以立教者，其端皆發自《古文》」。㊳對此，《總目》在批評這些學者以《尚書》「大經大法爲粗迹，類引之而言心」的同時，㊴盛贊清初閻若璩辨明僞《古文尚書》之功，稱其「引經據古，一一陳其矛盾之故，《古文》之僞乃大明」，㊵實際上推翻了理學家藉以立說的理論基礎。對宋明時期理學家空談議論造成的危害，《總目》更是毫不留情地予以嚴厲指責：「宋明人皆好議論，議論異則門戶分，門戶分則朋黨立，朋黨立則恩怨結。恩怨既結，得志則排擠於朝廷，不得志則以筆墨相報復。」㊶特別是明中葉以後，「風氣漸移，朝論所趨，大致乃與南宋等，故二百餘年之中，士大夫所敷陳者，君子置國政而論君心，一札動至千萬言，有如策論之體；小人捨公事而爭私黨，一事或至數十疏，全爲訐訟之詞。迨其末流，彌增詭

㊲ 《四庫全書總目》卷九五，《太極圖分解》提要。

㊳ 《四庫全書總目》卷十二，《書纂言》提要。

㊴ 《四庫全書總目》卷十二，《尚書通考》提要。

㊵ 《四庫全書總目》卷十二，《古文尚書疏證》提要。

㊶ 《四庫全書總目》卷四五，《史部總敘》。

薄，非惟小人牟利，即君子亦不過爭名。台諫哄於朝，道學嘩於野。……蓋宋人之弊，猶不過議論多而成功少，明人之弊，則直以議論亡國而已矣。」[42]據此，《總目》總結說：「儒者明體達用，當務潛修；致遠通方，當求實濟。徒博衛道之名，聚徒講學，未有不水火交爭，流毒及於宗社者。」[43]

在批評理學空言誤國，不切實際之外，《總目》更多地從解經方法論的角度，揭露理學空疏措大，捨傳求經的弊病。本來，宋儒說經，注重義理，長於哲學思辨。但這種解經方法本身易流於空疏玄虛，甚而刪經、改經以就己說。如關於《易經》的研究，《總目》認爲，「盈虛消息，理之自然也。理不可見，聖人即數以觀之，而因立象以著之」。「至於互體變爻，錯綜貫串，《易》之數無不盡，《易》之理無不通，《易》之象無不該矣。左氏所載即古占法，其條理可覆按也。故象也者，理之當然也，進退存亡所由決也；數也者，理之所以然也，吉凶悔吝所由生也。聖人因卜筮以示教，如是焉止矣」。而「宋人以數言《易》，已不甚近於人事，又務欲究數之所以然，于是由畫卦推奇偶，由奇偶推《河圖》、《洛書》，由《河圖》、《洛書》演爲黑白方圓，縱橫順逆，至於汗漫而不可紀。曰：此作《易》之本也」。《總目》批評說：「聖人垂訓，實教人用《易》，非教人作《易》。今不談其所以用，而但談其所以作，是《易》之一經，非千萬世遵爲法戒之書，而一二人密傳玄妙之書矣。經者常也，曾是而可爲常道乎？」[44]又如關於經傳之間的關係，《總目》堅持認爲，

---

[42] 《四庫全書總目》卷五五，《欽定明臣奏議》提要。

[43] 《四庫全書總目》卷五七，《慶元黨禁》提要。

[44] 《四庫全書總目》卷六，《易》類案語。

解經不能離傳，尤其不能全棄史實事迹，憑空臆說。而宋儒往往捨傳求經，結果是其說愈繁，離經書旨意愈遠。對此，《總目》以《春秋》、《左傳》爲例，尖銳指責了宋儒捨傳求經的弊端：「苟無事迹，雖聖人不能作《春秋》；苟不知其事迹，雖以聖人讀《春秋》，不知所以褒貶。儒者好爲大言，動曰捨傳以求經，此其說必不通。」㊺有鑒於此，《總目》明確表示：「刪除事迹，何由知其是非；無案而斷，是《春秋》爲射覆矣。」所以《總目》著錄《春秋》三傳有關著作，「要以切實有徵，平易近理者爲本」，而「游談臆說，以私意亂聖經者，則僅存其目」。㊻對宋儒任意刪經、改經的做法，《總目》更是深惡痛絕，多次予以嚴厲指責。如《尚書》一經，「疑古文者自吳棫、朱子始，並今文而疑之者自趙汝談始，改定《洪範》自龔鼎臣始，其並全經而移易補綴之者則自（王）柏始」。㊼《尚書》如此，《詩經》尤甚。理學家說《詩》「務繩以理」，㊽凡有認爲不合於其「理」之處，即加刪削。王柏所著《詩疑》，即悍然刪《詩》達三十二篇之多。對「此自有六籍以來第一怪變之事」，《總目》編纂者忍無可忍，憤然直斥「柏何人斯，敢奮筆而進退孔子哉」！㊾當然，《總目》對宋儒說經之弊，更多的還是冷靜的理性分析。在比較了漢學、宋學兩家說經的差異之後，《總目》明確指出：「漢儒說經以師傳，師所不言，則一字不敢更。宋儒說經以理斷，理有可據，則六經

㊺ 《四庫全書總目》卷四五，《史部總敘》。

㊻ 《四庫全書總目》卷二六，《春秋》類序。

㊼ 《四庫全書總目》卷十三，《書疑》提要。

㊽ 《四庫全書總目》卷十五，《毛詩本義》提要。

㊾ 《四庫全書總目》卷十七，《詩疑》提要。

亦可改。然守師傳者其弊不過失之拘，憑理斷者其弊或至於橫決而不可制。王柏諸人點竄《尚書》，刪削二《南》，悍然欲出孔子上，其所由來者漸矣。」㊿應當說，這一分析是頗中肯綮的。

在批評宋學的同時，《總目》對漢學採取了明顯的褒揚態度，推崇漢學的徵實，把「考證精核」奉爲正宗。在它看來，「說經主於明義理，然不得其文字之訓詁，則義理何自而推；論史主於示褒貶，然不得其事迹之本末，則褒貶何據而定」。51因而，《總目》對講求文字、音韻、訓詁、考證，力圖恢復經書原貌和聖人原意的清代漢學，給予了充分的肯定，認爲「古者漆書竹簡，傳寫爲艱，師弟相傳，多由口授，往往同音異字，輾轉多歧。又六體孳生，形聲漸備，毫厘辨別，後世乃詳。古人字數無多，多相假借，沿流承襲，遂開通用一門。談經者不考其源，每以近代之形聲，究古書之義旨，穿鑿附會，多起於斯。故士生唐宋以後，而操管摛文，動作奇字，則生今反古，是曰亂常。至於讀古人之書，則當先通古人之字，庶明其文句而義理可以漸求」。52以《易經》的研究爲例，「自王弼《易》行，漢學遂絕。宋元儒者，類以意見揣測，去古寖遠。中間言象數者又歧爲圖書之說，其書愈衍愈繁，而未必皆四聖之本旨」。53清代漢學興起之後，以惠棟爲首的漢學家「乃追考漢儒《易》學」，「採輯遺聞，鈎稽考證，使學者得略見漢儒之門徑」，54爲追索聖人本旨提供了便利

㊿ 《四庫全書總目》卷三二，《孝經問》提要。

51 《四庫全書總目·凡例》。

52 《四庫全書總目》卷三三，《九經古義》提要。

53 《四庫全書總目》卷六，《周易述》提要。

54 《四庫全書總目》卷六，《易漢學》提要。

條件。《總目》即在有關書籍的提要中，盛贊惠棟等學者「能一一原本漢儒，推闡考證，雖掇拾散佚，未能備睹專門授受之全，要其引據古義，具有根柢，視空談說經者，則相去遠矣」。[55]《總目》對漢學的尊崇，還突出地反映在書籍的別擇去取上，即「謝彼虛談，敦茲實學」，「所錄者率以考證精核，辯論明確爲主」。[56]如關於《詩經》的著作，唐代以前古文《毛詩》一家獨傳，宋以後則異說紛起，大抵漢、宋兩家相互攻駁，爭論不已。《總目》認爲，《詩經》研究所涉及的「鳥獸草木之名，訓詁聲音之學，皆事須考證，非可空談」，因而所採輯的著述，大都以「尊漢學者居多」。[57]又如有關群經解義之作，《總目》評論說：「先儒授受，大抵專治一經。其兼通諸經，各有論說者，鄭康成以下曠代數人耳。宋以後著作漸夥，明以來撰述彌衆。非後人學問遠過前修，精研之則見難，涉獵之則見易。求實據則議論少，務空談則卷軸富也。」[58]故「今所甄錄，徵實者多，不欲以浮談無根啓天下之捷徑也。[59]

但是，《總目》編纂者畢竟是處在文化成熟時期的一代知識精英，這使得他們能夠在一定程度上超越漢宋之爭的藩籬，而以一種比較雍容大度的平和心態來對待這一學術公案。《總目》清醒地看到，漢學和宋學之間的相互攻駁，除思想方法的差異之外，還緣於門戶意氣之爭。所謂「攻漢學者意不盡在於經義，務勝漢儒而已；伸漢學者

---

[55] 《四庫全書總目》卷六，《周易述》提要。
[56] 《四庫全書總目·凡例》。
[57] 《四庫全書總目》卷十五，《詩》類序。
[58] 《四庫全書總目》卷三四，五經總義類存目案語。
[59] 《四庫全書總目》卷三三，五經總義類案語。

意亦不盡在於經義，憤宋儒之詆漢儒而已。各挾一不相下之心，而又濟以不平之氣，激而過當，亦其勢然歟」。[60]如果不持門戶之見，應當說，漢學、宋學是各有其長處的。《總目》明確指出：「漢學具有根底，講學者以淺陋輕之，不足服漢儒也。宋學具有精微，讀書者以空疏薄之，亦不足服宋儒也。」因此，《總目》十分強調「消融門戶之見而各取所長，則私心祛而公理出，公理出而經義明」。[61]並在書籍別擇去取上，主張「鏟除畛域」，「一本至公」，但凡「闡明學術，各擷所長；品騭文章，不名一格」，[62]努力做到兼收並蓄，歸諸至當。當然，《總目》在學術評判以及書籍甄錄上，並未有也不可能做到完全公正，特別是對明代理學家的著述，其批評不覺嚴苛，但它這種力求「消融門戶之見而各取所長」的寬容境界，仍然是值得充分肯定的。

貳

十八世紀，是中國封建社會政治、經濟、文化發展的最後一個高峰時期。置身其中的一代知識精英，自覺不自覺地擔負起了總結傳統學術文化的重任。他們依據前代學者遺留下來的豐厚的思想資料，以前所未有的高屋建瓴的眼光，清理經學源流，評騭各家學說，總結各派得失。在此基礎上成書的《總目》，對當時乃至其後的學術思想文化發展趨勢產生了深遠的影響。

---

[60] 《四庫全書總目》卷十五，《詩》類序。

[61] 《四庫全書總目》卷一，《經部總敘》。

[62]《四庫全書總目·凡例》。

清代學術以漢學復興爲最大特徵，而漢學又以乾嘉時期爲極盛。毋庸置疑，在清代學術發展、變化的過程中，《總目》對漢學的推崇，起到了轉移風氣，推波助瀾的作用。此前，漢學雖然方興未艾，但在政治地位上，尙未能與朝廷崇尙的宋明理學分庭抗禮，《四庫全書》及《總目》編纂工作展開之後，統治者逐漸發現漢學也可以用作其炫耀文治、點綴盛世的工具，便轉而採取「崇宋學之性道，而以漢儒經義實之」的兼容並包政策，[63]大力提倡注經編書，肯定漢學「發揮傳注，考核典章，旁暨九流百家之言，有裨實用」，「即在識小之徒，專門撰述細及名物象數，兼綜條貫，各自成家，亦莫不有所發明，可爲游藝養心之一助」。[64]統治者這一文化政策轉變的直接體現，就是四庫館實際上成爲「漢家大本營」，[65]以及隨之而來的《總目》對漢學的大力推崇。自此而後，漢學也上升爲統治階級認可的官方學術，並很快占據了學術界的主導地位，文字、音韻、訓詁、校勘、考證、輯佚的研究成爲一時風氣，考據學迅速發展到全盛階段，並形成獨具特色的乾嘉學風。許多學者竭畢生精力，從事於文字、音韻、訓詁、校勘、輯佚，乃至目錄、版本的研究和考證，叢書的匯刻、佚書的搜輯、古書的校勘、目錄的編纂等各門專科學術也得到了空前的發展，從而使許多散失亡佚的古書得以發掘復出，殘缺脫誤的典籍得到爬梳整理，難以卒讀的古籍也再經疏通證明。清代學術特別是乾嘉漢學以對中國歷代典籍的整理和對傳統學術文化的總結爲

---

[63] 阮元《揅經室一集》卷二，《擬國史儒林傳序》。

[64] 《辦理四庫全書檔案》，乾隆三十七年正月四日諭。

[65] 梁啓超《中國近三百年學術史》。

其最大功績，就此而言，《總目》的導向之功是值得充分肯定的。

隨著漢學的逐漸興起並上升為統治階級認可的官方學術，理學的命運也發生了戲劇性的變化。儘管在形式上，理學仍然高踞於官方統治思想的地位，但清統治者所注意的，已不再是理學自身的龐大體系和那些高遠空洞的性理之旨，而僅僅歸結為對儒家思想的核心，亦即綱常名教的提倡。繼康熙制定著名的《聖諭十六條》，雍正對其加以注釋發揮，刊為《聖諭廣訓》，頒發全國，朔望宣講之後，乾隆更為強調「闡明風教，培植彝倫」，注重用儒家的綱常名教來統一思想，維繫人心，使廣大臣民心甘情願地做朝廷的「忠臣」與「順民」，以確保大清帝國的「億載基業」。《總目》一方面貶抑理學的空疏措大，一方面仍奉傳統儒家思想和綱常名教為正宗，並不遺餘力地加以提倡。這一做法，既透露了清統治者文化政策因襲轉變的個中消息，也起到了「正人心，厚風俗」，維護封建統治、穩定社會秩序的作用。

如果說，在清統治者那裡，理學已由一種理論體系降格為一種實用哲學，那麼，在知識界，理學虛無飄渺的性理之旨和隨心所欲的解經方法，則遭到了學者的嚴厲批評和普遍唾棄。錢大昕指責「宋儒說經，好為新說，棄古注如土苴」，[66]以致「元明以來，學者空談名理，不復從事訓詁，制度象數，張口茫如」。[67]江藩批評「濂、洛、關、閩之學，不究禮樂之源，獨標性命之旨，義疏諸書，束之高閣，視如糟粕，棄等弁髦。蓋率履則有餘，考鏡則不足也」。[68]王鳴盛則

---

[66] 《潛研堂文集》卷二六，《儀禮管見序》。
[67] 《潛研堂文集》卷二六，《重刻孫明復小集序》。
[68] 《漢學師承記》卷一。

一概反對「橫生意見，馳騁議論」，明確主張「學問之道，求於虛不如求於實，議論褒貶，皆虛文耳」。[69]可以說，乾嘉年間，學術界棄宋返漢的風氣盛行一時，凡乎「家家許鄭，人人賈馬」，甚而「有一知半解者，無不痛詆宋學」。[70]這種狀況的出現，與《總目》尊漢抑宋的思想傾向，是不無關係的。誠如後人所言：「自四庫館啓之後，當朝大老，皆以考博爲事，無復有潛心理學者。至有稱誦宋、元、明以來儒者，則相與誹笑。」[71]宋學已然潰不成軍，難以與漢學爭鋒抗衡了。

當然，從中國儒學發展的歷史來看，漢學、宋學都是儒學內部的不同派別，儘管其研究對象不同，治學途徑與方法有異，但歸根結底，它們都是爲封建統治服務的學術。《總目》在尊漢抑宋的同時，仍然主張「消融門戶之見而各取所長」，其著眼點正在於此。也正因爲如此，乾嘉年間，即便在漢學風靡一時，漢宋之爭始終或隱或顯，持續不斷的情勢下，已不乏有識見的學者覺察到漢學、宋學各自的弊端，而主張相互取長補短，共同補偏救弊。如姚鼐「嘗謂天下學問之事，有義理、文章、考證。三者之分，異趨而同爲不可廢」。學者「凡執其所能爲，而毗其所不爲者，皆陋也。必兼收之，乃足爲善」。[72]焦循不滿考據學「�蹐狹隘」的弊病，大力強調「通核」，反對「據守」，[73]甚至主張摒棄「考據」之名，直稱「經學」，[74]以

---

[69] 《十七史商榷·自序》。

[70] 江藩《宋學淵源記》卷上。

[71] 姚瑩《東溟文外集》卷一，《復黃又園書》。

[72] 《惜抱軒文集》卷六，《復秦小硯書》。

[73] 《雕菰樓集》卷八，《辨學》。

[74] 《雕菰樓集》卷十三，《與孫淵如觀察論考據著作書》。

融會衆說，兼收並蓄。而被稱之爲漢學護法大師的阮元，則更明顯地表現出一種折衷漢宋，二者兼採的傾向。他以《周禮》師、儒之分來涵蓋漢宋之別，認爲「兩漢名教，得儒經之功；宋明講學，得師道之益。皆於周孔之道得其分合，未可偏譏而互誚也」。因而他既反對「學人求道太高，卑視章句」的傾向，也不贊成「但求名物，不論聖道」的弊端，[75]而主張兼採二者之長，使其共同爲封建統治服務。可見，乾隆以後，特別是嘉道年間，無論是漢學家，抑或宋學家，都已經覺察到各自的弊端，並且自覺不自覺地吸收了對方的某些合理因素，試圖爲本學派補偏救弊。而《總目》融合漢宋，各取所長的寬容主張，無疑爲清中葉以後出現的漢宋合流趨勢開啓了先河。

乾嘉年間，是中國封建社會由盛而衰的轉折時期。處於乾隆時期的封建盛世，站在兩千年來封建思想文化發展高峰的《總目》編纂者，繼承中國文化的基本精神和傳統儒學的價值取向，大力倡導經世主張，注重發掘古代典籍中蘊含的經世意蘊，從而使得一部傳統意義上的目錄著作，強烈地傳遞出一代知識精英以社會現實和國計民生爲重的積極心態和文化信息。而乾隆以後，社會危機逐漸暴露，各種矛盾也由隱而顯，許多「在其位，謀其政」的封疆大吏和朝廷官員，以及憂國憂民的知識分子，則直接面對當時社會經濟生活中的現實問題，相繼提出了自己的解決方案和經世主張。諸如漕運，歷來號稱「天庾正供，關係甚鉅」，[76]在朝廷大政中佔有十分重要的地位。清代前期，特別是康熙、雍正年間，社會經濟發展，吏治民風整肅，漕

[75] 阮元《揅經室一集》卷二，《擬國史儒林傳序》。

[76] 《清經世文編》卷四六，蔣攸銛《擬更定漕政章程書》。

運基本正常運行。至乾隆末年以後，隨著社會危機的日漸加深，吏治敗壞，風氣奢靡，漕政弊端叢生，形勢日趨嚴峻。對此，一些朝廷官員和地方大吏，乃至有識之士，紛紛提出了自己的看法。他們有的揭露漕政弊端：今地方「往往視收漕爲畏途」，「蓋緣丁力久疲，所領行贈錢糧，本有扣款，而長途挽運，必須多雇人夫，以及提溜打閘，並間有遇淺盤剝，人工倍繁，物價昂貴，用度實屬不敷，勢不能不向州縣索費。州縣既需貼費，勢不能不向糧戶浮收。州縣既有浮收，勢不能不受包戶挾制」。故而「吏治、民風、士習，由此日壞，此漕弊之相因而成積重無已之實在情形也」。[77]有的提出整飭辦法：或申明漕船定式，不得夾帶其他貨物；或優恤運弁旗丁，保證沿途開銷；或更定漕政章程，不得隨意勒收折色，等等。更多的官員士子則開始從根本上考慮漕運的改革辦法，提出了改河運爲海運的主張。他們一致認爲，海運一省費用，二能避免沿途需索，三可根據四時風信，通盤籌算，使南糧北貨互通有無，種種優勢，皆非河運所不及。雖然由於保守勢力的阻撓，終嘉慶一朝，海運之事始終未能付諸實施，但諸多官吏士子對漕運的關注以及改革的設想，卻仍然反映了他們的經世精神，並最終促成了其後漕政改革的實現。他如河工、鹽政、銅政，乃至人口等重大問題，也不乏有識見的官吏士子起而揭露其弊端，並提出種種改革的建議。可以說，乾嘉時期知識界和統治階級上層的有識之士，正是面對社會經濟方面河工、漕運、鹽政、銅政等大政的危機，以及日趨嚴重的人口壓力，提出他們的救弊方案和經世主張的。這些經世主張與當時隱而復彰的今文經學以及方興未艾的邊疆史地學

---

[77] 同[76]。

一道，匯成了乾嘉時期經世思潮的潛流。儘管它還十分弱小，也並未佔據主導地位，但它畢竟在學者面前重新展現出一片廣闊的天空，爲更多的學者走出漢學狹小的書齋，擺脫理學的束縛，直面現實，經世致用，提供了新的用武之地。而《總目》倡導的傳統儒學的經世精神，無疑爲乾嘉時期出現的經世思潮，起到了導夫先路的作用。

清代中葉，伴隨《四庫全書》編纂而產生的《總目》一書，以其比較完善的分類體系，提要、小序俱全的著錄方式，詳晰介紹、評騭了《四庫全書》著錄、存目的各種書籍，系統考查、總結了中國學術的淵源流變，當之無愧地成爲中國傳統目錄學史上的豐碑。但是，它又絕不僅僅是一部普通的目錄著作，編纂者滲透於其間的思想觀念、價值取向、願望情感，乃至學識水平，已經使得它遠遠超出了一般目錄著作的功用和意義，而堪稱一個民族、一種文化的時代結晶。毫無疑問，《總目》本身所包涵的豐富的思想觀念和文化意蘊，它對當時乃至後世的學術思想文化所產生的深遠影響，確實是值得我們深入探討並予以正確評析的。

四庫存目書進呈本之亡佚及殘餘

杜澤遜*

一、問題的提出

《四庫全書》的底本，在《四庫全書》編纂、鈔寫完成後，奉旨存放翰林院，並允許外間讀書之人就近鈔錄❶，這一史實，向無疑議。其逐步散失並在庚子八國聯軍攻占北京時慘遭兵燹的命運，與翰林院中《永樂大典》的命運亦大略相同。唯當時與《四庫全書》底本一同進呈四庫館的存目書及重本，數量近萬種，在《四庫全書》纂修當中和完成之後，被如何處置，命運若何，或謂發還本家，或謂存翰林院而燬於庚子八國聯軍侵犯北京，或謂存武英殿而燬於同治八年大火❷，迄無公認之定說。本文即此疑案予以考索，以期弄明眞相。

* 山東大學古籍整理研究所副教授

❶ 乾隆五十一年十月二十六日永瑢等奏：「應請俟續辦江浙三分書全竣之後，即將發寫底本收拾整齊，彙交翰林院，造冊存貯，作爲副本。」奉旨：「依議。」（《纂修四庫全書檔案》1953頁，中國第一歷史檔案館編，1997年7月上海古籍出版社排印本。以下簡稱「《檔案》」。）

乾隆五十五年五月二十三日上諭：「文淵等閣，禁地森嚴，士人等固不便進內鈔閱。但翰林院現有存貯底本，如有情殷誦習者，亦許其就近檢錄，

二、四庫進呈本的由來

四庫進呈本，又稱四庫採進本，從字面上看，是指各地方包括京城官員進呈到四庫館的書本，但事實上內府和翰林院藏書亦包括在內，這部分書不宜稱「進呈」。因此，我們說進呈本、採進本，只是籠統的說法，相沿已久，不便更張。但過去經常有稱進呈本爲「四庫底本」的，因爲進呈本中只有三千數百種被確定爲底本，其餘重本及存目書就不宜稱底本，所以一概稱進呈本爲「四庫底本」並不妥當，「四庫底本」應專指用來鈔寫《四庫全書》的原本。

進呈辦法，乾隆三十七年正月初四日上諭有明確規定：「在坊肆者，或量爲給價。家藏者，或官爲裝印。其有未經鐫刊，祇係鈔本存

掌院不得勒阻留難。」（《檔案》2189頁。又《四庫全書總目》卷首乾隆五十五年六月初一日上諭，1965年6月北京中華書局影印清乾隆六十年浙江刻本。下同。）

❷ 丁丙《善本書室藏書志》卷十二《徑山集》條：「冊面有長方木記，朱書『乾隆三十八年四月兩淮鹽政李質穎（按：穎字原脱）送到馬裕家藏釋宗淨徑山集壹部計書壹本』。卷首鈐『翰林院印』。蓋四庫館退還之本也。」又《常熟縣破山興福寺志》條：「卷首鈐『翰林院印』，蓋四庫館給還之書也。」丁氏於四庫進呈本多加此案語，此主發還者也。1992年5月28日北京第三次全國古籍整理出版規劃會上，胡道靜先生發言：「昨天周紹良先生談到《四庫存目》的問題。存目開列的書有六千多種，比《四庫全書》多了一倍。這些書曾放在翰林院，但在八國聯軍時被焚燒。」（見會議簡報第七期）此主張存翰林院者最近之言論。黃愛平《四庫全書纂修研究》：「存目以及未入存目各書，則一併交武英殿，堆置於書庫中。……同治八年又發生一場大火，武英殿書籍慘遭滅頂之災。」（1989年中國人民大學排印本第282至283頁）此主張存武英殿者。

留，不妨繕錄副本，原書給還。……先將各書敘列目錄，注係某朝某人所著，書中要指何在，簡明開載，具摺奏聞。候彙齊後，令廷臣檢覈，有堪備覽者，再開單行知取進。」❸

根據這道諭旨，採訪書有三種途徑：一是到書坊購買；二是有家藏書板者，官爲印刷裝潢；三是罕傳鈔本，或已無書板之稀見印本，借鈔副本，原本歸還。進呈亦分兩步：先是奏進書目，開明書名、著者、朝代及書中要指。各地書目彙齊，由廷臣檢查，決定去取，然後再通知各地將書籍彙送京師。這樣可以避免各地重複進呈。應當說，辦法是很好的。

依此辦法，中央和地方都不得不成立專門辦事機構。中央的在翰林院，乾隆三十八年二月成立❹，稱「辦理四庫全書處」，各地亦稱爲「總理四庫全書處」。又稱「欽定四庫全書館」，簡稱「四庫館」。地方大都成立書局，委派專人辦理。例如浙江在杭州省城設立公局，延請丁憂在籍的翰林院侍講沈初總理選裁，並於教職內揀選學問優者分任校閱❺。江蘇於蘇州紫陽書院特設書局，分派官吏收掌校錄，並請院長在籍侍郎彭啓豐總其事❻。

---

❸ 《檔案》2頁，《總目》卷首。

❹ 「辦理四庫全書處」成立，似未見有專門文件。乾隆三十八年二月二十一日劉統勳等奏請將翰林院「迤西房屋一區」作爲校核《永樂大典》專門用房，設提調、收掌。但同時稱「現在並非另行開館，其派出之翰林官等，俱毋庸請支桌飯銀兩」。（《檔案》59頁）但二月二十八日即諭著福隆安派員經理四庫全書處人員飯食（《檔案》63頁），可知二月底已成立常設機構。其後不斷任命專員，日趨龐大，均自此始。

❺ 《檔案》18頁。

❻ 《檔案》28頁、80頁。

除官方成立書局外，還召致書賈，給以銀兩，委其訪購。如浙江的湖州書船❼，江蘇蘇州的山塘書賈錢金開（鋪名「山塘開鋪」）、城內書賈陶廷學❽都爲採辦書籍出力不少。

由於各地多方購求，不僅僅依靠藏書家獻書，因而在進呈本中，各地自行選購的書籍均占相當比例。例如浙江進書四千六百種。其中私家獻書二千六百九種，地方購進一千九百九十一種❾。江蘇蘇州書局（江蘇巡撫管）進呈一千七百二十六種。其中書局購進者一千七十一種，私家獻書六百五十三種❿。江寧書局（兩江總督管）進書一千三百七十四種。其中紳士呈獻九百九十一種，書局購進三百八十三種⓫。

藏書家所獻之書，由於藏書家懂書，因而多罕傳祕本。依據諭旨，應由地方借鈔，原書給還。從後來辦理四庫全書處謄錄《四庫全書》情形看，各地借鈔必將是極大負擔，尤其江、浙、兩淮，無論從時間方面，還是從財力方面，都很難達到預期目的。

於是兩淮首先自行以原書進呈。乾隆三十八年閏三月二十日兩淮鹽政李質穎奏：「商人馬裕，素有藏書。……查其全目共一千三百八十五種，內督臣高晉選去一百三十三種，又已經選定，尚未取去，知會奴才查辦者六十二種。今奴才悉心採擇，又選出二百十一種，開敘目錄，向其家借取鈔繕。超馬裕稟稱：……何敢復煩鈔繕，致需時日，只求將原書呈進，便是十分之幸了。奴才察其言詞誠切，出自實

---

❼ 《檔案》90頁、98頁。

❽ 《檔案》79頁、84頁。

❾ 《檔案》708頁。

❿ 《檔案》678頁。

⓫ 《檔案》680頁。

心，似應准其所稟。又據江廣達等購覓得十八種，並督臣高晉選定之六十二種，總共二百九十一種，奴才查明卷帙，各種包封，一并專差恭送。」乾隆皇帝硃批：「俟辦完《四庫全書》，仍將原本發還，留此亦無用也。」⓬馬裕藏書前後選送共七百七十六種⓭，均以原書進呈。

不久後的乾隆三十八年四月十三日浙江巡撫三寶亦奏：「茲據鮑士恭、吳玉墀、汪啓淑、孫仰曾、汪汝瑮等呈稱：……竊願以私篋所藏，上充祕府，芹曝之獻，實出至誠。謹將書目開呈，伏祈恭進。等情前來。臣察其情詞，甚爲懇切。隨將書目飭發局員，逐一查閱。除尋常習見及互有重複各書不列外，計鮑士恭家有六百二十六種，吳玉墀家有三百五種，汪啓淑家有五百二十四種，孫仰曾家有二百三十一種，汪汝瑮家有二百十九種，共一千九百零五種。分繕清單，恭呈御覽。」⓮四月二十八日上諭：「所有進到各書籍，將來辦竣後，仍須給還各本家自行收藏，無藉伊等恭進。將此傳諭三寶，轉諭鮑士恭等知之。」⓯至九月初六日浙江巡撫三寶即派嘉興知縣王士瀚、奉化縣丞裴述文將三千七百七十一種書解送四庫全書處。此次進書，並未接奉四庫全書處征用書單，所以奏摺中說：「因思各書雖有目錄可稽，然非披閱採擇，似難以定去留，自應全行解送，以備查檢。」⓰

江蘇巡撫進書則在三十八年十月初六日，江蘇巡撫薩載奏稱：

⓬ 《檔案》87頁。「超馬裕稟稱」之「超」字疑誤。

⓭ 《檔案》103頁。

⓮ 《檔案》97至98頁。

⓯ 《檔案》107頁。

⓰ 《檔案》149至150頁。

「計共存書一千三百八十九種，現准辦理四庫全書處知照，扣除重複二十五種，餘書一併送館校辦。」⑰

出於這樣的事實，四庫進呈本的質量大大提高，以原本進呈，自然省時省錢，因此在乾隆三十八年底，絕大部分書籍已進呈到翰林院的辦理四庫全書處。乾隆三十九年各地奉旨將揀存複本發還本家，主要事務轉到查鈔違礙書籍方面。

根據上述採進底本情形分析，進呈本主要有以下幾種來源：一、內府及翰林院藏書，包括《永樂大典》。二、各地督撫委員購買之書。三、官價借板刷印之書。四、借鈔之書⑱。五、私家進呈原書。四庫採進本之由來大抵如是。

三、四庫存目書進呈本的發還問題

四庫進呈本集中到翰林院，當時即於書衣鈐寫木記，注明何年何月何處獻來何書若干本，並於首葉加蓋「翰林院印」滿漢文大官印，目的是辦完《四庫全書》後將原書發還。乾隆三十八年五月十八日劉統勳等奏：「伏查鹽政李質穎交館之書已七百七十餘種，現在派令纂修等分別校查。而浙省奏報之書又二千七八百種，江南所採亦不下千百種。日積日多，若不預定章程，誠恐將來歸還時，難於分別。臣等

⑰ 《檔案》163頁。

⑱ 浙江、兩淮等以原書進呈，其他各省仍多有按原規定借鈔副本、原書給還者。如乾隆三十八年十月初三日湖北巡撫陳輝祖奏：「臣設立公所，雇覓書手，委員監視錄繕，發還原本。」是時浙江、兩淮早已進呈原本千數百種，湖北似未知也。

酌議，刊刻木記一小方，印於各書面頁，塡注乾隆三十八年某月、某省督撫某、鹽政某、送到某人家所藏某書、計若干本。並押以翰林院印。仍分別造檔存記。將來發還之日，即按書面木記查點明白，注明底檔，開列清單，行文各督撫等派員領回，按單給還藏書之家，取具收領存案。如有交發不明，惟該督撫是問。如此則吏胥等既無從私自扣留，而藏書家仍得全身故物，且有官印押記，爲書林增一佳話，寶藏更爲珍重。」奉旨：「依議。」⑲按：木記格式，舉例言之，北京圖書館藏《太易鈎玄》三卷，清鈔本，封面有「乾隆三十八年十一月浙江巡撫三寶送到吳玉墀家藏太易鈎元壹部計書壹本」長方四行木記。翰林院印，左爲滿文，右爲漢文，印文爲「翰林院印」四字，朱文大方印。鈐蓋在首葉上方。當時劉統勳等這樣處理是很周到的。鈐印將爲藏書增色，亦可見劉統勳等對四庫進呈本的文物價值有明確認識。

進呈書經鈐印造冊存檔後，即交纂修官逐一審閱，分爲應刊、應抄、應存，各撰提要。⑳其應刊、應鈔之書即應收入《四庫全書》者，當時送武英殿謄鈔。應存之書因無須再鈔，至此已不再需要。這項分別等級工作及撰寫提要初稿工作，到乾隆三十九年七月已初步完

⑲ 《檔案》117頁至118頁。

⑳ 乾隆三十八年閏三月十一日辦理四庫全書處所擬章程，規定《永樂大典》輯出各書分別應刊、應抄、應刪三項。「應刪者，亦存其書名，節敘刪汰之故，附各部總目後」。（《檔案》74頁）至三十八年五月初一日諭則云：「釐其應刊、應抄、應存者，系以提要，輯成總目。」（《檔案》108頁）其「應存」與「應刪」同義，即存目。應刊、應抄兩項均須繕寫，收入《四庫全書》，唯應刊者又須另行刊印耳。

成。乾隆三十九年七月二十五日上諭：「辦理四庫全書處進呈《總目》，於經、史、子、集內，分晰應刻、應抄及應存書名三項。各條下俱經撰有提要。」又云：「現在辦《四庫全書總目提要》，多至萬餘種，卷帙甚繁，將其抄刻成書，繙閱已頗爲不易，自應於《提要》之外，另列《簡明書目》一編。」[21]按照計劃，存目之書乾隆三十九年即應發還。

當時的情況是：《四庫全書》謄寫、校訂工作已全面鋪開，工程浩大，人力缺乏。朝野上下又增加了一項幾乎是頭等重要的任務：查禁違礙書籍。查禁工作延續十餘年，影響極大。

直到乾隆四十二年四月十二日大學士舒赫德、于敏中才接奉上諭並轉寄各省督撫鹽政，內云：「除辦過應行刊鈔各書及已經發還外，其現在辦竣及祇須彙存書目各種，並應及早發還。……即通行查撿各書，開列清單，行知該督撫等，酌委妥便之員赴翰林院領回，給還藏書之家。」又云：「該督撫等自行購進及借本鈔謄毋用給還本家者，亦著該督撫等於收到書籍後再行查明送繳，留備館閣之儲。」這道諭旨實際上把私家進呈本與地方購進本作了區別處理，把眞正需要發還的書縮小到私家進呈本範圍內。

這道諭旨內有「已經發還」之語，除指乾隆皇帝御題詩章發還少數外，當是指乾隆四十年發還兩淮三百部。乾隆四十二年六月十五日兩淮鹽政寅著因接奉四月十二日上諭，曾有覆奏云：「乾隆三十八年李質穎先後進呈六次，共鈔、刻本書一千七百八部，內九百三十二部係總商江廣達等訪購，其七百七十六部皆商人馬裕家藏。嗣於四十年

---

[21] 《檔案》228頁。《總目》卷首。

奉發還匯存名目書三百部。內江廣達等領回一百四十五部，仍存館七百八十七部。馬裕領回一百五十六部，仍存館六百二十部。」（按：江廣達、馬裕領回書共三百一部，多一部，數字有誤）由此可見，乾隆四十年曾有少量進呈本發還，是存目之書。

寅著此奏又謂總商江廣達、商人馬裕均願以進呈之書「留備館閣之儲」，「請將兩淮存館之書共一千四百八部，叩求聖恩，准俟刊鈔辦畢，免其行知領回再繳，即賞留爲館閣之儲。」兩淮的態度，爲後來發還工作不了了之，製造了借口。

在各督撫接到四十二年四月十二日諭旨後，均有覆奏，除少數省分無須發還外，有私家進呈原本的省分大都將私人進呈書另開了清單，咨送四庫全書處查核，等待發還。但乾隆四十二年的發還工作，不知何故，未見下文。

乾隆四十五年四月十三日，乾隆皇帝又下諭旨：「四庫館書籍，有應行鈔謄者，有僅存名目，不必繕寫全書者。其僅存名目之書，亦應將底本發還各省藏書之家。著傳諭英廉，即將此項書籍查明發還。」

乾隆四十七年二月二十一日英廉覆奏：「查無干礙之存目及重本各書共計九千四百十六部，應遵旨發還各家。俟命下後，臣即交翰林院行文各該督撫等，令其遇便委員赴館領回，轉行發還。」奉旨：「將抽出應燬篇頁存覽。其應發回原省各書，著發出再行查看。」英廉等十餘人又將應發還之書通查一遍，三月二十五日覆奏：「其餘詳細檢核，實在並無違礙字句，……請遵照原奉諭旨行知各省，令其遇便陸續領回。」[22]乾隆四十五年到四十七年這次發還存目書進呈本的

[22] 《清代禁燬書目四種》卷首，民國二十六年商務印書館《萬有文庫》排印本。

活動又未見下文。

乾隆五十一年二月十六日劉墉等曾奏報奉旨清查結果云：「至各省採進遺書並各家呈進書籍，自應分項清查，以稽全數。臣等行文翰林院詳晰開送數目去後，旋據翰林院查明付覆：收過各省採進及各家進呈各種書籍，共計一萬三千五百零一種。除送武英殿繕寫書籍三千九十八種，又重本二百七十二種，已經發還各家書三百九十種外，現在存庫書九千四百十六種。內應遵旨交武英殿者六千四百八十一種，應發還各家者二千九百十八種，軍機處及內庭三館移取者十七種。」㉓

可見到乾隆五十一年二月，進呈本仍然分成三大塊：一、送武英殿繕寫之書，即《四庫全書》底本。二、各地督撫購進或借鈔之本，無須發還，乾隆四十二年八月十九日曾有旨：「各督撫購進諸書，將來仍可彙交武英殿，另行陳設收藏」。㉔即指此「應遵旨交武英殿者」。三、應發還各家者。

但到乾隆五十一年十月二十六日永瑢等上奏，卻不再提及三大塊中的「應發還各家者」。

對《四庫全書》底本，永瑢等建議不再發還，而庋藏翰林院，以充副本。其奏云：「其中有列入《薈要》者，已經繕校各九次。即專入《全書》者，亦已繕校各七次。磨擦污損之處，勢所難免，似未便再行給還。現在館事將竣，若須另立副本，再抄一分，或僱覓書手，則多糜帑項，或招募謄錄，則又滋僥倖。且傳寫易訛，雖篇幅可得整齊，而點畫未免淆混，亦不如存貯原本，足資檢勘。……臣等再四酌

㉓ 《檔案》1930頁。

㉔ 《檔案》683頁。

度，應請俟續辦江浙三分書全竣之後，即將發寫底本收拾整齊，彙交翰林院造冊存貯，作爲副本。」這項建議被批准。

底本之外，永瑢等僅含糊其辭地說：「其各督撫購進諸書，謹遵旨令翰林院查點，交與武英殿另行藏貯。」㉕那二千九百十八種應行發還的存目書不再被作爲善後事宜的一部分單獨提出，事實上被歸入「各督撫購進諸書」當中，不必再單獨清點發還了。

乾隆皇帝親自倡議並一再堅持的原本發還計劃就這樣一步一步縮小範圍，最終取消了。四庫存目書進呈本有明確記載的發還只有兩淮三百種。

四、四庫存目書進呈本的存貯和散佚

四庫存目書進呈本一直存放在翰林院，各地進呈書都是送到翰林院辦理四庫全書處，收辦手續在翰林院敬一亭進行㉖。而院內原心亭、寶善亭、西齋房皆爲校讎之所㉗。

所選應刊、應抄各書，均應繕寫、詳校，編爲《四庫全書》。繕校事宜初在翰林院。迨各地書籍送到，工程浩大，則將應鈔書籍發武

㉕ 《檔案》1951至1952頁。

㉖ 乾隆三十八年閏三月十一日辦理四庫全書處奏：「查署內有敬一亭，其房間頗爲寬敞，向係武英殿將各種書版交到收貯。今擬將此項書板查明，暫行移貯詹事府，交該衙門檢點稽查。即將空出之敬一亭爲收辦各項書籍之用。」此項擬議當時獲准。（《檔案》77頁）

㉗ 《日下舊聞考》卷六十四《官署・翰林院》：「乾隆三十八年於院署置欽定四庫全書館，原心、寶善二亭及西齋房皆爲校讎之所。」

英殿繕校㉘。其間由於頭緒紛繁，管理不善，曾發生底本丟失及抵換事件，乾隆四十五年五月二十七日英廉等曾奏報清查結果：遺失及殘缺之書實止三十八種㉙。乾隆五十二年七月三十日永瑢等奏報清查結果：英廉清查後又丟失有印底本一百二十二種㉚。這些事都發生於武英殿。所有發武英殿繕校各書，在七分《四庫全書》辦完後，又清點交回翰林院存貯。

存目書及重本，因無須繕校，所以一直存在翰林院的辦理四庫全書處。乾隆四十二年決定只發還私人進呈本，「各督撫購進諸書，將來仍可彙交武英殿，另行陳設收藏」㉛。所以乾隆五十一年劉墉清查時把發武英殿繕校底本、翰林院存庫書區分開。又把翰林院庫存書分為應交武英殿者，應發還各家者。

乾隆五十一年十月二十六日永瑢奏將《四庫全書》底本存貯翰林院，將「各省督撫購進諸書，謹遵旨令翰林院查點，交與武英殿另行藏貯」。奉旨：「依議。」估計在乾隆五十一年十月二十六日以後，原藏翰林院的各省督撫鹽政購進之書當中的存目書和重本，即被遵旨移送到武英殿收藏。

乾隆五十二年七月三十日永瑢等為查明有印底本事上奏，有云：

㉘ 乾隆五十一年二月十六日劉墉等奏：「送武英殿繕寫書籍三千九十八種」。《日下舊聞考》卷十三《國朝宮室·武英殿》：「武英殿五楹，殿前丹墀東西陛九級。乾隆四十年御題門額曰武英。東配殿曰凝道，西曰煥章，後曰敬思。東北為恒壽齋，今為繕校《四庫全書》諸臣直房。」

㉙ 《檔案》1165頁。

㉚ 《檔案》2055頁。

㉛ 《檔案》683頁。

「其節次扣存本及重本，向存貯武英殿。此種書籍雖非正項底本，亦應飭令該提調全數移交翰林院，一體收貯，以歸劃一。」奉旨：「依議。」㉜這裏所說的「節次扣存本及重本」，是否即從翰林院移交武英殿之各督撫購進本，尚難遽定。從永瑢「雖非正項底本」一語推測，似即指存目之書，即翰林院奉旨送交武英殿貯存者。

無論是奉旨移送武英殿的計劃未能實施，還是移送武英殿之後又返回翰林院，後來的事實則是：四庫存目書進呈本乾隆以後一直存放在翰林院。略舉數條史料如次：

㈠嘉慶二十年滿族人福申從翰林院借鈔《掌錄》等四庫進呈本。《掌錄》二卷，嘉慶二十年福申鈔本，中國科學院圖書館藏。有福申手跋云：「辛未入詞館，聞有《四庫書》藍本，貯署之東西庫。其未入《四庫》而僅存目者，分藏講讀、編檢二廳。心艷羨之，恨不獲一見。乙亥受職後，辦理院事。適曹儷笙、秀楚翹二夫子有查書之命，遂得徧閱奇書，覺滿目琳瑯，目不暇給。雖紛紜殘蠹，不及細觀，而無如愛不釋手，欲罷不能。僅借卷帙之少者，賃書傭分寫，如《詩故》、《禹貢圖註》、《春秋地考》、《地名辨異》、《左傳人名辨異》、《純正蒙求》、《姬侍類偶》、《同姓名錄》、《經籍異同》、《金鰲退食筆記》、《玉唾壺》皆是。間有友人祥雲章代書者，如《新加九經字樣》、《資暇集》、《禮記稽疑》三種。此書則余之三伏中揮汗而錄者也。原本一卷，與《驪珠隨錄》相類，毫無次序。余析爲二卷，暗以類從，爲便翻閱耳。書竣，聊記數語，以見余之不怠，非敢誇多識云。嘉慶乙亥年立秋前一日誌於茶半香初之室，長白

㉜ 《檔案》2055頁。

福申。」下鈐「福申之印」白文方印、「禹門」朱文方印。

按：福申，字佑之，一字禹門，滿洲正黃旗人，嘉慶十六年進士，授翰林院庶吉士。道光初官內閣學士，左副都御史，道光八年革職㉝。曹儷生、秀楚翹即當時翰林院掌院事曹振鏞、秀寧㉞。

又按《日下舊聞考》卷六十四《官署·翰林院》：「堂五楹，堂西偏爲讀講廳㉟，東爲編檢廳。」又：「後堂東西屋二楹，爲藏書庫。」

據福申所說，《四庫全書》底本在翰林院後堂東西書庫。存目書在講讀廳、編檢廳。福申曾奉命查書，並借鈔進呈本多種，事屬親見，當可信從。福申借鈔之書既有《四庫全書》底本，又有存目書原本。

㈡同治十年孫詒讓從翰林院借鈔四庫存目書《黃文簡公介菴集》。孫詒讓《溫州經籍志》卷二十五：「《黃文簡介菴集》世間流傳絕少，……同治辛未，余以應試入都，叚得翰林院所儲明刻小字本，驗其册面印記，即乾隆三十八年浙江巡撫三寶所進汪啓淑家藏本也。既迻錄其副，復精勘一過。」按：民國二十年永嘉黃氏排印《敬鄉樓叢書》第三輯所收《黃文簡公介菴集》十一卷，即據孫詒讓從翰林院借鈔本付梓。至翰林院原本後亦流落民間，轉歸劉承幹嘉業堂。《嘉業堂藏書志》董康所撰提要云：「書經進呈，發交翰林院清閟閣儲待領回。光緒初，錢桂森直清閟閣時攜出者。有洞庭山人、王仲道印、敬之、錢

㉝ 《清史稿》卷一百八十九《部院大臣年表》六下。錢實甫《清代職官年表》。

㉞ 《清代職官年表》。

㉟ 讀講廳，福申跋作講讀廳，未知孰是。

桂森辛白甫、教經堂錢氏章、犀庵藏本諸印記。」㊱《中央圖書館善本書目》著錄明初刻黑口本，即嘉業堂舊藏四庫進呈本。

㈢同治初年周星譽曾在翰林院目睹四庫進呈書。周星詒《窳櫎日記鈔》卷中光緒十年十二月初四日記：「予兄叔昀言：奏辦院事（俗稱清閟堂翰林）日必至衙門辦事，聚集於敬善亭之左右室中，堆積書籍如山。明朝歷代實錄及修史日採進備用各事，洎各省進呈四庫館書原本奉旨發還而未領者，經百餘年抵換盜竊之餘，猶連屋充棟也。中有兩室，垣宇倒塌，書籍檔案遍地皆是，磚瓦所壓，幸北地乾燥，不致霉爛。閱今二十餘年，不知如何矣。」據周星詒「閱今二十餘年」推之，周星譽（昀叔）目睹翰林院圖書慘狀，當在同治初元。上去嘉慶二十年福申查書已四十餘年。

㈣光緒十年王懿榮從翰林院借鈔四庫存目書明戚繼光《止止堂集》。光緒十四年山東官書局刻《止止堂集》五卷，前有篆文牌記：「光緒十四年十二月山東書局謹依四庫館明本重刊」三行。又有光緒十五年三月翰林院編修王懿榮《重刻明戚武毅公止止堂集敘》云：「光緒己卯、庚辰間，登州志局方纂藝文志，求戚武毅公此集不得，……後三四年，懿榮乃從翰林院署借得此集明刻五本，即乾隆間四庫館收錄之底本也。中有楊王啓運一條、宋瀛國公一條，當時奏准抽燬。又末缺數葉，亦無從搜補。於是募工對臨一通，悉如原刻。謹以官本還署。」依王懿榮序，其雇人影鈔戚繼光《止止堂集》約在光緒十年。

㈤光緒初楊晨從翰林院得天一閣進呈鈔本《葉海峯文》。光緒二

㊱ 1997年復旦大學出版社排印本，吳格整理。

十七年葉紹蘧等刻《葉海峯文集》二卷，前有光緒二十七年楊晨序，二十七年葉紹蘧序。葉紹蘧是著者明代葉良佩的裔孫。葉紹蘧序云：「家小魯茂才秀藻從給諫楊先生晨得遺文一卷，爲四明范氏天一閣原鈔本，即《四庫存目》所列者，假錄一通，即是本第一卷是也。」葉紹蘧說葉秀藻從楊晨處得見天一閣進呈四庫館原本，借鈔一部，成爲光緒二十七年刻二卷本的第一卷。那麼楊晨的進呈本從何得來呢？楊晨序中有記述：「曩在史館讀中秘書，於院署瀛洲亭得《海峰先生文》一冊，蓋乾隆中纂修《四庫全書》，浙江巡撫所採進者，爲四明范氏天一閣舊鈔本。辛卯奉諱里居，江洋葉小魯……錄副以歸。」顯而易見，這部天一閣進呈鈔本是楊晨光緒十七年辛卯從北京返回家鄉浙江黃巖時帶回家的。楊晨光緒三年進士，從翰林院拿出此書，當在光緒三年至十七年間。楊晨輕易從翰林院拿出天一閣進呈本，而又毫不隱諱地寫在序文裡，可見當時翰林院書籍管理極爲鬆弛。

㈥光緒二十九年桂芬在北京街市購得吳玉墀、范懋柱進呈本數種，謂從翰林院流出。清華大學圖書館藏清康熙剡藻堂鈔本《周易闡理》四卷，四庫存目，有翰林院印及乾隆三十八年十一月浙江吳玉墀進書木記，即《四庫總目》所據浙江吳玉墀家呈本。卷尾有光緒二十九年十一月十六日桂芬手跋，內云：「余以光緒癸卯歲來京師，偶於街市以錢五百購得是書及《遺忠錄》、《禮賢錄》、《忠獻別錄》、《龍川別志》等書，皆完善無缺，都爲范氏懋柱家藏本，浙江巡撫所進者也。蓋因庚子之歲，拳匪釀禍，聯軍入京，以致神京陸沉，兩宮西狩，內府圖書，率多散失。是書儲翰林院中，翰林院爲德人所據，所貯典籍盡投諸溷，而是書不知何時流落人間，寧非幸哉。」桂芬是知書之人，所述翰林院事雖非目睹，時距庚子僅三年，亦當去事實不遠。

以上六事足以證明，四庫進呈本在《四庫全書》修成後一直存放在翰林院，其中原計劃發還的私人進呈書並未發還。

至於在庚子事變中翰林院藏書被燬情形，當時英國使館人員威爾在《庚子使館被圍記》中這樣描述：「無價之文字，亦多被焚。龍式池及井中，均書函狼藉，爲人所抛棄。有綢面華麗之書，皆手訂者。又有善書人所書之字，皆被人隨意搬移。其在使館中研究中國文學者，見寶貴之書如此之多，皆在平時所決不能見者，心不能忍，皆欲揀選抱歸。自火光中覓一路，抱之而奔。」[37]翰林院在東交民巷，與使館區接近，威爾所記得於目睹，最爲可信。

當時侵略者揀選的多是裝潢精麗的《永樂大典》等書，對那些民間獻來的普通裝潢的書籍並不知道其價值所在，因而絕大部分被燬。所謂「龍式池及井中，均書函狼藉」之語，正與桂芬所述「典籍盡投諸溷」相印證，其慘狀可堪回首！四庫存目書進呈本之厄運如此。

五、四庫存目書進呈本的殘餘

四庫存目書進呈本之得以傳至今日者，爲數甚少，這少量殘餘之物大抵通過這樣三種渠道從翰林院出來。一是公開發還，有記載的只有乾隆四十年發還兩淮三百種，其中馬裕呈本一百五十六種，總商江廣達等購進者一百四十五種。二是乾隆中修《四庫全書》當中及完成

[37] 轉引自張忱石《永樂大典史話》，北京中華書局1987年排印《古代要籍概述》本。

之後，直到八國聯軍侵略北京，這一百二十多年間，被有機會進入翰林院的人們「抵換盜竊」出來的。三是庚子兵燹燼餘之書，流落市肆，被公私藏書者收購的。

近七八年來，我從事《四庫存目標注》工作，又參加《四庫全書存目叢書》輯印工作，有較多的機會接觸四庫存目之書的傳本，尤其是四庫存目書進呈本，見到一百多種。又通過王重民先生《中國善本書提要》了解到原北平圖書館有27種存目書進呈本，現存台北，但大陸的北京圖書館、南京圖書館等保存了全套膠卷，可以查閱。中央圖書館現已知的存目書進呈本有29種，有的來台時看到了，還有的是友人代查或從書目上知道的。出於客觀上的困難，這些還不全面。總計迄今所見所知存目書進呈本194種，分布在26家收藏單位。（余另撰有《四庫存目書進呈本知見錄》詳記之）其中北京圖書館現藏61種，原北平圖書館27種現存台北故宮，上海圖書館15種，南京圖書館11種，中央圖書館29種，北大5種，浙江省圖、清華各4種，吉林大學、揚州市圖、美國會圖各3種，中科院圖書館、人民大學、西安市文管會、鎮江博物館、杭州市圖、山東省圖各2種，天津市圖、無錫市圖、青島博物館、中山圖書館、江西省圖、天一閣、瑞安玉海樓、美國哈佛大學哈佛燕京圖書館、普林斯頓大學葛斯德東方圖書館各1種。另有8種近人所見而不知今藏何處。

這194種四庫存目書進呈本包括影宋鈔本2種、稿本5種、明刻本67種、明鈔本39種、影明鈔本1種、清刻本8種、清鈔本54種、明活字本1種、康熙活字本1種、舊鈔本16種。

這些進呈本，除北大藏《晏元獻公類要》、原北平圖書館藏《九朝談纂》是據四庫館籤條和館臣校筆判斷外，其餘都是依據第一葉

「翰林院印」滿漢文大官印和面頁進書木記判定的。其中面頁有木記的只有85種。北京圖書館的冀淑英老師告訴我，「翰林院印」有假的。冀老師的話是有根據的。但我現在還沒有能力和條件進行鑒別，只能留待今後去辨。

只有翰林院印的107種進呈本，當然可以參照《四庫全書總目》和《四庫採進書目》以及原書上的印章來推測它們係哪一家所進呈。但結論不可靠。例如四庫館纂修官周永年，是山東濟南人，家里藏書豐富，當時曾以個人名義獻書，有33種以「編修周永年家藏本」的名義收入《四庫全書總目》[38]。但山東巡撫採進的清初鈔本《選校范文白公詩集》（元范脝撰）面頁有「乾隆三十□年□月山東巡撫徐績送到范德機□□計書三□」進書木記，而卷內鈐有「借書園印」、「周永年印」、「林汲山房」等印，都是周永年藏書章。但進呈的名義是山東巡撫徐績，《四庫全書總目》亦注「山東巡撫採進本」，不注「編修周永年家藏本」。如果面頁佚去，我們據印章定爲編修周永年進呈本，就不妥當。再如四庫館臣勵守謙進呈的書有不少是黃叔琳舊藏，有「北平黃氏萬卷樓圖書」印記。同時左副都御史黃登賢進呈圖書299種之多，黃登賢是黃叔琳的兒子，所獻圖書爲前代故物，亦鈐「北平黃氏萬卷樓圖書」印記。如果佚去面頁進呈木記，據藏書章判定進呈者，就會出現偏差。傅增湘曾收得清徐岳《見聞錄》，乾隆十七年刻本，作一跋云：「此帙鈐有北平黃氏萬卷樓印記，又有翰林院大官印，是此書亦經黃叔琳進入四庫館。」[39]按：黃叔琳已於乾

---

[38] 其中著錄4種，存目29種。見郭伯恭《四庫全書纂修考》262頁， 1937年國立北平研究院史學研究會出版，商務印書館發行。

[39] 《藏園群書題記》461頁，1989年上海古籍出版社排印傅熹年整理本。

隆二十一年去世，不可能在乾隆三十八年獻書。這部書佚去面頁。《四庫總目》據英廉進呈本存目，《四庫採進書目》未記此書。則黃登賢、勵守謙都有可能進呈此書，僅據北平黃氏印定爲黃氏所獻，理由是不充足的。

出於以上原因，我們只據有進呈木記的85種書分析一下它們的進呈者。85種當中，兩淮鹽政李質穎進呈本20種，浙江范懋柱天一閣進呈本13種，浙江汪啓淑7種、吳玉墀6種，浙江鮑士恭、兩淮馬裕各5種，浙江巡撫三寶4種，編修勵守謙浙江汪汝瑮、衍聖公孔昭煥各3種，江蘇周厚堉及山東巡撫、兩江總督、江蘇巡撫各2種，其餘都保、黃登賢、于敏中、紀昀、鄭仲夔、孫仰曾、周永年、蔣曾瑩、安徽巡撫各1種。

兩淮呈本26種（鹽政李質穎**20**、馬裕**5**、鄭仲夔**1**），數量較多，應當是由於乾隆四十年曾公開發還三百種。當然有些面頁木記佚去，無法確認進呈人，三百種發還書留存至今的遠不止26種。

這194種進呈本，有不少鈐蓋私人藏書章者，其中有進呈時已鈐蓋者，如朱彝尊、汲古閣、吳焯及北平黃氏等印記。但有些印記是乾隆以後收藏者鈐蓋的。例如鈐法式善印者七種，翁同龢印者四種，錢桂森印者八種，盛昱、繆荃孫印者各二種，阮元、秦恩復、袁芳瑛、何元錫、于昌進印者各一種，丁丙印者五種，就其時代而論，大抵都在清朝中後期。他們中的大部分都曾在翰林院供職。

法式善在乾隆後期至嘉慶前期，長期供職翰林院，作庶吉士、檢討、司業、編修、侍講、侍讀、侍講學士、侍讀學士，纂《皇清文穎》、《全唐文》等。他收藏的四庫進呈本鈐有「詩龕書畫印」、「詩裏求人龕中取友我裏如何王孟韋柳」等印記。

翁同龢咸豐六年一甲一名進士，授翰林院修撰。同治五年陞翰林院侍講，六年遷詹事府右春坊右庶子（清制：右庶子兼侍講）。歷充實錄館纂修，總纂，國史館纂修，武英殿纂修等。光緒中官至協辦大學士、戶部尚書、參機務。所藏四庫進呈本鈐「虞山翁同龢印」、「常熟翁同龢藏本」等印記。

錢桂森，泰州人，字馨伯，號犀盦，道光三十年進士，選翰林院庶吉士。擢詹事府少詹士，光緒九年遷詹事（清制：詹事兼翰林院侍讀學士銜，少詹士兼侍講學士），十年遷內閣學士，歷充廣東、浙江鄉試正考官，署安徽學政。光緒十八年病免。所藏四庫進呈本鈐「犀盦藏本」、「教經堂錢氏章」、「錢桂森辛白甫」等印記。《嘉業堂藏書志》所收《黃文簡公介庵集》，爲四庫進呈本，有錢桂森印。董康爲是書撰解題有云：「光緒初錢桂森直清閟時携出者」。

盛昱，清宗室，鑲白旗人，字伯希，一作伯羲、伯兮，號意園。光緒二年進士，選翰林院庶吉士，授編修，官至國子監祭酒，光緒二十五年冬去世，即庚子八國聯軍犯京前一年。

餘不詳考。這些曾在翰林院供職的人家藏有從翰林院流出的書籍，而他們生活於庚子事變以前，可以斷定並非兵燹燼餘流入市肆者，其來路恐大都不正。當然，在庚子以前已偶有輾轉流入市肆者，孫衣言（號琴西）於光緒四年在金陵曾購得《花史》稿本，有翰林院印，爲四庫進呈本，即是一例。所以徑認庚子以前獲得進呈本者全都是從翰林院竊出，亦未免偏激。

至於庚子事變以後，市肆出售進呈本者就屢見不鮮了，購者不必避嫌，而售者亦光明正大。孫壯、秦更年、劉復、葉景葵、劉明陽、趙元方、劉承幹、傅增湘、張鈞衡、周叔弢等都或多或少收藏有四庫存目書進呈本。

1934年趙萬里先生在《重整范氏天一閣藏書記略》[40]一文中這樣記述四庫進呈本的流出情況：「《四庫全書》完成後，庫本所據之底本，並未發還范氏，仍舊藏在翰林院裡。日久爲翰林學士拿回家去的，爲數不少。前有法梧門，後有錢犀盦，都是不告而取的健者。輾轉流入廠肆，爲公私藏家收得。我見過的此類天一閣書，約有五十餘種。」趙萬里先生久司北京圖書館採訪編目之職，博見洽聞，所述當可信從。

六、四庫存目書進呈本的特殊價值

關於四庫存目書的價值，我曾撰文專門探討。這裏要談的是：同樣是四庫進呈本，存目書進呈本有什麼特殊價值；同樣是四庫存目書，進呈本有什麼特殊用途。

在四庫採進本中，《四庫全書》底本和《四庫存目》原本，功用不盡同。《四庫》底本，由於有《四庫全書》存世，這些書得以保存，已不成問題。但庫本和底本有差距，有的是政治原因，作了字句修改；有的雖非政治原因，館臣亦進行了一些增訂或刪併。有些增刪，《四庫提要》中有交待。有些修訂，尤其政治原因的修訂，《提要》中沒全交代。這樣就需要依賴《四庫》底本，才能正本清源。這個問題過去有人從不同角度討論過，不是本文討論的範圍。

《四庫存目》中記載的書有6793種之多，但在我標註《四庫存目》和參加編纂《四庫全書存目叢書》過程中所作的大範圍調查結果

---

[40] 《國立北平圖書館館刊》八卷一期，1934年。

表明，至少有一千五百種以上四庫存目書已經失傳，其中珍貴的歷史資料不可勝計。這些書失傳的原因，主要在於四庫存目書進呈本慘遭兵燹，大都被燬。失傳的這些存目書，當時的進呈本，是所有存目書進呈本中最罕傳的部分。所以進呈本失傳了，一部書也就失傳了。從這個意義上講，存目書進呈本的被燬，損失比《四庫》底本要大得多。反過來說，存目書進呈本的保存，其意義亦較《四庫》底本大。現在我所知見的194種存目書進呈本，屬於唯一傳世之本的爲數不少，它們是書種子，其特殊價值是顯而易見的。

四庫存目書進呈本，又包括兩部分：一是《四庫存目》所依據的原本，一是重複進呈的本子。

《四庫存目》的原本，它能幫助我們糾正《四庫提要》的訛誤，補充《提要》的不足。

例如：《筆史》二卷，四庫入存目，《提要》云：「國朝楊忍本撰」。又云：「內篇一卷，分原始、定名、屬籍、結撰、效用、膺秩、寵遇、引退、考成九門。」按：北京圖書館藏有是書進呈本，作者作「楊思本」，《提要》誤爲「楊忍本」。進呈本前有萬曆三十三年丘兆麟序，則顯然爲明朝人撰，《提要》誤爲「國朝」。進呈本內篇九門，最後一門爲「告成」，而《提要》誤爲「考成」。北圖的進呈本有四庫館臣鄭際唐所擬提要稿，又鈐「存目」木記，據此可定爲《存目》所據原本。根據這個《存目》原本，至少糾正《四庫提要》上面三條錯誤。而這三條錯誤鄭際唐所撰提要稿均不誤，更可見《四庫提要》定本之粗疏。

又如：《奇遊漫記》，明董傳策撰。《四庫存目》著錄爲四卷，北京圖書館藏有兩本，一是《董幼海先生全集》本，作八卷，另一個本子四卷。兩本相校，實出一版。唯四卷本佚去後半，僅存前四卷，卷首目錄亦被人割去後四卷，只存前四卷。首葉鈐「翰林院印」，知即《存目》所據原本，館臣爲作僞者所紿，以殘本爲全本，遂有此誤。檢《四庫採進書目》，知當時浙江巡撫、兩江總督、兩淮鹽政均有呈本，可見館臣對此書並未參校異同，擇其足本著錄。若不見到進呈原本，則《存目》致誤之由將無法弄明。

重複進呈的本子，同樣是鈐記蓋章，作爲歷史上一次重大文化活動的遺物，其文物價值當時大學士劉統勳早已指出。除此之外，複本對我們評價《四庫全書》及《四庫全書總目》都有幫助。

例如：《王氏存笥稿》二十卷，明王維楨撰，四庫入存目。此書二十卷本現傳世者有明嘉靖刻本三個，均不稀見。又有萬曆七年刻本，作《王槐野先生存笥稿》二十卷《續集》九卷。承北京清華大學劉薔女士函告，清華圖書館有四庫進呈本，是萬曆七年所刻。首葉鈐「翰林院印」，面頁有進書木記：「乾隆三十八年十一月浙江巡撫三寶送到汪汝瑮家藏存笥稿集壹部計書拾本。」《四庫存目》所據爲江蘇進呈二十卷本，沒有《續集》九卷，遠不如浙江汪汝瑮進呈此本完足。可見館臣沒有做到《凡例》所說的「擇其足本錄之」[41]。

由此可見，四庫存目書進呈本確有特殊的學術價值。

七、結　語

以上對四庫存目書進呈本的採辦問題、發還問題、保存問題及亡

[41]　《四庫全書總目》卷首。

佚問題作了實事求是的考察和分析，基本澄清了這些書存放翰林院並慘遭八國聯軍破壞的歷史眞相。同時對劫後殘餘的四庫存目書進呈本的現狀及其特殊價值進行了初步探討。由於我在史料占有方面還不夠全面，學識亦有很大局限，因此，錯誤和疏漏在所難免，希望同行專家給予指正和補充。

附錄：四庫存目書進呈本知見錄

清乾隆間修《四庫全書》，各督撫鹽政採進遺書一萬三千五百餘種。擇其三千四百六十一種纂爲《四庫全書》。另有六千七百九十三種，僅存書名，各系提要，而不收其書，謂之「存目」。其餘者則禁燬書及複本也。各地呈本，原擬於《四庫全書》纂就之後，盡數發還，而實際發還者只有三百九十種。所有《四庫全書》底本及四庫存目書等，乾隆以後一直存貯翰林院，並准許士子借閱或錄副，其中四庫存目諸書以《四庫全書》不曾收錄，尤爲學者珍視。其間借而不還，或盜竊抵換者亦時有之，但絕大多數仍存翰林院。庚子八國聯軍犯京，翰林院與使館毗鄰，遂淪爲戰場，院內書籍慘遭兵燹，燬於一旦。其後，燼餘之物及先前發還或盜竊抵換之本間或流入市肆，爲公私藏家爭購，進呈之本漸爲人重。余撰《四庫存目標注》，又與輯《四庫全書存目叢書》，於四庫存目書進呈本獲見不少，積有筆記。又檢諸家書錄，亦偶有所得。更有二三友好，郵筒相告。約計百九十四種，輯爲《四庫存目書進呈本知見錄》，四方同好，或願一顧，從而匡其不逮，補其未備，集成全目，尤所幸也。杜澤遜記。

001 易說

二卷，舊題宋呂祖謙撰，明崇禎茅氏浣花居刻本，中央圖書館藏。此係《芝園祕錄》零種，書衣有「乾隆三十八年十一月浙江巡撫三寶送到鮑士恭家藏易說壹部計書壹本」長方木記，首葉鈐「翰林院印」滿漢文大官印。

002 太易鈎玄

三卷，元鮑恂撰，清抄本，十行二十字無格，北圖。封面有「乾隆三十八年十一月浙江巡撫三寶送到吳玉墀家藏太易鈎元壹部計書壹本」長方木記，卷內鈐「翰林院印」滿漢文大官印。又鈐「彝尊私印」、「吳焯」連珠印、「吳城」、「敦復」、「璜川吳氏收藏圖書」、「寶田堂書畫記」、「孫壯藏書印」等印記。前有宣德十年朱權序，據此序知原名《學易舉隅》，朱權刊版時更名《太易鈎玄》。館臣據此本收入《四庫存目》，而書名則復其舊。

003 周易不我解

二卷，明徐體乾撰，明萬曆刻本，南圖。十行二十二字，白口，左右雙邊。首葉鈐「翰林院印」滿漢文大官印。前有萬曆三十八年自序云「爲書六卷」。此本存卷一，《古易辯》至《剛柔》。又一卷爲乾坤二卦解，亦標卷之一。合之得二卷，即《存目》所據之本。

004 周易象通

八卷，明朱謀瑋撰，明萬曆三十九年武林刻本，北圖。十行二十二，字白，口左右雙邊。書衣有「乾隆三十八年十一月浙江巡撫三寶送到吳玉墀家藏周易象通壹部計書壹本」長方木記。卷內鈐「翰林院印」滿漢文大官印。又鈐「汝玠長壽印信」、「志青」、「孫壯藏書印」等印記。卷首有馮汝玠手跋。

005 冥冥篇

不分卷二冊，明蘇濬撰，舊鈔本，中央圖書館藏。此本題「晉江蘇濬著，男廷樠校」，半葉九行十九字。有萬曆二十一年黃文炳序，蘇廷樠序，李光縉序，自序。首葉鈐「翰林院印」滿漢文大官印。

006 周易旁註會通

十四卷，各卷題：「明新安朱升旁註，錢塘姚文蔚會通。」明萬曆四十五年南京刻本，無錫市圖。九行十八字，白口，左右雙邊。首帙爲上經下經，二帙三帙爲十翼，四帙五帙爲《周易旁註前圖》卷一卷二，六帙至十四帙爲《周易旁註會通》卷一至卷九。首葉鈐「翰林院印」滿漢文大官印，又鈐「彭棣高氏印」、「彭氏珍藏叔華收集」、「鵝龍生」、「栩緣所藏」、「元和王同愈」等印記。又題「吳縣彭叔華家藏」一行。按：中央圖書館藏有一部，與此同刻。

007 易鼎三然

三卷，明朱天麟撰，明崇禎三年刻本，六冊，中央圖書館藏。是本半葉八行，行十八字，白口，四周單邊，無直格。有鄭以偉序，崇禎三年庚午姜一洪序，錢啓忠序，朱天麟自序，又崇禎三年庚午冬月楊以培《讀鼎小引》云：「諸士遂相與請梓以公諸世」。又《評閱姓氏》列錢啓忠等。卷內鈐「翰林院印」，又鈐「雲間第八峰周氏藏書」、「思閒樓」、「莘鄉文氏舟虛鑑藏」、「文素松印」等印記。前有文素松手跋，記著者行事，末云：「此書罕見，曾爲翰林院藏過，信爲祕笈也”。

008 硯北易鈔

十二卷，清黃叔琳撰，清鈔本，浙圖。首葉鈐「翰林院印」滿漢文大官印。書衣有「乾隆三十八年六月翰林院編修勵守謙交出硯北易鈔壹部計書拾本」長方木記。卷內鈐「信天廬」、「埽塵齋積書記」、「禮培私印」、「文素松印」、「寅齋」等印記。卷內有浮籤，翁方綱註。又文素松手跋、王禮培手跋。

009 周易闡理

四卷，清戴虞臯撰，清剡藻堂鈔本，北京清華大學。十行二十五字，黑格，版心下刻「剡藻堂」三字。前有康熙四十一年戴貽引言，後有康熙四十二年十二月之望練水從子鑑冰撲氏後序。卷內鈐「彝尊私印」、「吳焯」連珠印、「吳城」、「繡谷亭續藏書」、「璜川吳氏收藏圖書」等印記。書衣有「乾隆三十八年十一月浙江巡撫三寶送到吳玉墀家藏周易闡理壹部計書叁本」長方木記，首葉鈐「翰林院印」滿漢文大官印，即《存目》所據之本。按：朱彝尊卒於康熙四十八年十月十三日，則是本當鈔於康熙四十三年至四十八年。此本卷尾有光緒二十九年十一月十六日桂芬手跋，密行細字凡十八行。茲錄其有關四庫進呈本被燬史料如次：「余以光緒癸卯歲來京師，偶於街市以錢五百購得是書及《遺忠錄》、《禮賢錄》、《忠獻別錄》、《龍川別志》等書，皆完善無缺，都爲范氏懋柱家藏本，浙江巡撫所進者也。蓋因庚子之歲拳匪釀禍，聯軍入京，以致神京陸沉，兩宮西狩，內府圖書率多散失。是書儲翰林院中，翰林院爲德人所據，所貯典籍盡投諸溷，而是書不知何時流落人間，寧非幸哉。」

010 易經觀玩篇

十二卷首一卷，清朱宗洛撰，底稿本，卷十一卷十二爲刻本。每冊書皮背面鈐木記曰：「江蘇巡撫採選備選書籍」。（雷夢水《古書經眼錄》）

011 禹貢山川郡邑考

四卷，明王鑑撰，清鈔本，北圖。此本九行二十字，無格。書衣有兩淮鹽政李質潁進書木記，卷內鈐「翰林院印」滿漢文大官印，又鈐「吳興劉氏嘉業堂藏書記」、「張叔平」等印記。

012 魯詩世學

三十二卷，明豐坊撰，清鈔本，天津圖書館。原題：「宋豐稷相之正音，明豐慶文慶續音，豐耘正勤補音，豐熙原學正說，豐道生人季考補，門人何昆汝僉續考。」半葉九行十八字，無格。首葉鈐「翰林院印」滿漢文大官印。正文三十二卷，卷首二卷。按是本題名及內容均與提要合，當即《存目》原本。

013 詩意

一冊不分卷，明劉敬純撰，明鈔本，原北平圖書館藏，現存台北故宮博物院。半葉十二行，行二十一字至二十四字不等，藍格，白口，左右雙邊。書衣有「乾隆三十八年四月兩淮鹽政李質穎送到馬裕家藏劉敬純詩意壹部計書□本」長方木記（按：《兩淮商人馬裕家呈送書目》有「《詩意》未分卷，明劉敬純，四本」。此木記冊數不清，當是「肆」字）。首葉鈐「翰林院印」滿漢文大官印。卷端有浮籤，題「詩意」二字，上印「總辦處閱定，擬存目」，下有長方印「臣昀臣錫熊恭閱」。殘存《關雎》至《狼跋》一冊，當即馬裕呈本四冊之首冊。又鈐「孫壯藏書印」印記。

014 詩深

二十六卷，清許伯政撰，清乾隆刻本，中國科學院圖書館。半葉十行二十五字，白口，四周雙邊。正文二十六卷，另有卷首二卷。首葉鈐「翰林院印」滿漢文大官印，又鈐「吳城」、「敦復」、「繡谷亭續藏書」等印記，即《存目》所據浙江吳玉墀家藏本。

015 禮記輯覽

八卷，明徐養相撰，明隆慶五年睢陽徐氏原刻本，中央圖書館藏。前有隆慶五年徐養相《刻禮記輯覽序》，首葉鈐「翰林院印」。

016 讀禮偶見

二卷，清許三禮撰，清康熙刻本，北圖。九行二十五字白口四周單邊。書衣有乾隆三十八年進書木記。首葉鈐「翰林院印」滿漢文大官印。卷末書衣鈐「江蘇巡撫採購備選書籍」長方木記。卷內又鈐「雲間第八峯周氏藏書」、「孫壯藏書印」等印記。

017 春秋國華

十七卷，明嚴訥撰，明萬曆三年吳郡嚴訥活字印本，中央圖書館藏。此本九行二十字，白口，單邊。首葉鈐「翰林院印」滿漢文大官印，又鈐「丹徒嚴氏藏書印」。淡江大學蔡琳堂先生代閱并貽書影。

018 春秋四傳私考

十三卷，明徐浦撰，影鈔明萬曆五年丁丑蒲城徐氏家刻本，中央圖書館藏。此本半葉九行十九字，無格。有萬曆丁丑姜寶序，己丑林濂序，丁丑男繼芳跋，跋後「孫縣學生薦鶚梓」一行。書衣有「乾隆三十八年七月兩淮鹽政李質潁送到徐浦秋四傳私考壹部計書貳本」木記。首葉鈐「翰林院印」滿漢文大官印。

019 春秋實錄

十二卷，明鄧來鸞撰，明崇禎刻本，中央圖書館藏。此本半葉九行二十一字，白口，四周單邊。首葉鈐「翰林院印」，又鈐「竹垞」、「繡谷亭續書」等印記，《存目》所據浙江吳玉墀家藏本當即此帙。

020 春秋集解十二卷附較補春秋集解緒餘一卷

清應撝謙撰，附清凌嘉印撰，清鈔本七冊，北圖。半葉八行二十一字，無格。首葉鈐「翰林院印」滿漢文大官印，又鈐「敦復」印，書衣進書木記佚去。按：敦復爲吳焯長子吳城字，四庫館開，其弟吳玉墀獻書三百餘種，傳世吳玉墀呈本多有「吳城」、「敦復」等印記，疑北圖此本爲吳玉墀進呈者。《存目》所據爲汪啓淑進呈本，較此本多《春秋提要補遺》一卷。

021 孟子解

二卷，題宋尹焞撰，清鈔本，西安市文管會藏。半葉十行二十字，無格。無序跋。首葉鈐「翰林院印」滿漢文大官印，又鈐「吳城」、「敦復」、「繡谷亭續藏書」等印。即《存目》所據吳玉墀呈本。

022 經籍異同

三卷，明陳禹謨撰，明萬曆刻本，上圖。半葉十一行二十二字，白口，左右雙邊，眉上鐫評。卷內鈐「翰林院印」滿漢文大官印。又鈐「王氏信芳閣藏書印」、「秀水王相」、「沈氏粹芬閣所得善本書」、「研易樓藏書印」等印記。卷端有纂修官姚鼐所擬提要稿一則：

> 《經籍異同》、《引經釋》，謹按：明陳禹謨字錫元著。《經籍異同》三卷，載群經所引異文。《引經釋》五卷，載諸家之異解。所引之書甚狹，既非博洽，又載及《石經大學》，此豐坊僞撰之書，乃據以說經，未足云有識矣。其書應不必抄。纂修姚鼐。

下鈐「存目」木記。此稿右側有某氏行書批：「分二部，另作提要。」此稿後又有「張閱」、「李閱」二籤名，當均出館臣。核《四庫全書總目》，《經籍異同》三卷已單獨存目，提要已重寫，文字迥異，唯「《石經大學》本豐坊僞撰，據爲定論，尤失考矣」仍本姚鼐稿。其《引經釋》五卷《四庫總目》不載，蓋以此種已收入《經言枝指》一百卷之故。

023 古樂經傳全書

二卷，明湛若水、呂懷撰，明嘉靖三十四年祝廷滂刻本，二冊，北圖。半葉九行二十字，白口，單邊。首葉鈐「翰林院印」滿漢文大官印，又鈐「曾在秦嬰闇處」、「嬰闇秦氏藏書」、「秦更年印」、「秦曼青」等印記。《浙江採集遺書總錄》有《古樂經傳全書》二卷，刊本，明湛若水輯。《兩淮鹽政李呈送書目》有《古樂經傳》二卷，明湛若水，二本。此本進呈木記佚去，未知何處所獻。

024 雅樂考

二十卷，明韋煥撰，趙琦美續，韋繼和補注，舊鈔本，六冊，中央圖書館藏。《中央圖書館善本書目》著錄爲：乾隆三十八年兩淮鹽政李質穎進呈舊鈔本。此本半葉八行，行二十二字。書衣有「乾隆三十八年七月兩淮鹽政李質頴送到韋煥雅樂考壹部計書陸本」長方木記。首葉鈐「翰林院印」滿漢文大官印。

025 黃鍾通韻二卷附黃鍾通韻琴圖補遺一卷

清都四德撰，清乾隆刻本二冊，北圖。半葉九行二十字，白口，四周雙邊。首葉鈐「翰林院印」滿漢文大官印。書衣有：「乾隆三十八年四月翰林院筆貼式都保交出家藏黃鍾通韻壹部計書貳本」長方木記。即《存目》所據之本。又鈐「孫壯藏書印」印記。

026 華夷譯語

一卷，明火源潔奉敕撰，清鈔本，人民大學藏。半葉五行，行字不等。首葉鈐「翰林院印」滿漢文大官印。又鈐「江陰劉氏」、「劉復所藏」等印記。按：此書《存目》所據爲《永樂大典》本，檢《四庫採進書目》未見有進呈本，疑此即當時館臣從《大典》錄出者。

027 六書泝原直音二卷分部備考一卷

明吳元滿撰，明萬曆刻本一冊，北圖。半葉八行，行字不等，白口，四周單邊。首葉鈐「翰林院印」滿漢文大官印，書衣有「乾隆三十九年正月江蘇巡撫薩載送到周厚堉家藏六書泝原直音壹部計書壹本」長方木記。即《存目》所據之本。又鈐「雲間第八峯山下周氏藏書」、「陳氏珍藏」、「永朩」、「孫壯藏書印」等印記。

028 皇極聲音文字通

三十二卷，明趙撝謙撰，明鈔本，殘存卷一至卷八，卷十三至卷十八，北大。首葉鈐「翰林院印」滿漢文大官印，是進呈本，惜已不完。中山大學有清鈔本，殘存卷三至卷三十，曾釗面城樓故物。

029 秘閣元龜政要

十六卷，無撰人，明鈔本十六冊，勿藥校並跋，北圖。半葉十行二十字，藍格，白口，四周單邊。鈐「翰林院印」滿漢文大官印，又鈐「曾在李鹿山處」朱文長方印。末有雍正九年勿藥手跋：

> 右《秘閣元龜政要》，不詳作者姓氏，閱其書知爲閩之漳州人，嘉靖時嘗從征安南者。按：吳朴《龍飛紀略》自序云：先大夫范常劉辰勤採滁和遺事，太祖大見欣納。臣於征伐禮樂采而輯之，久藏巾笥，以議處安南爲與議者，聞於當道，流遁致遠。提學副使田行文取覽，直名爲《國朝綱目》云云。其中論斷語亦多徵用之。則是書疑即朴所作。朴字革甫，漳州詔安人。所謂副使田，即吾鄉先達田公汝成叔禾也。書凡十六冊，每冊首葉有「曾在李鹿山處」圖記，李公諱馥，亦閩人，嘗撫吾浙，以事罷去，不數年間，所藏遂散亡流失，良可慨矣。又檢諸簿落中，惟《絳雲樓書目》有之，冊數與此合，而不註明卷數。按：明太祖以壬辰起兵，是書始於丙申。太祖在位三十一年，是書終於二十八年。首尾俱有遺脱。内失甲辰至丁未四年事，又失丁巳至己未三年事，而行款點畫之舛誤者不可悉舉。是本既爲虞山錢氏舊鈔，宜其精善完好，而紕繆若此，信乎藏書之難也。予方苦足疾，兀坐無聊，因取高皇文集並實錄

諸書參校，庶幾十得其五云。雍正玖年冬至前二日勿藥記。

按：此仁和趙一清筆，一清字誠夫，一字勿藥，號東潛，趙昱之子。著《勿藥文稿》一卷、《東潛文稿》二卷。此跋《東潛文稿》乾隆刻本不載，因迻錄如前。檢《浙江省第四次孫仰曾家呈送書目》有是書十六卷十六本，《浙江採集遺書總錄》云「小山堂寫本」，小山堂爲趙昱藏書室名，然則此即《存目》所據孫仰曾呈本。《四庫提要》云「首尾皆不完具」，又云「大致與太祖實錄相出入」，皆陰用趙一清跋語。

030 蜀漢本末

三卷，元趙居信撰，明鈔本一冊，原北平圖書館藏書，現存台北故宮博物院。半葉十行，行二十五至二十八字不等，藍格。書衣有「乾隆三十八年十一月浙江巡撫三寶送到范懋柱家藏蜀漢本末壹部 計書壹本」長方木記。首葉鈐「翰林院印」滿漢文大官印。又鈐「犀盦藏本」印。卷末有「建安詹璟刊」一行，與元刊本同，知淵源元本，然北圖藏元刻本半葉九行十九字，行款不同，知非照元本舊式鈔寫。王重民《中國善本書提要補編》有是本提要，《中央圖書館善本書目》（增訂二版）著錄。

031 南宋書增削定本

六十八卷，明錢士升撰，舊鈔本，王氏詒莊樓藏。題「明大學士塞菴錢士升增削，太學生固叟許重熙贊」。爲鮑氏知不足齋藏舊鈔本，朱文藻硃筆校並跋。書衣有「乾隆三十八年十一月浙江巡撫三寶送到鮑士恭家藏南宋書壹部計書拾本」四行木記。首鈐「翰林院印」。每卷有知不足齋鮑以文藏書印。前有朱文藻手跋：「（上缺）鮑綠飲知不足齋所藏，《目錄》釐為六十八卷，而卷中十二與十三併，三十五與三十六併，六十四與六十五併，目與書不符，實可省為六十五卷也。錢氏此書蓋取《宋史》原文，刪去原文繁衍，更採他書補所未備，得百分之四五焉。細審刪處有未盡善者。文有脈絡，削其脈絡則後事突見無根，一也；文有口吻，削其虛字則文氣傷殘，索然無味，二也；文有對偶，偏舉則文體不整，三也。至其削傳，非盡無可存，補傳亦不皆合例，史筆文筆，知非長才。且原史間有訛字，引用仍而不改。惟人與類比，事以時屬，敘次井井，並無此見彼複之病，為可取耳。乾隆己丑借鈔一過，復取《宋史》細校諸未善者，據史略加增潤，遇有訛誤可議，標出上方，俱用朱筆，凡校兩月而畢。仲冬望前二日自吳門歸，輒書所見於卷末歸之。又綠飲嘗云此書自吳中購得，有二本，其一為人先得，此本缺序一首，並卷中缺三頁，何時再見善本補足為快也。文藻記。」（以上據《文瀾學報》民國二十六年第二卷第三第四期合刊《浙江省文獻展覽會專號》）按：《中國古籍善本書目》著錄上海圖書館藏《南宋書》六十卷，清鈔本，清朱文藻校並跋。疑即《文瀾學報》所載本也。

032 唐紀五十五卷附表四卷

明孫慤撰，明鈔本，缺卷四十八至卷五十五，上圖。半葉九行廿四字，無行格。首葉鈐「翰林院印」滿漢文大官印，又鈐「北平黃氏萬卷樓圖書」、「秦伯敦父」、「臣恩復」、「石研齋秦氏印」、「信天廬」、「杭州葉氏藏書」等印記。按：四庫館開，在京廷臣進書以黃登賢（進呈二百九十九種）、汪如藻（進呈二百七十一種）、勵守謙（進書一百七十四種）、紀昀（進呈一百餘種）四家爲最，各賞《佩文韻府》一部。登賢爲黃叔琳之子，所獻多叔琳遺書。而勵守謙所獻亦多黃叔琳遺書，如《硯北叢鈔》、《史通訓故補》、《詩經統說》、《硯北易鈔》等皆黃叔琳遺著，且多未刊稿本。此《唐紀》鈔本鈐「北平黃氏萬卷樓圖書」印，亦黃氏藏書，檢《編修勵交出書目》，亦在其中，知亦勵守謙進呈，《存目》所謂「編修勵守謙家藏本」是也。然則勵、黃兩家關係猶有待考者。

033 遼大臣年表一卷金將相大臣年表一卷

清鈔本一冊，北圖。首葉鈐「翰林院印」滿漢文大官印。又鈐「總辦處閱定□存目」木記、「臣昀臣錫熊恭閱」印記。又鈐「虞山翁同龢印」、「常熟翁同龢藏本」、「曾在趙元方家」等印記。

034 碧溪叢書

八種八卷，清鈔本，八冊，北圖。半葉十二行，行二十一字，無格。書衣有「乾隆三十八年十一月浙江巡撫三寶送到汪汝瑮家藏碧溪叢書壹部計書捌本」長方木記。首葉鈐「翰林院印」滿漢文大官印。即《存目》所據之本。

035 皇明小史摘鈔

二卷，清鈔本，鎮江博物館藏。半葉九行十九字，無格。按：書中玄、眩、弘均不避諱，遇明帝不提行，而書名猶作「皇明」，首葉鈐「翰林院印」滿漢文大官印，是進呈四庫本。蓋明清之際寫本。

036 南征錄

一卷，明張瑄撰，明鈔本，原北平圖書館藏書，現存台北故宮博物院。半葉十行二十字，藍格。書衣有「乾隆三十八年十一月浙江巡撫三寶送到范懋柱家藏南征錄壹部計書壹本」長方木記。首葉鈐「翰林院印」滿漢文大官印。又鈐「教經堂錢氏章」、「犀盦藏本」兩印。王重民《中國善本書提要補編》有此本提要，《中央圖書館善本書目》著錄。

037 南城召對

一卷，明李時撰，明鈔本，美國哈佛大學哈佛燕京圖書館藏。十行二十三字，黑格。書衣有「乾隆三十八年十一月浙江巡撫三寶送到范懋柱家藏南城召對壹部計書壹本」長方木記。首葉鈐「翰林院印」滿漢文大官印。又鈐「宗室盛昱藏圖書印」印記。（詳沈津《書城挹翠錄》）按：北大有民國二十一年燕京大學圖書館鈔本，當從此本出。

038 遼紀

一卷，明田汝成撰，清鈔本，杭州市圖書館。半葉十二行二十字，無格。首葉鈐「翰林院印」滿漢文大方印。按：弦、弘字均不避，遇明號空格，疑猶明鈔本。

039 嘉靖倭亂備鈔

不分卷，清鈔本，鎮江博物館。半葉九行二十字，無格。首葉鈐「翰林院印」滿漢文大官印。是書傳本僅見此帙。

040 倭患考原一卷恤援朝鮮倭患考一卷

明黃俁卿撰，清鈔本一冊，北圖。半葉九行二十字，無格。書衣有「乾隆三十八年七月兩淮鹽政李質穎送到黃俁卿倭患考原壹部計書壹本」長方木記。首葉鈐「翰林院印」滿漢文大官印。卷內玄字缺末筆，曆字不缺筆，蓋康熙鈔本。

041 遜國君紀鈔二卷臣事鈔六卷

明鄭曉撰，明鈔本，上圖。原題「鹽官淡泉翁編，勾吳潛菴子訂」。半葉十二行二十四字。首葉鈐「翰林院印」滿漢文大官印。又鈐「秦更年印」、「秦曼青」、「曾在秦嬰闇處」等印記。

042 虐政集一卷邪氛集一卷倒戈集一卷

清鈔本，二冊，北圖。半葉九行十八字，無格。書衣有「乾隆三十八年七月兩淮鹽政李質穎送到明虐政集壹部計書貳本」長方木記。首葉鈐「翰林院印」滿漢文大官印。即《存目》所據之本。

043 平寇志

十二卷，清彭孫貽撰，清康熙間活字本，四冊，原北平圖書館藏，現存台北故宮博物院。題管葛山人輯，半葉十一行二十二字。首葉鈐「翰林院印」滿漢文大官印。又鈐「選學齋藏書印」、「風溼奎藻堂陶氏書籍記」、「風溼陶崇質家藏善本」等印記。王重民《中國善本書提要補編》有此本提要。《中央圖書館善本書目》著錄。

044 安南使事紀要

四卷，清李仙根撰，清鈔本四冊，北圖。半葉八行二十四字，無格。書衣有「乾隆三十八年七月兩淮鹽政李質穎送到安南使事紀要壹部計書壹本」長方木記，首葉鈐「翰林院印」滿漢文大官印，又鈐「吳興劉氏嘉業堂藏書記」、「張叔平」等印記。《存目》所據即兩淮進呈《安南使事紀要》四卷一本，唯書名卷數偶有出入耳。《嘉業堂藏書記》著錄，繆荃孫云：「此《四庫》底本，然《四庫》不收，大約漏略。」蓋以書名卷數不盡合而云然。

045 田表聖先生奏議集

一卷，宋田錫撰，明安磐輯，明鈔本，一冊，原北平圖書館藏書，現存台北故宮博物院。棉紙，半葉九行十九字，紅格。首葉鈐「翰林院印」滿漢文大官印，又鈐「夢曦主人藏佳書之印」印記。王重民《中國善本書提要補編》、傅增湘《藏園群書經眼錄》均有提要。《中央圖書館善本書目》著錄。

046 復套議

二卷，明曾銑撰，明萬曆刻本，上圖。半葉九行十九字，白口四周雙邊。首葉鈐「翰林院印」滿漢文大官印。行間有批改，「裔夷」改「強敵」、「腥膻」改「強梁」、「華夷」改「中外」、「虜」改「敵」等，疑四庫館臣筆。按王重民《中國善本書提要補編》著錄原北平圖書館藏萬曆十五年陳文燭序刻本，作《曾襄敏公復套議》，謂爲隆萬間賜謚建祠以後之重刻本。上圖此本書名不冠謚號，疑猶嘉靖中原刻。

047 孔孟事蹟圖譜

四卷，明季本撰，明童漢臣刻本，二冊，人民大學藏。半葉十行二十一字，白口，左右雙邊。原題：「會稽季本考辯，晉江王愼中訂正，錢塘童漢臣校刊。」首葉鈐「翰林院印」滿漢文大官印。書衣有「乾隆三十八年十一月浙江巡撫三寶送到汪啓淑家藏孔孟事蹟圖譜壹部計書貳本」長方木記。按：此本題晉江王愼中訂正，又有嘉靖三十三年古閩晉江後學王愼中序。童漢臣嘉靖十四年進士，三十二年起知泉州府。王愼中序即作於童漢臣官泉州之次年。此本當即嘉靖三十三年，童漢臣泉州官廨刻本。

048 孔孟事蹟圖譜四卷

明季本撰，舊鈔本二冊，中央圖書館。此本前有王愼中序，當從童漢臣刻本出。首葉鈐「翰林院印」滿漢文大官印。按《兩淮鹽政李續呈送書目》有是書四卷二本，《浙江省第四次汪啓淑家呈送書目》亦有是書四卷二本，知當時進呈者即有兩本。又《浙江採集遺書總錄》有是書刊本，知汪啓淑所進爲刻本，即人民大學所藏童漢臣本也，《四庫存目》所據者亦即汪氏呈本。此舊鈔本當即兩淮呈本，非《存目》所據。

049 夷齊錄五卷

明張玭撰，舊鈔本一冊，中央圖書館藏。是本首葉鈐「翰林院」滿漢文官印，知係進呈本。是書刻本僅見上海博物館有明嘉靖刻藍印本，殘存卷一。

050 夷齊考疑

五卷，明胡其久撰，舊鈔本一冊，中央圖書館藏。半葉九行十九字，無格。首葉鈐「翰林院印」滿漢文大官印。卷內玄字或缺末筆，蓋清初鈔本。按：《浙江省第六次呈送書目》有此書四卷一本，《兩淮鹽政李呈送書目》有此書五卷一本。《存目》所據爲浙江呈本，故爲四卷。此五卷本當是兩淮所呈也。

051 二梅公年譜

六卷，明梅一科輯，上海圖書館藏清初鈔本。小字半葉十四行，行十七字，無格。《許昌梅公年譜》一卷，題「郡人陳天麟編次」，有淳熙丁酉三月陳天麟序。後附《許梅公詩略》一卷《附》一卷，明梅一科輯。《宛陵先生年譜》一卷，題「郡後學張師曾述」，有至元二年八月劉性序，至元元年三月自序，年譜後有「承務郎松江府判官八世孫奕芳校正，八世孫致和繕寫」識語。後附《宛陵先生文集拾遺》一卷《附錄》一卷，明梅一科輯。全書前有明嘉靖癸亥孟冬姚江周《刻二梅公年譜考》，萬曆二年秋唐汝迪序，萬曆二年八月二十世孫一科《重刻二先生年譜跋》。蓋此鈔本即從萬曆二年梅一科刻本出。書衣有「乾隆三十八年七月兩淮鹽政李質穎送到二梅公年譜壹部計書壹本」長方木記。首葉鈐「翰林院印」滿漢文大官印。即《存目》所據兩淮呈本。又鈐「曾在秦嬰闇處」、「秦更年印」、「秦曼青」、「嬰闇秦氏藏書」、「城南草堂鑒藏圖書記」等印記。

052 胡公行實

不分卷，明胡桂奇、胡松奇撰，清鈔本，二冊，北圖。半葉八行十八字，無格。首葉鈐「翰林院印」滿漢文大官印。卷內玄字不缺筆，遇明帝提行，疑猶明鈔本。

053 賀監紀略

四卷，清聞性善、聞性道撰，清鈔本，吉林大學。半葉八行二十一字，無格。首葉鈐「翰林院印」滿漢文大官印。又鈐「秀水王相」、「惜庵」、「王氏信芳閣藏書印」、「沈知方印」、「沈仲濤鑒藏金石書畫印」、「沈仲濤秘寶」、「研易樓」、「粹芬閣藏」等印記。有辛巳中秋張壽鏞手跋。

054 廣卓異記

二十卷，宋樂史撰，乾隆三十八年兩淮鹽政李質穎進呈鈔本，中央圖書館藏。此本題「朝散大夫行尚書都官員外郎直史館上柱國樂史撰」，半葉十行二十字，無格，首葉鈐「翰林院印」滿漢文大官印。淡江大學中文系蔡琳堂先生嘗製書影見貽。

055 明瑞彰癉錄

一卷，明顧爾邁撰，清鈔本，揚州市圖書館。半葉九行二十字，首葉鈐「翰林院印」滿漢文大官印。謝國楨曰：「是書爲朱絲欄明鈔，清乾隆間兩淮鹽政進呈四庫底本。」（江浙訪書記）

056 革朝遺忠錄二卷

明郁袞撰，明嘉靖四年敖英刻本，中央圖書館藏。此本鈐「范伯子子受」、「翰林院印」。有琴城趙弌手跋，略謂於蘭州趙記書鋪得天一閣藏本明刻《遺忠錄》，有四庫館藏及翰林院印，又有「乾隆三十八年十一月浙江巡撫三寶送到范懋柱家藏遺忠錄壹部計書壹本」木記，時民國三十三年八月。淡江大學中文系蔡琳堂先生代閱並製書影見貽。

057 內閣行實

八卷，明雷禮輯，明萬曆間刻本，原北平圖書館藏書，現存台北故宮博物院。半葉十行二十四字。書衣有「乾隆三十八年四月兩淮鹽政李質穎送到馬裕家藏內閣行實壹部計書叁本」長方木記。首葉鈐「翰林院印」滿漢文大官印。王重民《中國善本書提要補編》有提要，《中央圖書館善本書目》著錄。按：《存目》作二卷，不著撰人名氏，兩淮馬裕家藏本。檢《兩淮商人馬裕家呈送書目》有「《內閣行實》八卷，明雷禮，三本」，與北平圖書館本正合，而與《存目》不合。又檢《浙江省第五次范懋柱家呈送書目》有「《內閣行實》二卷，明雷禮著，二本」，《浙江採集遺書總錄》有「《內閣行實》二冊，寫本，明少傅豐城雷禮撰」，知馬裕呈本之外，另有天一閣進呈寫本二卷二冊，與《存目》卷數正合。疑館臣撰提要時所據爲天一閣本，而藏家則誤注爲馬裕。

058 古今廉鑑

八卷，明喬懋敬撰，明萬曆六年刻本，清華大學。半葉九行十八字，白口，四周雙邊。劉薔女士函稱：書衣有「乾隆三十八年十一月浙江巡撫三寶送到汪啓淑家藏古今廉鑑壹部計書肆本」長方木記，首葉鈐「翰林院印」滿漢文大官印。書經重裝爲八冊。按：是書山東、江蘇、浙江汪啓淑均有呈本，《存目》所據爲江蘇呈本。

059 靖難功臣錄

一卷，不著撰人，明鈔本，原北平圖書館藏書，現存台北故宮博物院。半葉九行，行二十二字，藍格。首葉鈐「翰林院印」滿漢文大官印。書衣進書木記已殘，據《四庫提要》知爲左都御史張若溎家呈本。又鈐「錢犀盦珍藏印」、「犀盦藏本」二印。王重民《中國善本書提要補編》有提要，《中央圖書館善本書目》著錄。

060 歷代相臣傳

一百六十八卷，明魏顯國撰，明萬曆三十四年鄧以誥等衡州刻本。殘存一百三十四卷，缺兩晉、南北朝、隋部分。半葉十行二十字，白口，四周單邊。鈐「翰林院印」。中央圖書館藏。蔡琳堂先生見告。按杭州大學、央圖有此刻足本。

061 增修昆陵人品記

十卷二冊，明葉夔撰，吳亮重編，舊鈔本，中央圖書館藏。首葉鈐「翰林院印」滿漢文大官印。按：傅增湘《藏園群書經眼錄》所記舊寫本，九行二十字，前鈐翰林院印者，即此本也。蔡琳堂先生代閱并製書影相貽。

062 歷代黨鑑

五卷，清徐賓撰，清康熙刻本五冊，中央圖書館。半葉十行二十字，白口，左右雙邊。前有宋實穎題辭，徐賓序。正文題「東海徐賓輯」。卷一分上下二子卷。書有殘損，各葉上方缺一二字。書衣有「乾隆三十八年十一月浙江巡撫三寶送到汪啓淑家藏歷代黨鑑錄壹部計書貳本」長方木記（書衣殘破，「浙江」、「家藏」、「部」諸字爲筆者校補）。首葉鈐「翰印」滿漢文大官印。又鈐「徐賓之印」、「用王」二印，知爲徐氏自藏本。原二冊，重裝爲四冊。

063 奇遊漫記

四卷，明董傳策撰，明萬曆二十九年刻本，北圖。半葉九行二十字，白口，四周雙邊。前有沈愷序，序後刻有「萬曆辛丑小春三日後學楊汝麟書」一行。又有《選輯校刻名氏》，內云「辛丑年中秋日叔思白、其昌重選，弟傳文重梓」。首葉鈐「翰林院印」滿漢文大官印。又鈐「徐紹棨」、「南州書樓所藏」、「徐湯殷」、「李一氓五十後所得」等印記。目錄後有李一氓手跋。按：此即《存目》所據。全書當爲八卷，北圖藏萬曆刻《董幼海先生全集》內有足本，與此同版。此本一冊四卷，僅全書之前半，卷首目錄後四卷被割去，僞作全帙，館臣不察，即據入錄。所不解者，《存目》注云「浙江汪啓淑家藏本」，而《浙江省第四次汪啓淑家呈送書目》著錄此書八卷二本，固是全帙。又檢《四庫採進書目》，《兩江第二次書目》有此書，不著卷數；《兩淮鹽政李續呈書目》有此書七卷一本。究係何故，不得而知。而進呈之本多至三家，館臣乃以殘本著錄，可見當時未嘗比較，其粗率亦可知矣。

064 宮省賢聲錄

四卷，明高曰化撰，明萬曆十五年楚藩刻本，上圖。卷一首葉題：「楚右史前敘州府同知澄海高曰化編次，楚司理前保昌縣知縣古黃劉守復校正。」有萬曆十五年方逢時、趙文明序、趙壎、高岳化跋。首葉鈐「翰林院印」滿漢文大官印。又鈐「杭州葉氏藏書」等印。

065 東萊呂氏東漢精華

十四卷，宋呂祖謙撰，明嘉靖二十六年鄖城王府刻本，原北平圖書館藏書，現存台北故宮博物院。半葉十行二十三字，書衣有「乾隆三十八年五月衍聖公孔昭煥送到家藏東漢精華壹部計書壹本」長方木記。首葉鈐「翰林院印」滿漢文大官印。又鈐「孔繼涵印」、「葒谷」等印記。

066 元史節要

十四卷，明張九韶撰，明張克文重刊本，中央圖書館藏，三冊。此本半葉十行，行二十字，白口，四周雙邊。題「明翰林編修張九韶美和編輯，七世孫進士克文宗質重刊、進士堯文宗欽校閱」。序首葉鈐「翰林院印」滿漢文大官印。按山東省圖書館、中國人民大學等藏有是刻，《中國古籍善本書目》著錄「明張克文刻本」是也。考張克文，隆慶二年進士，張堯文萬曆十一年進士，則此本當刻於萬曆年間。

067 讀史蒙拾

一卷，清王士祿撰，清鈔本，原北平圖書館藏書，現存台北故宮博物院。半葉九行二十字。書衣有「乾隆三十八年四月都察院左副都御史黃登賢交出家藏讀史蒙拾壹部計書壹本」長方木記。首葉鈐「翰林院印」滿漢文大官印。又鈐「北平黃氏萬卷樓圖書」印。王重民《中國善本書提要》有提要，《中央圖書館善本書目》著錄。

068 吳越紀餘

五卷、附雜詠一卷，明錢貴撰，清花橋水閣鈔本，浙圖。半葉十行二十字，白口，左右雙邊。版心下有「花橋水閣」四字。寫本極工。首葉鈐「翰林院印」滿漢文大官印。又鈐「匏如珍藏書籍私記」印。

069 重修三原志

十六卷，明朱昱撰，明嘉靖十四年刻本，中央圖書館藏。是本首葉鈐「翰林院印」，又鈐「紹廉經眼」、「逬圃收藏」等印。淡江大學中文系蔡琳堂先生代閱並製書影見貽。

070 赤城會通記

二十卷，明王啓撰，明嘉靖五年刻本。前有嘉靖五年王啓序，序後有「台州府學訓導程進校訂，府學生員章岳、縣學生員李迴、王鑑編次」四行。後有台州守豐城李金序。前鈐翰林院官印及乾隆三十八年浙撫三寶進書木記。徐梧生遺書。民國十六年丁卯傅增湘見，載入《藏園群書經眼錄》、《藏園訂補郘亭知見傳本書目》。不知現藏何處。

071 定遠縣志

十卷，明高鶴等修，明嘉靖刻萬曆增修本，南圖。半葉十行二十字，白口，四周單邊。正文題：「山陰高鶴重修，定遠邑庠弟子員陳校、黃鳳來同輯。」前有嘉靖十四年高鶴序，後有嘉靖三十八年黃元後序。記事至萬曆三十二年。首葉鈐「翰林院印」滿漢文大官印。又鈐「八千卷樓藏書之記」、「嘉惠堂丁氏藏書之記」、「光緒壬辰錢塘嘉惠堂丁氏所得」等印記。

072 爛柯山洞志

二卷，明徐日炅撰，清乾隆三十八年兩淮鹽政李質穎進呈舊鈔本，中央圖書館藏。半葉八行十八字，無格。首葉鈐「翰林院印」，又鈐「稽瑞樓」、「何元錫印」、「錢江何氏夢華館藏」等印記。淡江大學蔡琳堂先生代查並貽書影。

073 閣皁山志

二卷，明俞策撰，清鈔本，南圖。此本半葉九行，行二十字，無格。首葉鈐「翰林院印」滿漢文大官印。又鈐「謏聞齋」、「竹泉珍秘圖籍」、「錢塘丁氏藏書」、「八千卷樓藏閱書」等印記。前有丁丙浮籤跋語，即《善本書室藏書志》原稿。書衣有「乾隆三十八年四月兩淮鹽政李質穎送到馬裕家藏俞策閤阜山志壹部計書壹本」長方木記（按：此木記徐憶農女士函告，其中「到馬裕」三字已不可辨，餘字亦均模糊。故丁氏《藏書志》「三十八」誤爲「四十二」，又脫「四月」、「穎」、「志」等字。「到馬裕」三字則賴《藏書志》補完）。卷尾又有同治十二年癸酉三月二十七日丁丙手跋一則。

074 大滌洞天記

三卷，舊題元鄧牧撰，明藍格傳鈔道藏本，中央圖書館藏。此本九行二十二字，首葉鈐「翰林院印」，又鈐「教經堂錢氏章」、「希古右文」等印。蔡琳堂先生代查並製書影見貽。

075 徑山集

三卷，明釋宗淨撰，明萬曆刻本，南圖。半葉十一行十八字黑口左右雙邊。前有萬曆四年方壹《重刻徑山集序》，後有萬曆七年跋。書衣有「乾隆三十八年四月兩淮鹽政李質穎送到馬裕家藏釋宗淨徑山集壹部計書壹本」長方木記。首葉鈐「翰林院印」滿漢文大官印。又鈐「錢塘丁氏藏書」、「八千卷樓藏閱書」等印。前有丁丙跋，即藏書志原稿。

076 常熟縣破山興福寺志

四卷，明程嘉燧撰，明崇禎十五年刻本，南圖。半葉八行二十字，白口，四周單邊。首葉鈐「翰林院印」滿漢文大官印。又鈐「嘉惠堂丁氏藏書之記」、「四庫坿存」等印。前有丁丙手跋。

077 南夷書

一卷，明張洪撰，明鈔本，北圖。半葉十一行二十字，無格。書衣有「乾隆三十八年十一月浙江巡撫三寶送到范懋柱家藏南夷書壹部計書壹本」長方木記。首葉鈐「翰林院印」滿漢文大官印。又籤記云：「總辦處閱定，擬存目。」末有纂修程晉芳撰提要一篇，後鈐「存目」木記。卷端又鈐「臣昀臣錫熊恭閱」印。此本保存進呈本面貌較全，彌足珍貴，卷內又鈐「翁同龢校定經籍之記」、「曾在趙元方家」等藏印。

078 朝鮮雜志

一卷，明董越撰，明鈔本，中央圖書館藏。此本題「寧都董越尚矩著」，半葉九行，行二十字，藍格。書衣有「乾隆三十八年十一月浙江巡撫三寶送到范懋柱家藏朝鮮雜志壹部計書壹本」長方木記，又鈐「翰林院印」、「教經堂錢氏章」、「犀盦藏本」、「希逸」、「高世異圖書」、「世異印信」、「尙同讀書」、「尙同點勘」、「蒼茫齋所藏鈔本」、「高氏華陽國士祕笈子孫寶之」、「吳興張氏珍藏」、「吳興劉氏嘉業堂藏」等印記。《嘉業堂藏書志》著錄。民國三十年鄭振鐸輯印《玄覽堂叢書》，其中《朝鮮雜志》即據此帙影印，唯書衣木記未印出耳。

079 日本考

五卷，明李言恭、都杰撰，明萬曆刻本，原北平圖書館藏，現存台北故宮博物院。半葉九行十八字，白口，四周單邊。首葉鈐「翰林院印」滿漢文大官印。民國二十六年商務印書館影印《國立北平圖書館善本叢書》收有此種，其底本亦即此帙。

080 官爵志

三卷，明徐石麒撰，舊鈔本，原北平圖書館藏書，現存台北故宮博物院。半葉九行，行二十一字。首葉鈐「翰林院印」滿漢文大官印。書衣有「乾隆三十八年十一月浙江巡撫三寶送到吳玉墀家藏官爵志壹部計書壹本」長方木記。又鈐「小山堂書畫印」、「玉墀」、「蘭林」等印。王重民《中國善本書提要補編》有提要，《中央圖書館善本書目》著錄。

081 歷代宰輔彙考

八卷，清萬斯同撰，清鈔本，北圖。半葉十行，行字不等，無格。首葉鈐「翰林院印」滿漢文大官印。書衣有「乾隆三十九年五月浙江巡撫三寶送到歷代宰輔彙考壹部計書壹本」長方木記。又鈐「光熙之印」、「裕如秘笈」等印記。

082 國朝典彙

二百卷，明徐學聚撰，明刻本四十冊，原北平圖書館藏書，現存台北故宮博物院。半葉十行，行二十二字。首葉鈐「翰林院印」滿漢文大官印。書衣有「乾隆三十八年十一月浙江巡撫三寶送到□□□家藏國朝典彙壹部計書肆拾本」長方木記。王重民《中國善本書提要補編》云木記「字太模糊，館臣不能辨識，故於《四庫存目》漫題為浙江巡撫採進本」。按：浙江進呈各目唯《浙江省第四次鮑士恭呈送書目》有此書四十本，當即鮑士恭家呈本無疑。《中央圖書館善本書目》著錄。

083 西槎彙草

一卷，明龔輝撰，明嘉靖間刻本一冊，美國國會圖書館。半葉九行二十字，藍印。首葉鈐「翰林院印」滿漢文大官印。見王重民《中國善本書提要》。

084 經序錄

五卷，明朱睦㮮撰，清鈔本，揚州市圖書館。首葉鈐「翰林院印」滿漢文大官印。書衣有乾隆三十八年兩淮鹽政李質穎進書木記。

085 玄牘紀

不分卷，明盛時泰撰，清康熙間鈔本一冊，原北平圖書館藏書，現存台北故宮博物院。半葉十行十八字，無格。鈐有「翰林院印」滿漢文大官印，又鈐「詩龕書畫印」等印記。前有道光二十四、二十五年大興劉位坦兩跋。按：此與《存目》所載《蒼潤軒碑跋》同書異名。王重民《中國善本書提要補編》有提要，《中央圖書館善本題跋眞跡》有書影。

086 永嘉先生三國六朝五代紀年總辨

二十八卷，題宋李𪏮撰，影宋鈔本四冊，中央圖書館藏。《中央圖書館善本書目》著錄為：「乾隆三十九年江蘇巡撫薩載進呈影宋鈔本，朱校。」按：此本書衣有「乾隆三十九年正月江蘇巡撫薩載送到蔣曾瑩家藏紀年總辨壹部計書肆本」長方朱記，首葉鈐「翰林院印」滿漢文大官印，又鈐「茂苑香生蔣鳳藻秦漢十印齋秘篋圖書」等印記。淡江大學中文系蔡琳堂先生嘗製書影見貽。

087 宋史闡幽

一卷，明許浩撰，明崇禎元年許鏘刻本，杭州市圖書館。半葉九行二十字，白口，四周單邊。書後有崇禎元年許鏘刻書跋。首葉鈐「翰林院印」滿漢文大官印。又鈐「璜川吳氏收藏圖書」、「翰爽閣藏書記」等印記。

088 元史闡幽

一卷，明許浩撰，明弘治十七年錢如京刻本，青島市博物館。半葉十行十九字，黑口，四周雙邊。前有弘治十七年錢如京序。首葉鈐「翰林院印」滿漢文大官印。又鈐「季振宜印」、「滄葦」、「季振宜藏書」等印。

089 元史闡幽

一卷，明許浩撰，舊鈔本，九行二十字，前有弘治十七年錢如京序，後有弘治庚子自跋。鈐翰林院官印。民國二十五年丙子九月傅增湘見於邃雅齋，載入《藏園群書經眼錄》。又顧廷龍先生亦嘗見此帙，載入先生批注《四庫存目》中。按：此本歸中央圖書館，半葉九行二十字，無格，錢如京序首葉鈐「翰林院印」滿漢文大官印。淡江大學中文系蔡琳堂先生嘗代製書影相貽。

090 兀涯西漢書議

十二卷，明霍韜撰，張邦奇增修，明鈔本，北圖。此本半葉十一行，行十八字（正文上空二格不計），藍格。首葉鈐「翰林院印」滿漢文大官印。前有粘籤，題「兀涯西漢書議」，上鈐「總辦處閱定，擬存目」二行，下鈐「總擬」二字。又鈐「臣昀臣錫熊恭閱」朱文長印。是書頗存校辦《四庫全書》時面貌。

091 聖門事業圖

一卷，宋李元綱撰，明正德四年河內令李暘刻本，原北平圖書館藏書，現存台北故宮博物院。按：此衍聖公孔昭煥進呈本，附《魯齋研幾圖》後，參下條。

092 魯齋研幾圖一卷附聖門事業圖一卷命性心說一卷

宋王柏撰，明正德四年河內令李暘刻本，原北平圖書館藏書，現存台北故宮博物院。鈐有「翰林院印」滿漢文大官印。書衣有「乾隆三十八年五月衍聖公孔昭煥送到家藏研幾圖壹部計書壹本」長方木記。《存目》所據爲浙江巡撫採進本，而提要云：「又衍聖公孔昭煥家別傳一本，增綴以李元綱《聖門事業圖》、徐毅齋《性命心說》諸圖，共爲圖八十五。」即指此本。王重民《中國善本書提要》有提要，《中央圖書館善本書目》著錄。

093 經書性理類輯精要錄

六卷，清王士陵撰，清鈔本，山東省圖書館。此本書衣有「乾隆四十三年正月翰林院侍讀□□交出家藏經書性理類輯精要錄壹部計書陸本」長方木記。首葉鈐「翰林院印」滿漢文大官印。書已重裝爲十二冊。書衣進呈木記進呈人姓名二字被抹去。據《四庫總目》此書係「兵部侍郎紀昀家藏本」。按：紀昀乾隆三十八年十一月補侍讀，四十一年正月擢侍讀學士，四十四年三月擢詹事府詹事，四月擢內閣學士兼禮部侍郎。此書乾隆四十三年進呈，時紀昀官翰林院侍讀學士，故進書木記作「翰林院侍讀」。則抹掉姓名當爲「紀昀」二字。

094 講學

二卷，清李培撰，陳祖銘輯，清鈔本一冊，北圖。此本八行二十字白口左右雙邊。書衣有「乾隆三十八年十一月浙江巡撫三寶送到范懋柱家藏講學壹部計書壹本」長方木記。首葉鈐「翰林院印」滿漢文大官印。又鈐「光熙之印」、「裕如秘笈」二印。

095 美芹十論

一卷，題宋辛棄疾撰，舊鈔本，清末民初湖北黃陂人陳毅（字士可）收藏，光緒三十四年（1908年）羅振玉嘗借鈔一部。羅氏鈔本現藏遼寧省圖書館，卷尾羅振玉手跋云：「此書宋志所未載，丙午夏黃陂陳士可參事毅得于廠肆，上有翰林院印，乃吾浙鮑氏所進書，四庫未收，發交翰林院者（見浙江採進書書目）。辛稼軒著作，除長短句外，傳世甚少，此數百年前傳寫孤本，爰付胥迻寫。其中譌字甚多，惜無他本可校改，姑仍其舊。」丙午爲光緒三十二年，西曆1906年。蓋庚子八國聯軍侵占北京後從翰林院流出者。陳毅藏本未見，想仍存人間。

096 袖珍小兒方

十卷，明徐用宣撰，明嘉靖十一年錢宏刻本，存卷一至六，四冊，美國普林斯敦大學葛思德東方圖書館藏。半葉十行二十四字，白口四周單邊。卷一第一葉下題「古杭錢宏重刊」。卷內鈐「翰林院印」滿漢文大官印。見沈津《書城挹翠錄》。

097 天心復要

不分卷，明鮑泰撰，明鈔本，天一閣文管所藏。是本題「新安鮑泰希止敘述」十行二十字，前有弘治甲寅自序。首葉鈐「翰林院印」滿漢文大官印，又鈐「馮雒印信」、「南通馮氏景岫樓藏書」等印記。

098 畫志

一卷，明沈與文撰，明鈔本，北圖。此本半葉十行十八字，藍格。末附《評畫竹》兩葉半，題宋葉夢得撰，明沈與文注。書衣有「乾隆三十八年十一月浙江巡撫三寶送到范懋柱家藏畫志壹部計書壹本」長方木記。首葉鈐「翰林院印」滿漢文大官印。又鈐「孫壯藏書印」印記。

099 研山齋珍賞歷代名賢墨蹟集覽

一卷，清孫承澤撰，清鈔本，南圖。書衣題「研山齋雜錄」，下小注「墨蹟」二字，有「乾隆三十八年四月翰林院編修勵守謙交出家藏墨蹟集覽壹部計書壹本」長方木記。首葉鈐「翰林院印」滿漢文大官印。內有籤條「編修程昌期恭閱」等。

100 宣和集古印史

八卷，明來行學摹，明萬曆二十四年來氏寶印齋刻鈐印本，北圖。此本題「西陵來行學校摹」，第一冊目錄後有萬曆二十四年來行學《刻宣和集古印史官印例》。卷尾有識語云：「寶印齋監製珊瑚琥珀眞珠硃砂印色，每兩實價伍錢；硃砂印色，每兩實價二錢。西陵來行學顏叔識並書。寶印齋藏板，徐安刊。」首葉鈐「翰林院印」滿漢文大官印。

101 紹興內府古器評

二卷，宋張掄撰，明鈔本一冊，北圖。此本半葉十一行二十二字，無格。鈐有「翰林院印」滿漢文大官印，又鈐「常熟翁同龢藏本」、「永寶用之顧子剛贈」等印。

102 香雪林集

二十六卷，明王思義輯，明萬曆三十一年王氏自刻本，十冊，北圖。此本半葉八行二十字，白口，四周雙邊。版心記寫工刻工：沈維垣寫、沈及之寫、沈元震寫并刻、沈君實刻。首葉鈐「翰林院印」滿漢文大官印。

103 汝南圃史

十二卷，明周文華撰，萬曆四十八年書帶齋刻本，北圖。此本半葉八行十八字，白口左右雙邊。版心下刻「書帶齋」三字。首葉鈐「翰林院印」滿漢文大官印。又鈐「范」、「明遠」印記。

104 花史

十卷，明吳彥匡撰，稿本十卷十冊，瑞安孫氏玉海樓藏。首葉爲吳氏手書自敘，上鈐「翰林院印」，又鈐「海陵張氏石琴收藏善本」、「張氏文梓」、「樹伯」三印。光緒戊寅孫琴西先生得此冊於金陵，爲跋其後，見《遜學齋文鈔》卷十。（詳《文瀾學報》民國二十六年第二卷第三第四期合刊《浙江省文獻展覽會專號》）。

105 東洲几上語一卷枕上語一卷

宋施清臣撰，清鈔本，揚州市圖。此本半葉九行二十字，無格。首葉鈐「翰林院印」滿漢文大官印。

106 千古功名鏡十二卷拾遺一卷

宋吳大有撰，明鈔本，上圖。此本半葉十一行，行字不等，藍格。首葉鈐「翰林院印」滿漢文大官印，又鈐「玉雨堂」、「韓氏藏書」、「徐乃昌讀」等印。前有徐乃昌隸書識語：「明藍格鈔本千古功名鏡十二卷拾遺一卷，仲炤先生世守秘笈，徐乃昌題。」

107 百泉子緒論

一卷，明皇甫汸撰，明嘉靖間刻本，一冊，原北平圖書館藏書，現存台北故宮博物院。此本半葉八行，行十六字。首葉鈐「翰林院印」滿漢文大官印。書衣有「乾隆三十八年十一月浙江巡撫三寶送到范懋柱家藏《百泉子緒論》壹部計書壹本」長方木記。（見王重民《中國善本書提要》）

108 文園漫語

一卷，明程希堯撰，明鈔本，一冊，北圖。此本半葉十二行二十四字，黑方格，白口，四周單邊。首葉鈐「翰林院印」滿漢文大官印。書衣有「乾隆三十八年十一月浙江巡撫三寶送到吳玉墀家藏文園漫語壹部計書壹本」長方木記。卷內又鈐「曹溶私印」、「潔躬」、「曾在趙元方家」等印記。按：顧廷龍先生嘗於修文堂見此冊，價七十元，先生爲燕京大學錄副，並載入先生手批《四庫存目》中。蓋書爲趙元方先生收去，後捐贈北圖。

109 計然子

一卷，明董漢策撰，明崇禎間陸信甫刻本，一冊，北圖。此冊半葉八行十八字，白口四周單邊，無直格。首葉鈐「翰林院印」滿漢文大官印。又鈐「江安傅增湘沅叔珍藏」等印記。

110 真如子醒言

九卷，明王化隆撰，明萬曆二十九年王化遠等刻本，浙圖。此本各卷題：「廣漢眞如子王化隆撰，蕭丁泰吉父選，劉邦靖孟安父校，周世匡翼之父閱，弟王化遠濟可父、男王烈光梓。」首葉鈐「翰林院印」滿漢文大官印。又鈐「浮雲書屋珍藏書畫章」。

111 事始

一卷，明鈔本，一冊，原北平圖書館藏書，現存台北故宮博物院。此冊不題撰人，半葉九行，行二十字。首葉鈐「翰林院印」滿漢文大官印，書衣有「乾隆三十八年十一月浙江巡撫三寶送到范懋柱家藏事始壹部計書壹本」長方木記。又鈐「犀盦藏本」印。《中央圖書館善本書目》著錄爲明傳鈔《說郛》本。明鈔《說郛》本遠勝他本，說詳昌彼得先生《說郛考》。

112 玉唾壺

二卷，明王一槐撰，明鈔本，一冊，北圖。此冊半葉九行二十字，綠格。首葉鈐「翰林院印」滿漢文大官印。書衣有「乾隆三十八年十一月浙江巡撫三寶送到范懋柱家藏玉唾壺壹部計書壹本」長方木記。卷前又有籤條：「總辦處閱定，擬存目。」又鈐「翁同龢印」、「翁斌孫印」等印記。

113 黃谷譔談

談四卷，明李蓘撰，清乾隆三十八年兩淮鹽政李質潁進呈舊鈔本，中央圖書館藏。此本題「順陽李蓘子田甫著」，九行十九字，無格，無序跋。首葉鈐「翰林院印」，又鈐「毘陵董康鑒藏善本」印。書衣有「乾隆三十八年七月兩淮鹽政李質潁送到李蓘黃谷譔談壹部計書壹本」長方木記。前有甲子二月群碧居士（鄧邦述）墨筆跋，又丙寅五月二十一日鄧氏朱筆跋。

114 青藤山人路史

二卷，明徐渭撰，明刻本，原北平圖書館藏，現存台北故宮博物院。王重民《中國善本書提要》云：「九行二十字，卷內有『吳蘭林西齋書籍刻章』、『繡谷』、『紗谷』、『翰林院印』滿漢文大方印。繡谷，吳焯號。紗谷，則其子玉墀號也。四庫館開，玉墀進書九十餘種，此其一也。」（《中國善本書提要》）按：吳玉墀進書三百五部，此誤。

115 趙氏連城

十八卷，明趙世顯撰，明鈔本，三冊，北圖。此本半葉九行十八字，無格。首葉鈐「翰林院印」滿漢文大官印。卷內又鈐「劉明陽王靜宜夫婦讀書印」、「研理樓」等印記。有劉明陽跋、王靜宜跋。

116 蘭葉筆存

一卷，明釋本以撰，清鈔本一冊，北圖。半葉九行二十二字，無格。首葉鈐「翰林院印」滿漢文大官印。又鈐「孫壯藏書印」。寫本頗精。

117 春寒閒記

一卷，清初鈔本，上圖。此冊不題撰人，首葉鈐「翰林院印」滿漢文大官印。末有厲鶚跋云：「雍正甲辰九月一日在京師遊慈仁寺，集上買得此帙。瑣綴前人說部中語，亦有可觀。寓舍無書，正如空谷跫音，輒為欣喜。跋云德水，未知何人，得毋德州盧氏子乎？錢唐城東厲鶚太鴻記。」《四庫提要》云：「疑德水為德州盧氏子，蓋以盧世漼字德水也。」按：史稱世漼讀書劇飲，佯狂肆志。此書末有辛酉三月二十五日德水自記云：「一春酷寒，風又顛甚，每飲酒數杯以敵之，薄醉小狂，閒命硯寫三兩條。」正與史合，當即盧世漼作也。

118 匡林

二卷，清毛先舒撰，清初刻本，北圖。半葉十一行二十二字，白口單邊。前有自序。首葉鈐「翰林院印」滿漢文大官印。

119 感應類從志

一卷，題晉張華撰，明鈔本，南圖。此本半葉九行二十字，題「晉張華晉司空」，正文凡四葉，原書無序跋。前有乙卯丹徒陳邦懷長跋，首云：「往年過揚州，得此本，首葉有翰林院官印，護葉有朱文木記曰：乾隆三十八年十一月浙江巡撫三寶送到范懋柱家藏感應類從志一部計書一本。」（按：「十一月」三字陳邦懷跋脫。又末兩一字均當作壹。）即此本也。又有癸丑陳邦懷之父陳南星手跋，謂「去年冬懷兒得之揚州」，蓋指民國元年。又有館臣擬提要稿一則云：「謹按《感應類從志》一卷，不知何人所作，托名于張華，晉隋以降經籍志皆不載。篇中大旨類取《物類相感志》，變換其語，以成茲書。如云僵蠶拭唇、馬不咬人，茂先無此粗率筆也。宜入僞撰書類，別爲編次。纂修官擬。」下鈐「存目」木記。檢《四庫提要》，語義略近，而行文全不相同，可見提要原稿與定稿距離甚大。書衣又有題識：「明范氏天一閣鈔本，如臯城南祝氏漢鹿齋藏本。」卷內鈐「漢鹿齋金石書畫印」、「甸清過眼」、「稺農秘笈」等印，皆近人如臯祝壽慈印鑒。

120 筠軒清秘錄

三卷，題董其昌撰，清鈔本，上圖。此本半葉九行二十一字，無格。鈐有「翰林院印」滿漢文大官印。又鈐「惠棟之印」、「定宇」、「紅豆書屋」、「匏廬藏書」、「楊效曾」、「乾隆朝採進遺書原本之一豐華堂恭藏」等印記。

121 華夷花木鳥獸珍玩考

十卷，明愼懋官撰，明萬曆刻本。鈐「翰林院印」、「乾隆三十八年七月兩淮鹽政李質穎送到華夷花木考壹部計書柒本」長方木記。又鈐「于氏小謨觴館」、「于昌進珍藏」等印。（見羅振常《善本書所見錄》）

122 經子法語

二十四卷，宋洪邁撰，影鈔宋淳熙十三年婺州原刻本，中央圖書館。《中央圖書館善本書目》著錄爲：「乾隆三十八年于敏中進呈影抄宋淳熙十三年婺州原刊本。」按：此本當即繆荃孫、張鈞衡遞藏影宋鈔本。《藝風堂藏書續記》卷二：「《經子法語》二十四卷，舊鈔本，宋洪邁撰，後葉淳熙十三年三月十日婺州容齋雕一行。首有翰林院印，又有柚堂朱文小印。」《適園藏書志》卷八：「《經子法語》二十四卷，影宋抄本。首葉有翰林院印。」民國間張氏適園據以影印，收入《擇是居叢書初集》。

123 說類

六十二卷，明葉向高輯，明末刻本，二十冊，美國會圖書館藏。半葉十行二十一字。每冊背面鈐「安徽巡撫採購備選書籍」。首冊首葉鈐「翰林院印」滿漢文大官印。（見王重民《中國善本書提要》）按：《存目》所據安徽巡撫採進本當即此帙。

124 偶得紺珠

一卷，明黃秉石撰，清鈔本，上圖。此本半葉九行二十一字，無格。題「三山湖上黃秉石復子父」。首葉鈐「翰林院印」滿漢文大官印。又鈐「南通沈燕謀印」、「行素堂藏書記」、「定生所寶」諸印。

125 今古鈎玄

四十卷，明諸茂卿輯，明鈔本，十四冊，北圖。半葉八行十八字。首葉鈐「翰林院印」滿漢文大官印。又鈐「趙氏青泥志百家」、「埜鹿園書藏」、「郎邪山人」、「鈎玄室印」等印記。

126 山樵暇語

十卷，明俞弁撰，明鈔本，一冊，原北平圖書館藏書，現存台北故宮博物院。半葉十行十七字。首葉鈐「翰林院印」滿漢文大官印。書衣有：乾隆三十八年十一月浙江巡撫三寶送到范懋柱家藏山樵暇語壹部計書壹本」長方木記。（見王重民《中國善本書提要》）

127 九朝談纂

不分卷，不題撰人，明鈔本，十冊，原北平圖書館藏書，現存台北故宮博物院。王重民曰：「此即《四庫存目》著錄所據之天一閣舊藏原本。《四庫提要》稱前列所採書目五十餘種，今本已佚，故無翰林院大方印。第一冊有黃籤云：『此處抽出應燬聞略一段。』即館臣所記。卷內有『詩龕書畫印』、『韓氏藏書』、『玉雨堂印』、『延古堂李氏珍藏』等印記。」(《中國善本書提要》)按:此明藍格鈔本臺灣《清代禁燬書叢刊》已據以影印。

128 壽世秘典

十八卷,清丁其譽撰,稿本,浙圖。此本殘存卷一至卷十二、卷十四、卷十七、卷十八,凡十五卷。首葉鈐「翰林院印」滿漢文大官印。

129 硯北雜錄

十六卷附劄記一卷,清黃叔琳撰,稿本,南圖。按《四庫提要》云:「中多簽題黏補之處,皆叔琳晚年手自刪改,蓋猶未定之本也。」可知《存目》所據勵守謙呈本爲黃叔琳稿本。又北京圖書館藏清漢陽葉氏據稿本過錄本,前有題記云:「此從石御史承藻藏本過錄,石本即進呈四庫者,面有鈐記:『乾隆五十八年翰林院編修勵守謙交出△△硯北雜錄一部計書肆本。』第一葉序文有『翰林院印』一,每卷標籤者多,有此亭印者,有先生晚年自記者,並命鈔胥錄出,其有此亭印者以朱點別之。」按:「五十八年」當作「三十八年」,△△當是「家藏」二字,年下脫月份,「一部」當作「壹部」。《中國古籍善本書目》著錄南京圖書館藏稿本,即《存目》所據勵守謙呈本。唯書衣木記佚去,翰林院印亦模糊難辨。而卷內簽條俱在。石承藻,嘉慶十三年探花,授翰林院編修。清史稿有傳。

130 子苑

一百卷,不著撰人,明鈔本,二十冊,北圖。此本半葉十行二十三字,藍格。首葉鈐「翰林院印」滿漢文大官印。又鈐「籍圃主人」、

「麥溪張氏」、「詩龕書畫印」、「朱學勤修伯甫」等印記。按：《提要》云：「鈔本之首有籍圃主人、麥溪張氏二小印。」正與此本合，知即《存目》所據衍聖公呈本也。

131 丘陵學山

明王完編，明隆慶二年刻本，吉林大學藏。半葉十行二十字，白口，單邊。殘存前三種：大學古本問一卷旁釋一卷，大學石經古本序引一卷旁釋一卷申釋一卷，中庸古本前引一卷旁釋一卷後申一卷，共一冊。王同策先生函稱：書衣有「乾隆三十八年十一月浙江巡撫三寶送到吳玉墀家〔藏〕邱陵學〔山壹部〕計書〔拾本〕」長方木記（木記殘破，〔　〕內文字係澤遜臆補）。首葉鈐「翰林院印」，又鈐「繡谷」、「蟬華」印。前有隆慶戊辰王完引，又目錄，列七十四種。

132 晏元獻公類要

一百卷，宋晏殊撰，清鈔本，殘存十六卷，北京大學藏。按：此李盛鐸木犀軒藏書，李盛鐸《木犀軒藏書書錄》云：「半葉九行，行十八字，注雙行同。每卷有目，分兩列或三列。存地理總序、東京、西京、南京、京西路、京東路、江南路、福建路、荊湖南路、荊湖北路、陝西路、河東路、淮南路、梓州路、夔州路、益州路、利州路、政治、職官、道教、方伎、隱逸、四夷、歷代雜錄等卷。至卷數爲校者塗改，似不可據。有武英殿發書交謄錄張敬宸籤條，知爲四庫底本。」此本六厚冊，武英殿發鈔單外，正文開頭有館臣籤條，上列謄鈔格式，並批云：「抄本俗字太多，要照正體繕寫。」卷內鈐「古潭州袁臥雪廬收藏」、「馨嘉館印」等印記。

133 晏元獻公類要

一百卷，宋晏殊撰，清鈔本，存卷一至三十七，西安市文管會藏。此本首葉鈐「翰林院印」滿漢文大官印。經與北大本比勘，北大本所存均在此本之內。

134 永樂大典

二萬二千八百七十七卷目錄六十卷，明永樂元年奉敕編，北京中華書局影印明內府鈔本，殘存七百三十卷。其原本則散在世界各地。此書當時存翰林院，並非「進呈」之本。但《存目》所據者即此本，故亦并列於此。

135 群書集事淵海

四十七卷，不著撰人，明弘治十八年賈性刻本，二十五冊，北大。半葉十二行二十四字，黑口，四周雙邊。首葉鈐「翰林院印」滿漢文大官印。書衣有「乾隆三十八年十一月浙江巡撫三寶送到汪啓淑家藏群書集事淵海壹部計書貳拾伍本」長方木記。（見王重民《中國善本書提要》）

136 庶物異名疏

三十卷，明陳懋仁撰。傅增湘曰：「明崇禎刊本，九行十九字，白口，左右雙闌。有吳城及翰林院大官印。辛亥六月帶經堂見。索三十五兩，未收。」（《藏園訂補郘亭知見傳本書目》卷十下）

137 大政管窺

四卷，不著撰人，清鈔本，存卷一至三，卷七，共四卷。北圖。半葉九行二十字，無格。首葉鈐「翰林院印」滿漢文大官印。又鈐

「劉明陽王靜宜夫婦讀書之印」等印記。有王靜宜手跋：「此即四庫著錄之原書，並世無第二本。靜宜。」按：提要云「分叙吏、叙戶、叙禮、叙經，六曹舉其三，而四部舉其一，必非完書」，與此本正合，即《存目》所據兩淮採進本也。

138 是菴日記

十四卷，清楊擁編，稿本，上圖。是本鈐「兩江總督採購備選書籍」朱記，又「翰林院印」滿漢文大官印，即《存目》所據原本。又鈐「是菴」、「楊擁」、「蔚芝」、「杭州葉氏藏書」、「武林葉氏藏書」等印記。

139 南北史續世說

十卷，題唐李垕撰，明萬曆刻本，原北平圖書館藏書，現存台北故宮博物院。半葉十行二十字，有萬曆三十七年俞安期序。首葉鈐「翰林院印」滿漢文大官印，書衣有「乾隆三十八年十一月浙江巡撫三寶送到鮑士恭家藏南北史續世說壹部計書肆本」長方木記。又鈐「光熙之印」、「裕如秘笈」等印。（參王重民《中國善本書提要》）按：《存目》所據爲紀昀呈本。

140 月河所聞集

一卷，宋莫君陳撰，明鈔本，上圖。半葉九行二十字。鈐「翰林院印」滿漢文大官印，又鈐「彊邨」、「榆生珍藏」二印。

141 枝山野記

四卷，明祝允明撰，明鈔本，清華大學。劉薔女士函稱：半葉十行，每行二十六至二十八字不等，藍格。無序跋。首葉鈐「翰林院印」滿漢文大官印。又鈐「子晉」、「汲古主人」、「史樹駿印」、「庸庵」、「凝暉堂」等印記。原書衣佚去，書經重裝爲二冊。按：傅增湘《藏園群書經眼錄》著錄此帙，謂沈曾桐藏書。

142 病逸漫記

一卷，明陸釴撰。傅增湘云：舊寫本，鈐有「翰林院印」，盛昱遺書，壬子見。（《藏園群書經眼錄》卷九）

143 汝南遺事

二卷，明李本固撰，清初鈔本，南圖。半葉九行十八字，無格。鈐「翰林院印」滿漢文大官印，又鈐「錢唐丁氏正修堂藏書」、「丁氏八千卷樓藏書記」、「四庫坿存」等印記。前有丁丙浮簽跋語，即藏書志原稿。

144 管窺小識

四卷，不著撰人，明祁氏淡生堂鈔本，原北平圖書館藏書，現存台北故宮博物院。半葉十行二十字，藍格，版心下刻「淡生堂鈔本」五字。首鈐「翰林院印」滿漢文大官印，書衣有「乾隆三十八年十一月浙江巡撫三寶送到管窺小識壹部計書壹本」長方木記。王重民《中國善本書提要》有提要，《中央圖書館善本書目》著錄。

145 癸未夏鈔

四卷，明靜福撰，清初鈔本，北圖。半葉十行二十字，無格。鈐「翰林院印」滿漢文大官印。玄、弘等字不避諱。

146 玉堂薈記

一卷，清楊士聰撰，清鈔本，北圖。半葉十行二十二字黑口四周雙邊。首鈐「翰林院印」滿漢文大官印，又鈐「北平黃氏萬卷樓圖書」印，即《存目》所據黃登賢呈本。

147 續玄怪錄

四卷，唐李復言撰，明隆慶三年姚咨鈔本，一冊，北圖。此冊半葉十行二十四字，藍格，版心下刻「茶夢齋鈔」四字。目錄後有「臨安府太廟前尹家書籍鋪刊行」一行。卷尾姚咨手跋云：「隆慶己巳夏六月閏朔，皇山七十五老姚咨冒暑手抄。宋本原有缺文，不敢謬補，仍之以竢。」後鈐「姚伯子手校書」等印。卷首鈐「翰林院印」滿漢文大官印。傅增湘舊藏，《藏園群書經眼錄》著錄，《藏園群書題記》有跋。

148 祝子志怪錄

五卷，明祝允明撰，明萬曆四十年祝世廉刻本，北圖。半葉九行二十字，白口，四周雙邊。首鈐「翰林院印」滿漢文大官印。

149 耳新

十卷，明鄭仲夔撰，清鈔本，一冊，北圖。半葉八行十八字，無格。首葉鈐「翰林院印」滿漢文大官印，又「乾隆三十八年七月兩淮鹽政李質穎送到鄭仲夔耳新壹部計書壹本」長方木記。即《存目》所據原本。

150 聞見錄

一卷，明姚宣撰，明鈔本，廣東省中山圖書館。半葉十一行，行二十二至二十四字不等。無序跋。首鈐「翰林院印」滿漢文大官印。

151 見聞錄

一卷，清徐岳撰，清乾隆十七年大德堂刻本，八冊，傅增湘跋，北圖。半葉八行二十字，白口左右雙邊。傅跋收入《藏園群書題記》，略謂書凡四卷，記事通一百二十三則，《說鈴》本一卷，只一百七則。又謂此帙鈐有北平黃氏萬卷樓印記，又有翰林院大官印，是此書亦經黃叔琳進入四庫館，惟館臣不取黃氏之完本，而轉採《說鈴》之節本。澤遜按：四庫館開，獻書者爲黃叔琳之子黃登賢，若叔琳則先於乾隆二十一年下世矣。又勵守謙進呈本亦多黃氏舊藏，鈐有北平黃氏萬卷樓印，則此種又未可遽定爲黃氏呈本也。

152 筆史

二卷，明楊思本撰，明刻本，題「盱郡楊思本因之纂」，分內外編，內編述筆之源流，外編則徵事也。前有萬曆乙卯臨川邱兆麟跋，又弟思貞紀事，又凡例七條。鈐有兩淮鹽政李質穎送書木記及翰林院印。邃雅齋取閱，丙子九月七日。（傅增湘《藏園群書經眼錄》卷七）

153 筆史

二卷，明楊思本撰，清鈔本，一冊，北圖。半葉七行十八字，無格。前有邱兆麟序、凡例。首鈐「翰林院印」滿漢文大官印。末附纂修官鄭際唐提要稿一則，並經另一館臣修訂。鄭氏提要初稿：「謹按《筆史》二卷，明楊思本撰，思本字因之，建昌新城人。誌筆之始末，分內外篇。內篇有原始、定名、屬籍、結撰、效用、膺秩、寵遇、引退、告成。外篇有徵事、述贊等目。纂修鄭。」修訂稿：「謹按《筆史》二卷，明楊思本撰，思本字因之，建昌新城人。誌筆之始末，分內外篇。內篇之類凡九：曰原始、定名、屬籍、結撰、效用、膺秩、寵遇、引退、告成。外篇之類凡二：曰徵事，曰述贊。體例近於纖巧，亦多挂漏。前有萬曆乙卯丘兆麟題辭及思本所撰凡例七條。纂修鄭。」此提要稿另紙書寫，左鈐「存目」木記，右書「已辦」二字。持與《四庫總目》相校，頗有出入。其中「明楊思本」，《總目》誤「國朝楊忍本」。又「告成」，《總目》誤「考成」。皆以此稿爲正。足知提要原稿之可貴。

154 武林西湖高僧事略

一卷，宋釋元敬、元復撰，明釋袾宏續，舊鈔本。傅增湘云：「十行二十字，前有寶祐丙辰吳郡莫子文序。鈐有翰林院印，又兩淮鹽政李質穎送書木記。遂雅齋書，丙子九月七日取閱，已傳錄」（《藏園群書經眼錄》卷十）按：《中央圖書館善本書目》著錄「清乾隆三十八年兩淮鹽政李質穎進呈舊鈔本」，當即此本。

155 洞天福地嶽瀆名山記

一卷，唐杜光庭編。王重民云：明鈔本，一冊，美國會圖書館。半葉十行二十字。當從《道藏》鞠字號錄出，持校《道藏》原本，此鈔本間有差誤。然玄字不避，尙是明鈔。卷端有「翰林院印」滿漢文大官印，書衣有「乾隆三十八年十一月浙江巡撫三寶送到汪汝瑮家藏洞天福地嶽瀆名山記壹部計書壹本」長方木記。又鈐「教經堂錢氏章」、「犀盦藏本」、「錢犀盦珍藏印」等印記。（見王重民《中國善本書提要》）

156 翊聖保德傳

三卷，宋王欽若撰，清鈔本，一冊，北圖。此冊半葉九行二十字，無格。首鈐「翰林院印」滿漢文大官印。書衣有「乾隆三十八年□月兩淮鹽政李質穎送到翊聖保德傳壹部計書壹本」長方木記，進書月份未塡。

157 終南山祖庭仙真內傳二卷附終南山說經臺歷代真仙碑記一卷

元李道謙撰，附元朱象先撰，清鈔本，一冊，北圖。此冊半葉九行二十字，無格。首鈐「翰林院印」滿漢文大官印，書衣有「乾隆三十八年七月兩淮鹽政李質穎送到終南仙傳壹部計書壹本」長方木記。

158 漫叟拾遺

一卷，唐元結撰，不著編者，明鈔本，一冊，北圖。半葉八行十五字，藍格。首鈐「翰林院印」滿漢文大官印。又鈐「衡平」、「如菴氏」、「階生衡平」印。書衣有衡平題籤：「漫叟拾遺一冊」，上注「庫抄」，下注：「內缺一頁，當檢全集補錄之。甲申四月六日重校記。」下鈐「衡平」印。按：衡平字如菴，一字階生，號酒堂，滿洲人。

159 汪水雲詩鈔

一卷，宋汪元量撰，明末鈔本，一冊，北圖。此冊半葉十行二十四字。後有崇禎四年辛未錢謙益跋，謂「夏日晒書，理雲間人鈔詩舊冊，得水雲二百二十餘首，錄成一帙」。則是書即錢謙益輯也。其錢氏原鈔本現藏山東博物館，此冊係傳錄之本。《四庫提要》稱「崇禎辛未舊跋」，實即錢謙益跋，有所違礙，故不舉名。末有毛扆手跋：「丙戌五月二十四日從《湖山類稿》細勘一過，凡·者《類稿》所無也。毛扆。」丙戌爲順治三年。首鈐「翰林院印」滿漢文大官印。

160 選校范文白公詩集六卷續選三卷

元范梈撰，明楊翬選，清初鈔本，北圖。半葉八行十九字，無格，書衣殘存進書木記：「乾隆三十□年□月山東巡撫徐績送到范德機集□□計書三□。」（按：集後二字當是壹部，三□當是三本。）首鈐「翰林院印」滿漢文大官印，已殘。卷內鈐「借書園印」、「周永年印」、「林汲山房」三印，知是四庫纂修官周永年家藏書經山東巡撫進呈者。《四庫總目》僅注「山東巡撫採進本」，未得其實。又鈐「冰香樓」、「古愚」、「杭州王氏九峰舊廬藏書之章」、「群碧樓」等印記。

161 朱一齋先生文集前十卷後十卷廣遊文集一卷

明朱善繼撰，明成化二十二年朱維鑑刻本，六冊，北圖。半葉十二行，行二十八至二十九字，黑口，四周單邊。前集末有「成化丙午歲仲冬月燕山朱翰林六世孫朱維鑑重刊於家庭」一行。《朱一齋先生廣遊文集》末有「成化丙午孟春之月六世孫朱維鑑重刊於家居之退學庭」一行，又「命匠陸家刊」識語。書衣有「乾隆三十八年七月兩淮鹽政李質穎送到朱善繼一齋集壹部計書陸本」長方木記。首葉鈐「翰林院印」滿漢文大官印。又鈐「白堤錢聽默經眼」、「翰爽閣藏書記」等印記。

162 靜菴張先生詩集

一卷，明張羽撰，清鈔本，上圖。半葉九行十八字，無格。無序跋。首鈐「翰林院印」滿漢文大官印，又鈐「伯寅藏書」印。卷內有校筆，凡玄、弘諸字原不避諱者均描作缺末筆，遇明帝提行者則勾連之，眉上多批鈔寫格式，原不分卷，眉上標識分二卷。疑皆四庫館臣筆。原本不避清諱，遇明帝提行，疑猶明鈔本。

163 黃文簡公介菴集

十五卷，明黃淮撰，明刻本，存十一卷。《嘉業堂藏書志》著錄，董康云：「此集無序跋，有目錄，與本書多挖改不能吻合。卷十五改爲第五。蓋即《退直》、《入覲》、《歸田》三稿之不全本也。卷一至三《退直稿》，第八至十三《歸田稿》，卷十四、十五《入覲稿》。書經進呈，發交翰林院清閟閣儲待領回。光緒初錢桂森直清閟時攜出者。有『洞庭山人』、『王仲道印』、『敬之』、『錢桂森辛白甫』、『教經堂錢氏章』、『犀庵藏本』諸記。」按：瑞安孫詒讓嘗於同治十年從翰林院借鈔此本。《溫州經籍志》卷二十五：「《黃文簡介庵集》世間流傳絕少，……同治辛未余以應試入都，假得翰林院所儲明刻小字本，驗其冊面印記，即乾隆三十八年浙江巡撫三寶所進汪啓淑家藏本也。既迻錄其副，復精勘一過，乃知明刻本十五卷，缺第四至七四卷。進本經書賈移易竄改，以十四卷爲第四卷，十五卷爲第五卷，十三卷爲第六卷，又撤去前後序跋及所缺四卷之目，以泯其跡。故《四庫提要》遂以十一卷著錄，而以爲僅缺第七一卷。幸其每卷魚尾下所記卷第及目錄葉數未盡改，重爲排比，尙可見明槧本舊式也。印本每卷首行題《黃文簡公介菴集》，其刊刻當在文簡卒後。」是本從翰林院流出後，輾轉歸劉承幹嘉業堂。嘉業堂明版書抗戰時期售歸中央圖書館，檢《中央圖書館善本書目》有《黃文簡公介菴集》十二卷，明初刻黑口本。淡江大學中文系蔡琳堂先生嘗代爲查閱並製書影相貽，知即嘉業堂藏四庫進呈本。又今浙江瑞安縣玉海樓有《黃文簡公介菴集》十二卷，清鈔本，缺卷七，當即孫詒讓從翰林院借抄之本。民國二十年永嘉黃氏排印本（收入《敬鄉樓叢書》第三輯）所據者即孫詒讓借鈔本，其卷第則依孫氏考定之明版舊第，唯改卷八至十五爲四至十一，又增《書學箴後》一篇耳。

164 逃虛子詩集十卷逃虛子詩續集一卷逃虛子類稿五卷逃虛子道餘錄一卷逃虛子集補遺一卷逃虛子詩集補遺一卷附錄一卷

明姚廣孝撰，清鈔本，南圖。半葉十行二十字，無格。首鈐「翰林院印」滿漢文大官印。書衣有「乾隆三十八年四月兩淮鹽政李質穎送到馬裕家藏姚廣孝逃虛子集壹部計書肆本」長方木記。卷端有清丁丙跋。

165 菉竹堂稿

八卷，明葉盛撰，清初鈔本，六冊，山東省圖書館。半葉十行二十字，無格。首鈐「翰林院印」滿漢文大官印。書衣有「乾隆三十八年七月兩淮鹽政李質穎送到菉竹堂稿壹部計書陸本」長方木記。又鈐「趙錄績印」、「趙氏模鬯閣收藏圖籍書畫印」等印記。卷內玄字不避諱。未經重裝。

166 滄洲詩集十卷續集二卷附錄一卷

明張泰撰，明弘治三年成桂刻嘉靖十三年毛淵修補增刻本，北圖。半葉十行十八字，白口，四周雙邊。前有弘治三年李東陽序，後有嘉靖十三年毛淵《增刻滄洲詩集跋》。首鈐「翰林院印」滿漢文大官印。書衣有「乾隆三十八年十一月浙江巡撫三寶送到汪啓淑家藏滄洲集壹部計書肆本」長方木記。又有籤條：「滄州集，總辦處閱定，擬存目。」又鈐「太原叔子藏書記」、「孫壯藏書印」等印記。

167 思玄集

十六卷，明桑悅撰，明萬曆二年桑大協活字印本，存卷六、卷七、卷十一至卷十六，凡八卷，四冊，北圖。半葉十行二十一字，白口，四周單邊。《北京圖書館古籍善本書目》著錄爲「四庫底本」。按：此傅增湘舊藏，見《藏園群書經眼錄》。又沈津《書城挹翠錄》謂美國哥倫比亞大學總圖書館有是本殘帙，存卷三至卷五一冊，爲傅增湘早年售出者，與北圖藏四庫底本原爲一帙。按：《經眼錄》記有全書每卷類目，謂爲癸亥述古堂送閱，已收。疑傅氏原收全帙。

168 梅巖小稿

三十卷，明張旭撰，明正德元年刻本，原北平圖書館藏書，現存台北故宮博物院。半葉十一行二十一字，白口，四周單邊。有弘治十七年吳寬、張旭兩序，弘治十七年程材、汪循兩跋。凡例末有題名三行：「山東臨邑縣學訓導弟張暉校正，休寧縣學生男張世明對讀、張世澤繕寫。」板心記刻工：黃勗刊、黃昱刊、黃晨刊。首鈐「翰林院印」滿漢文大官印。又鈐「揚州阮氏琅嬛僊館印」、「文選樓」、

「海陵張氏石琴收藏善本」、「海陵張氏收藏善本」、「南陵徐氏仁山珍藏」等印記。趙萬里《北平圖書館善本書志》、王重民《中國善本書提要》著錄。按：北京大學藏此刻本，末有正德元年八月休寧知縣張九逵跋，此本佚去，故諸家誤定爲弘治刻本，當予糾正。

169 巽峰集

十二卷附錄一卷，明尹襄撰，明嘉靖二十七年家刻本，六冊，原北平圖書館藏，現存台北故宮博物院。首鈐「翰林院印」滿漢文大官印。趙萬里《北平圖書館善本書志》、王重民《中國善本書提要》著

錄。

170 王襄敏公集

四卷，明王以旂撰，明萬曆元年王籥刻本，南圖。半葉十行二十一字，白口，四周雙邊。版心記刻工。有萬曆元年李己序、王永壽、王籥等跋。首鈐「翰林院印」滿漢文大官印。又鈐「詩龕書畫印」、「詩裏求人，龕中取友，我裒如何，王孟韋柳」、「雲間」、「存雅樓弘農氏珍藏」、「韓氏藏書」、「丁氏八千卷樓藏書記」等印記。

171 函山先生集

十卷，明劉天民撰，清鈔本，吉林大學。半葉十二行二十二字，無格。前有萬曆二十四年李夢麟序云「敬付剞劂，嘉惠來茲」，知原本刻于萬曆二十四年，即是本所從出。首鈐「翰林院印」滿漢文大官印。又鈐「林汲山房藏書」、「周永年印」、「借書園印」、「二萬石齋」等藏印。則是本爲四庫館臣歷城周永年家借書園藏書經山東巡撫進呈者，《存目》注「山東巡撫採進本」，未得其實。卷內玄字缺末筆，胤、弘、曆均不避諱，蓋康熙間鈔本。

172 東原集

七卷，明杜瓊撰，清鈔本一冊，北圖。是本半葉九行二十字，無格。末有正德己卯俞弁跋。書衣有「乾隆三十八年十二月大學士兩江總督高晉送到東原集壹部計書壹本」長方木記。首葉鈐「翰林院印」滿漢文大官印。

173 東遊集

一卷，明黃金撰，明鈔本，北圖。半葉十行二十四字，藍格。首鈐「翰林院印」滿漢文大官印。又鈐「澤古堂藏書印」、「詩龕書畫印」、「曾在趙元方家」等印記。書衣有某氏題簽：「東游集。翰林院官書，法梧門曾藏。」

174 白洛原遺稿

八卷，明白悅撰，明隆慶元年皇甫汸刻本，上圖。半葉九行十八字，白口，四周雙邊。首鈐「翰林院印」滿漢文大官印。又鈐「陽湖陶氏涉園所有書籍之記」朱文長方印。是本寫刻甚精。

175 寒邨集

四卷附錄一卷，明蘇志皐撰，明嘉靖三十六年許應元刻隆慶增修本，北圖。半葉十一行廿一字，白口，四周單邊。前有嘉靖三十六年張珩序，後有三十六年汪萊跋。卷四末有「蘇州李澍謄寫，張溱、李孫、李福、錢周雕造」一行。版心刻工：蘇人張溱刻。卷四末附郭秉聰撰蘇志皐暨夫人合葬墓誌銘，爲隆慶時作，字體不同，顯係增刻。首鈐「翰林院印」滿漢文大官印。又鈐「曾藏周亮工家」、「長洲章氏所藏」等印記。

176 水部稿

三卷，明許應元撰，明嘉靖刻本，三冊，原北平圖書館藏書，現存台北故宮博物院。半葉八行十七字。前有楊元序，後有嘉靖二十五年丙午趙鳴鳳後序。首葉鈐「翰林院印」滿漢文大官印。趙萬里《北平圖書館善本書志》、王重民《中國善本書提要》著錄。

177 王槐野先生存笥稿

二十卷續集九卷，明王維楨撰，明萬曆七年尹應元、徐學禮刻本，清華大學藏。半葉九行二十字，白口，四周單邊。劉薔女史云：首葉鈐「翰林院印」滿漢文大官印，書衣有「乾隆三十八年十一月浙江巡撫三寶送到汪汝瑮家藏存笥稿集壹部計書拾本」長方木記，是四庫進呈本。澤遜按：《存目》所據係江蘇進呈二十卷本，無《續集》九卷，未若清華藏汪汝瑮呈本完足也。

178 青蘿館詩

六卷，明徐中行撰，明隆慶五年汪時元刻本，北大。半葉九行十八字，白口，四周單邊。題：「吳興徐中行著，門人新都汪時元校刻。」首鈐「翰林院印」滿漢文大官印。

179 蘇山選集

七卷，明陳栢撰，明萬曆十五年陳文燭刻本，二冊，北圖。半葉八行十六字，白口，四周雙邊。版心刻工：鄒邦達刻、姜伯勝刊。首葉鈐「翰林院印」滿漢文大官印，書衣有「乾隆三十八年十一月浙江巡撫三寶送到孫仰曾家藏蘇山選集壹部計書貳本」長方木記。又粘兩籤，其一曰：「此序應抽出銷毀」，鈐「纂修梁上國」印記。其一曰：「陳栢仕在嘉隆間，其詩文內所言邊事皆別有所指，似無違礙。」可藉知當時審查狀況。書衣又鈐「吳裕德印」白文小方印。

180 勾漏集

四卷，明顧起綸撰，明鈔本，四冊，北圖。半葉九行十八字，藍格。無序跋，前有目錄。首鈐「翰林院印」滿漢文大官印。又鈐「詩龕書畫印」、「詩裏求人，龕中取友，我褱如何，王孟韋柳」、「曾在周叔弢處」等印記。

181 金栗齋先生文集

十一卷，明金瑤撰，明萬曆四十一年瀛山書院刻本。原北平圖書館藏書，現存台北故宮博物院。半葉九行二十字，白口，單邊。總目後題「萬曆四十一年癸丑菊月刻於瀛山書院」，次列名：「外孫邑庠生汪從龍、汪時震、內侄國子生汪嗣志、外曾孫邑庠生汪鍾日、國子生汪繼美同校梓。」刻工：黃奇、黃德聚、黃大年等。首葉鈐「翰林院印」滿漢文大官印。

182 銅馬編

二卷，明楊德周撰，明崇禎刻本，二冊，原北平圖書館藏書，現存台北故宮博物院。半葉九行十八字。有崇禎七年費道用序。首鈐「翰林院印」滿漢文大官印，書衣有「乾隆三十八年十一月浙江巡撫三寶送到銅馬編壹部計書貳本」長方木記。又鈐「四明盧氏抱經樓珍藏」印。王重民《中國善本書提要》、趙萬里《北平圖書館善本書志》著錄。

183 白雪堂詩稿一卷

明李嵩撰，明末刻本，中國科學院圖書館。是本八行二十字，白口，單邊。前有萬元吉序。首葉鈐「翰林院印」滿漢文大官印。

184 采芝堂集

十六卷，明陳益祥撰，明萬曆四十一年刻本，北大。半葉九行十八字，白口，左右雙邊。前有萬曆四十一年徐𤊹序。首鈐「翰林院印」滿漢文大官印，又鈐「藝風過眼」、「藝風堂藏書」、「繆荃孫藏」等印。卷十六鈔配。按：著者陳益祥，《存目》誤作周益祥，當據原書改正。

185 華鄂堂詩稿二卷研山十詠一卷

清周彝撰，清康熙刻本，北圖。半葉九行二十一字，白口，四周單邊，《研山十詠》十行十九字，黑口，左右雙邊。無序跋。首鈐「翰林院印」滿漢文大官印。書衣有「乾隆三十九年正月江蘇巡撫薩載送到周厚堉家藏華鶚堂詩稿壹部計書壹本」長方木記。又鈐「雲間第八峯周氏藏書」、「孫壯藏書印」等印記。

186 冰壑詩集

六卷，清朱令昭撰。《中央圖書館善本書目》：「清周永年進呈舊鈔本。」按：此本題「歷城朱令昭次公」，有乾隆二十八年癸未宋弼序，乾隆二十九年甲申張象恩序。書衣有「乾隆四十三年正月翰林院編修周永年交出家藏冰壑詩集壹部計書貳本」長方木記。首葉鈐「翰林院印」滿漢文大官印。

187 金華文統

十三卷，明趙鶴編，金華胡氏夢選樓藏明正德刻本，六冊，前有翰林院大印。（《文瀾學報》民國二十六年第二卷第三第四期合刊《浙江省文獻展覽會專號》）

188 彤管新編

八卷，明張之象編，明嘉靖三十三年魏留耘刻本，北圖。半葉十行十八字，白口，左右雙邊。卷端題：「雲間張之象玄超采撰，吳門魏留耘夏甫校梓。」首鈐「翰林院印」滿漢文大官印。

189 西曹秋思

一卷，明葉廷秀、董養河、黃道周撰。清鈔本，北圖。半葉十二行二十字，無格。首鈐「翰林院印」滿漢文大官印。有葉廷秀序，萬銑印跋。

190 蕭氏世集

三卷，清蕭伯升編，清初刻本三本，中央圖書館藏。書衣有「乾隆三十□年□月山東巡撫徐積送到蕭氏世集一部計書三本」長方木記，首葉鈐「翰林院印」。即《存目》所據山東巡撫採進本也。

191 古文輯略

不分卷，清曹本榮編，清鈔本，九十四冊，九百餘葉，前有目次，首鈐「翰林院印」滿漢文大官印。半葉九行二十字。卷內玄作元，禎作禎，弘作宏，是乾隆間鈔呈四庫館者，江西省圖書館藏。

192 藕居士詩話

二卷，明陳懋仁撰，清鈔本，北圖。半葉九行十八字，無格。前有自序。首鈐「翰林院印」滿漢文大官印。又鈐「玉硯堂」、「曹秉章印」、「牡盦藏」、「詩龕書畫印」、「曾在趙元方家」等印記。

193 綠天耕舍燕鈔

四卷，題「畊舍主人雪疇子輯閱」，清鈔本，北圖。半葉九行二十一字，無格。無序跋。首鈐「翰林院印」滿漢文大官印。書衣有「乾隆三十八年七月兩淮鹽政李質穎送到綠天耕舍燕鈔壹部計書貳本」長方木記。

194 名家詞鈔

三十種三十卷，清聶先、曾王孫編，清康熙刻本，北圖。半葉九行二十字，黑口，四周單邊。首鈐「翰林院印」滿漢文大官印。書衣有「乾隆三十八年十一月浙江巡撫三寶送到汪啓淑家藏名家詞鈔壹部計書捌本」長方木記。卷內又鈐「潯陽陶氏藏書畫之章」朱文方印。

一九九八年三月十四日初稿，六月十六日修訂于槐影樓

《四庫全書存目叢書》的徵訪及其著錄

羅 琳*

《四庫全書存目叢書》的編纂有別於前人編纂的各種叢書，如《百川學海》、《說郛》等的一個最顯著的特點是：它是在一個前人劃定的目錄範圍，即《四庫全書總目・存目》的目錄範圍內進行編纂的。從理論上講，在編纂時對於編入《四庫全書存目叢書》內的4508種書的內容，即這些書的文獻及史料價值不必進行遴選和考證；不必對這些書進行分類和編排；應選擇使用清乾隆或清乾隆之前的刻本、鈔本等版本。因此，編纂《四庫全書存目叢書》剩下的最核心和最重要的工作就是：對《四庫全書總目》中的6793條〈存目提要〉所描述的典籍進行徵訪、剔重和揉和一個適合著錄《四庫全書存目叢書》的目次和書名的變通格式，對收入《四庫全書存目叢書》內的4508種書進行統一著錄。

一、徵訪原則

《四庫全書存目叢書》的徵訪原則是在實際編纂工作中逐漸形成

* 《四庫全書存目叢書》編纂委員會編目室主任；中國科學院圖書館文獻部副主任、副研究館員。

和確定的，它的主要原則有兩條：

㈠文獻的完整性

這是徵訪工作堅持的第一原則。所謂的完整性是指不缺卷的足本，足本是入選《四庫全書存目叢書》的基本要求。

①如徵訪到之書是殘本，必需配補。如《四庫全書存目叢書》子部第235冊：《三體摭韻不分卷》〔清〕朱昆田輯　北京師範大學圖書館藏清鈔本　原缺庚青蒸三韻用上海圖書館藏清鈔本配補。

②如《四庫全書總目》〈存目提要〉描述的典籍為殘本，今徵訪到全本者，則用全本。如《四庫全書存目叢書》子部第83冊：《祝子罪知錄十卷》〔明〕祝允明撰　中國科學院圖書館藏明萬曆刻本；而〈存目提要〉為《祝子罪知七卷》，云：「《千頃堂書目》載《祝子罪知十卷》。此本僅七卷，而佚去八、九、十，三卷。」

③如《四庫全書總目》〈存目提要〉在描述此典籍時言未見，今徵訪到，則一併收入。如〈存目提要〉《宰相守令合宙十三卷》云：「是書序文題曰《宰相守令合宙》，而此本十三卷，乃有「宰相」而無「守今」，蓋非完書矣。」我從蘇州市圖書館訪得明崇禎刻《宰相十三卷》，又從天津圖書館訪得明崇禎刻《守令十一卷》；故合而收之，見《四庫全書存目叢書》史部第109冊《宰相守令合宙二十四卷》。

根據我的編目統計，《四庫全書存目叢書》原有二百多種書缺卷，經過配補仍有97種書缺卷。此97種書的缺卷，主要有以下幾種情況：

①清四廣館臣見到的就是缺卷殘本。如〈存目提要〉《周易贊義

七卷》云：「原書十有七卷，其門人涇陽龐俊繕錄藏於家，河南左參政莆田鄭絅爲付梓。今本僅存七卷，繫辭上傳以下皆佚。」而《四庫全書存目叢書》經部第3冊的《周易贊義十七卷（存卷一至卷六 繫辭上）》與〈存目提要〉的描述完全吻合。

②現存傳世的即爲缺卷孤本。如《四庫全書存目叢書》史部第33冊《書系十六卷（原缺卷十四至卷十六）》〔明〕唐大章撰 遼寧省圖書館藏南明隆武刻本，爲缺卷孤本。

③《四庫全書總目》〈存目提要〉所描述的典籍是「四庫抽毀書」。如《四庫全書存目叢書》子部第13冊《王門宗旨十四卷（存十一卷）》〔明〕周汝登輯 浙江圖書館藏明萬曆徐懋孽刻本，即爲「抽毀書」，《清代禁毀書目》云：「查《王門宗旨》，係明周汝登撰，書中書徐調元卷一篇，語有駁雜，應請抽毀。」又子部第106冊《宙合編□卷（存泰貞在鈞說藪三門）》〔明〕林兆珂撰 浙江圖書館北京圖書館分館藏明刻本，此書亦爲「抽毀書」《清代禁毀書目》云：「查《宙合編》，係明林兆珂撰，書內疊字集建元一條、連字集邊防一條，字面偏駁，應請抽毀。」

④《四庫全書總目》〈存目提要〉所描述的典籍之目錄與內容不符，即有目而未刻正文。如《四庫全書存目叢書》集部第371冊《書記洞詮一百二十卷目錄十卷（卷一百十七至卷一百二十未刻）》〔明〕梅鼎祚輯 蘇州市圖書館藏明萬曆二十五年至二十七年汝南郡刻本。

㈡文獻的版本標準

文獻版本級別愈高與文獻完整性的矛盾愈大；版本年代愈早，文獻殘缺破損的情況愈嚴重。但文獻的完整性是第一原則，故遇此矛盾時只能降低版本級別，所以在拍攝目錄中，一般都盡可能地標注多個版本和多個藏處。

①一般選用初刻單行本。

②同一種書同時有刻本和鈔本時，一般選用刻本。

③一般選用「進呈本」。如《四庫全書存目叢書》史部第56冊《安南使事紀要四卷》〔清〕李仙根撰　北京圖書館藏清鈔本，此爲「四庫進呈本」；另外還徵訪到清康熙八年刻本、舊鈔本等。

④如有早於《四庫全書總目》〈存目提要〉所言版本者，選用較早的版本。如〈存目提要〉《慮得集四卷附錄二卷》〔明〕華悰韡撰，云：「後其八世孫繼祥校刊」，今訪得明嘉靖十一年華從智刻本和明萬曆四十三年華繼祥刻本，最後選定用早於〈存目提要〉所言的華繼祥刻本的明嘉靖十一年華從智刻本，見《四庫全書存目叢書》子部第83冊。

⑤如無早於清乾隆刻本，則退而選用晚於清乾隆之刻本、重刻本、增修本、補刻本或鈔本等。

⑥如清乾隆刻本和早於清乾隆刻本均漫漶破損，則退而選用清乾隆之後的刻本或鈔本。

二、重複問題

《四庫全書存目叢書》的重複問題是一個最爲複雜的問題。由於《四庫全書存目叢書》的編纂不單純是一個學術活動，在很大程度上變成了一個商業活動，商業運作的時間性極大地限制了《四庫全書存目叢書》編纂中所應有的學術研究，所以，剔除重複的工作主要限於目錄的對比、提要的研讀，而用文獻內容進行逐卷逐句地比較、分析工作等並未全部進行。《四庫全書存目叢書》的重複形式主要有四種：

1.「存目」與「存目」的重複。如存目《春秋讀意一卷》和存目《周禮因論一卷》均見存目《木鐘臺集》中，《木鐘臺集》見《四庫全書存目叢書》子部第162冊，故不收《春秋讀意一卷》和《周禮因論一卷》。

2.「存目」與「著錄」的重複。如存目《史通會要三卷》，見著錄《儼山外集三十四卷》中，故不收《史通會要三卷》。

3.「存目」爲「著錄」之別行僞本。如〈存目提要〉《周易輯說明解四卷》題〔宋〕馮椅撰，云：「椅有《厚齋易學》已著錄，此其別行之僞本也」，《厚齋易學五十二卷》是著錄之書，故不收《周易輯說明解四卷》。

4.「存目」爲「著錄」之殘本。如存目《殘本唐語林二卷》是著錄之書《唐語林八卷》之殘本，故不收《殘本唐語林二卷》。

三、剔除重複的方法

《四庫全書存目叢書》剔除重複是我在編目時耗時最多的工作，一般用下面三種方法剔除重複。

1.閱讀〈存目提要〉，將〈存目提要〉所言重複之書剔除。如存目《天問天對解一卷》〔宋〕楊萬里撰，〈提要〉云：「已載入《誠齋集》中，此其別行本也。」《誠齋集一百三十三卷》見別集著錄，故據〈存目提要〉剔除《天問天對解一卷》。

2.著者檢索法。將〈存目提要〉所言著者在《四庫全書總目》著者索引中檢索出其所著有的所有著作之提要，包括「存目」的與「著錄」的提要，將這些提要反覆對比，然後剔除重複。如存目《方舟易學二卷》〔宋〕李石撰，〈提要〉云：「《永樂大典》所載《左氏君子例》、《詩如例》、《詩補遺》及此書，皆題曰《李石方舟集》，則是四書皆其集中所載……今《方舟集》已於《永樂大典》中裒輯成帙，此四書亦仍其舊例，併入集中，故不復重錄，而附存其目於此焉。」檢索《四庫全書總目》著者索引，李石還著有：存目《左氏君子例一卷詩如例一卷詩補遺一卷》、存目《續博物志十卷》、著錄《方舟集二十匹卷》；《方舟集二十四卷》〈提要〉云：「浙江採進遺書中有石所撰《易十例略》、《互體例》、《象統》、《左氏卦例》、《詩如例》、《左氏君子例》、《聖語例》、《詩補遺》諸篇，皆題門人劉伯龍編，而帙首一行乃標曰「方舟先生集勘驗」。《永樂大典》所錄《經說》諸篇，與浙江本無異，而其前冠以「方舟集」字，亦與浙江本同，蓋本附入集中，後全集散亡，僅存此《經說》，今仍別爲六卷，附之於後，以還其舊焉。」又查閱影印本文淵閣《四庫全書·方舟集》，其末六卷爲《方舟經說》，《方舟經說》之前二卷即是《方舟易學》，故《方舟易學二卷》、《左氏君子例一卷詩如例一卷詩補遺一卷》爲重複，均剔除。

3.將《四庫全書總目·著錄》之叢書及子目開列清單，用〈存目提要〉所言之書在著錄叢書的子目中檢索，剔除重複。如存目《三朝野史一卷》，見著錄叢書《古今說海一百四十二卷》的子目，故剔除《三朝野史一卷》。

《四庫全書存目叢書》在編目工作中剔除重複之書共218種，其中經部17種，史部96種，子部61種，集部44種。

四、徵訪要求

向各圖書館提出的徵訪要求的詳略，對徵訪結果是十分重要的。《四庫全書存目叢書》是以子部、史部、經部、集部順序展開編纂的，故徵訪工作亦以此順序展開。〈子部徵訪目錄〉的徵訪要求由於是初始階段，故比較簡單，只注明：「此目錄僅查訪貴館的單刻本、鈔本，請將徵訪情況略注於目錄之後。」集部的徵訪工作是在子、史、經三部的經驗上完成的，故〈集部徵訪目錄〉的徵訪要求在徵訪說明中比較詳細：

> 此目錄僅查詢貴館所藏的單刻本、叢書本、鈔本、活字本、稿本、石印本、排印線裝本、影印本。此目錄所開列的書名及卷數爲四庫館臣所定，與貴館所收藏同內容書之書名、卷數多有差異，如能從編撰者和分類角度查找，或可避免出現因同書異名、異卷而漏查的情況。請將查訪結果，包括書名（叢書名、同書異名）、卷數（殘卷缺頁情況）、編撰者、版本、書品，填寫在目錄右側。

所以，集部的徵訪結果是四部中最好的。

五、目錄和徵訪結果

我於1994年4月開始編製〈子部工作目錄底本〉，〈子部工作目錄底本〉的編製標誌著《四庫全書存目叢書》編纂工作的開始。1994年9月開始編製了〈史部工作目錄底本〉；1995年8月開始編製了〈經部工作目錄底本〉；1995年11月開始編製了〈集部工作目錄底本〉。這些「工作目錄底本」是編纂《四庫全書存目叢書》的完整原始檔案。〈工作目錄底本〉記錄了如下內容：

1.每一篇〈存目提要〉均有一個記錄號。這個記錄號是貫穿於整個編纂過程中恒定不變的，這個記錄號是特爲檢索中華書局1965年6月出版的《四庫全書總目》之〈存目提要〉而設定。

2.〈存目提要〉之內容。將中華書局本《四庫全書總目》〈存目提要〉複印剪貼後分別附於各條記錄號之下，以利於隨時核查。

3.把從各種書本式目錄（如：《中國古籍善本書目》、《中國叢書綜錄》、《北京圖書館古籍善本書目》、《臺灣公藏善本書目書名索引》、《國會圖書館藏中國善本書錄》等）中查訪到的〈存目提要〉所描述之書的各種版本抄錄於提要旁。

4.將已知此篇〈存目提要〉所描述之書的各種版本的收藏處抄錄於版本之下。

5.將此書是否屬於重複、此書的重複參見、此書的同書異名和一些其它的備注項標注於提要旁。

從這些「工作目錄底本」中衍生出了以下幾套主要目錄：

1.〈徵訪目錄〉　徵訪目錄是由以下幾個因素決定產生的：已剔除重複的書不在此目中；已從各種書本式目錄中徵訪到並有三個和三個以上收藏處的書不在此目中（少於三個收藏處，不利於配補和因書品劣次而需要調換拍攝處）；已知的版本晚於清乾隆，仍將在徵訪目錄中徵訪清乾隆或清乾隆之前的刻本、鈔本等版本。

1994年5月和1994年7月我分兩次向31個圖書館寄出了〈子部徵訪目錄〉共1510條；收回27份經過查訪的〈子部徵訪目錄〉；在〈子部徵訪目錄〉的基礎上，1994年10月初我編製出了「子部」的著錄用工作目錄、總拍攝目錄、分館拍攝目錄等。1994年10月25日我向35個圖書館寄出了〈史部徵訪目錄〉共880條；兩個月後收回28份經過查訪的〈史部徵訪目錄〉；28個圖書館中主要有上海圖書館訪到194條，北京大學圖書館訪到158條，中國科學院圖書館訪到147條，南京圖書館訪到107條，北京圖書館分館訪到103條；1995年5月26日我編製出了「史部」的著錄用工作目錄、總拍攝目錄、分館書品查核拍攝目錄、剔除重複目錄等。1996年1月我向42個圖書館寄出了〈經部徵訪目錄〉共610條；兩個月後收回40份經過查訪的〈經部徵訪目錄〉；40個圖書館中主要有北京大學圖書館訪到80條，中國科學院圖書館訪到60條，南京圖書館訪到60條，故宮博物院圖書館訪到50條，北京圖書館分館訪到43條，浙江圖書館訪到40條；1996年6月8日我編製出了「經部」的著錄用工作目錄、總拍攝目錄、分館書品查核拍攝目錄、剔除重複目錄等。1996年5月25日我向63個圖書館寄出了四部中的最後一部，即〈集部徵訪目錄〉共1380條；兩個月後收回55份經過查訪的〈集部徵訪目錄〉；55個圖書館中主要有南京圖書館訪到340條，中國科學院圖書館訪到295條，北京大學圖書館訪到255條，上海圖書館訪到250條，北京圖書館分館訪到211條，浙江圖書館訪到115條，清華大學圖書館訪到110條；1996年10月12日我編製出了「集部」的著錄用工作目錄、總拍攝目錄、分館書品查核拍攝目錄、剔除重複目錄等。

2.〈剔除重複目錄〉　四部合計剔除重複之書共218種。

3.〈暫未徵訪到書目錄〉　經部292種，史部305種，子部672種，集部439種。

4.〈著錄用工作目錄〉　此目錄是在徵訪目錄結果的基礎上完成的。著錄用工作目錄中的每一條記錄都包含著我對徵訪結果的甄別意見和初步結論，這是一套可操作目錄。最終的著錄是以此目錄爲基礎進行修改完成。它包括：記錄號；提示說明；實際書名和卷書；〈存目提要〉所言書名和卷數；作者和朝代；第一版本（首選版本）；第一版本之第一收藏處；第一版本的備用收藏處；第二版本及收藏處；第三版本及收藏處。

5.〈總拍攝目錄〉　此目錄按記錄號順序編排，用於調換拍攝處和配補缺卷之用。

6.〈分館書品查核拍攝目錄〉　此目錄按記錄號順序編排，集合某一收藏處拍攝的某一部類的所有書。

7.〈版本目錄〉　此目錄將同一版本的書集合在一起，特別是將同一叢書的子目聚集在一起，便於著錄比照和統計版本。如從史部版本目錄統計出史部共使用了「明嘉靖吳郡袁氏嘉趣堂刻《金聲玉振集》」14種子目。

8.〈稿件製做、審查流程目錄〉

正是由〈工作目錄底本〉衍生出的這八套目錄支撐著編纂《四庫全書存目叢書》的各個工作環節。

六、關於「子部・雜家類」中叢書的取捨

《四庫全書總目》「存目・子部・雜家類」中有大小幾十種叢

書，這些叢書的子目大都散見於著錄和存目中，如將道些叢書全部影印出版，必然有一部分與著錄重複，或存目的此叢書子目與存目的彼叢書子目相重複，而且，這些叢書大都並不稀見，因此，這些叢書未被收錄進《四庫全書存目叢書》，而是將其散見於存目中的子目書剔除重複後收入《四庫全書存目叢書》，同時，也可將盡量多的提要附於這些子目書之後，使提要發揮更大的作用。

《四庫全書存目叢書》未收錄的「存目·子部·雜家類」叢書如下：《邱陵學山》、《兩京遺編》、《紀錄彙編》、《今獻彙言》、《天學初函》、《合刻五家言》、《夷門廣牘》、《鹽邑志林》、《格致叢書》、《天都閣藏書》、《津逮祕書》、《漢魏別解》、《快書》、《廣快書》、《稾古介書》、《群芳清玩》、《學海類編》、《昭代叢書》、《檀几叢書》、《秘書》等等。

七、著錄原則

著錄工作是《四庫全書存目叢書》編纂過程中最容易產生錯誤的地方。著錄工作主要是對書名、卷數、作者、作者朝代的考訂以及對版本的鑒定，和用一個簡明的、變通而又規範的格式對收入《四庫全書存目叢書》內的4508種書進行統一著錄。著錄工作涉及到目錄學、版本學等幾乎古文獻學的各個方面以及圖書館古籍編目等。

《四庫全書存目叢書》著錄原則的條理化並見諸文字是我將子部著錄完畢之後總結歸納出的。著錄原則全文如下：

《四庫全書存目叢書》書名頁和目次頁中各項著錄之原則

子部261冊已於1995年10月25日全部做完書名頁和目次頁，此原則即是在此過程中逐步趨近完善的。現將各項著錄之原則解釋如下，以便核查和更加完善。

一、《四庫全書總目》每篇提要的文字敘述對於書名頁和目次頁中各項著錄只作參考。

二、書名項：一般以首卷卷端之書名爲著錄書名，如無明確書名，參照《中國古籍善本書目》、《四庫全書總目》、各館藏之著錄或版心、序跋、書牌等著錄。

三、朝代項：

1.跨朝代者以《四庫全書總目》著錄定。如：《新編事文類聚翰墨全書》，《四庫全書總目》著錄爲「〔宋〕劉應李撰」《四庫全書總目》順序此條前後均爲宋人，北京圖書館著錄爲〔元〕，故按《四庫全書總目》著錄爲〔宋〕。

2.如出現兩人或兩人以上屬同一朝代，只在第一人前冠以朝代；屬不同朝代，則分別冠以朝代，如：「《傷寒分經十卷》〔漢〕張機撰〔清〕喻昌增注　吳儀洛訂」。

四、作者項：

1.《四庫全書總目》著錄多有錯誤，常因避諱改字，或將掛名者著錄爲撰輯者，故撰輯者均根據所採用之書著錄。

2.「撰」、「輯」兩概念有時較模糊，故著錄時根據所採用書之內容斟酌而定。

3.是否是僞書，不以《四庫全書總目》判斷爲準，故撰輯者前是否加「題」字是以採用之書斟酌而定。

五、殘存著錄項：

1.「原缺」和「存」只是對「卷」而言，所表達的意思是一樣的，只是爲了用盡量少的文字表達清楚而已。「原缺」和「存」包含兩種情況，一種是原本有目無書，刻書或鈔書時即缺或未刻未鈔；一種是此書在流傳過程中遺失，出現殘缺，又無法配補者。

2.原書殘缺又不知卷數的著錄爲「□卷」，如：「《草書集韻□卷》（存二卷）》」。

六、館藏項：

1.同一版本殘缺，不同藏館互補，互補館名均著錄，但不標著某館補某卷。但不同版本配補缺卷，均標著某卷用某館某版本配補，如「《文選雙字類要三卷》〔宋〕蘇易簡撰　上海圖書館藏宋淳熙八年池陽郡齋刻紹熙三年重修本　原缺卷中用南京圖書館藏明嘉靖十九年姚虞等刻本配補」。

2.從史部開始，影印本均不著錄館藏。

七、版本項：

1.所用爲叢書本，版本著錄一般按《中國叢書綜錄》著錄。

2.各藏館拍攝卡上著錄之版本項只是實際版本著錄的重要參考，版本著錄均需鑒定實際採用之書。

編目室

1995年10月27日

從1994年10月到1997年2月，我著錄了《四庫全書存目叢書》全部子部261冊，全部史部292冊和經部49冊，共602冊的書名頁和目次頁。

八、書名頁著錄舉例

1.「書名」著錄實例

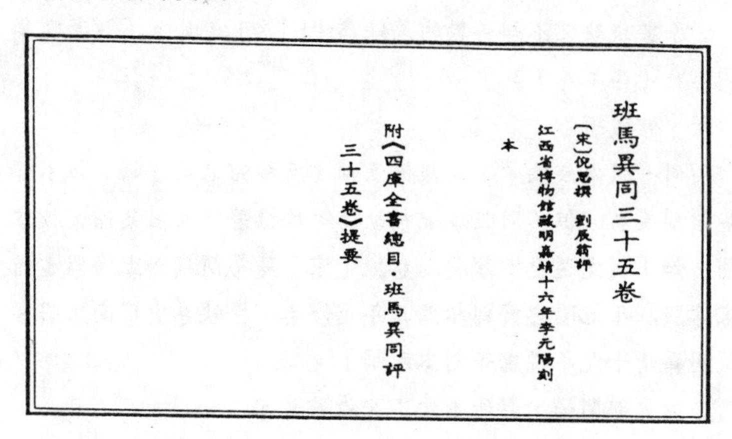

班馬異同三十五卷

(宋)倪思撰　劉辰翁評

江西省博物館藏明嘉靖十六年李元陽刻本

附《四庫全書總目·班馬異同評三十五卷》提要

2.「卷數」著錄實例

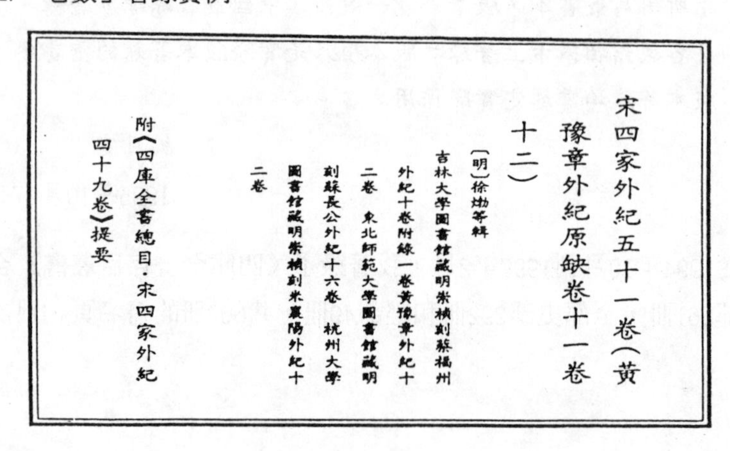

宋四家外紀五十一卷(黄豫章外紀原缺卷十一卷十二)

(明)徐𤊹等輯

吉林大學圖書館藏明崇禎刻蔡福州外紀十卷附錄一卷黄豫章外紀十二卷　東北師範大學圖書館藏明刻蘇長公外紀十六卷　杭州大學圖書館藏明崇禎刻米襄陽外紀十二卷

附《四庫全書總目·宋四家外紀四十九卷》提要

3.「著者」著錄實例

蕭山水利二卷續刻一卷三刻三卷附蕭山諸湖水利一卷

(明)富玹撰　續刻三刻(清)張文瑞輯　附(明)賈應璧撰

浙江圖書館藏清康熙五十七年雍正十三年孝友堂刻本

附《四庫全書總目·蕭山水利書初集二卷續集一卷三集三卷附集一卷》提要

4.「版本」著錄實例

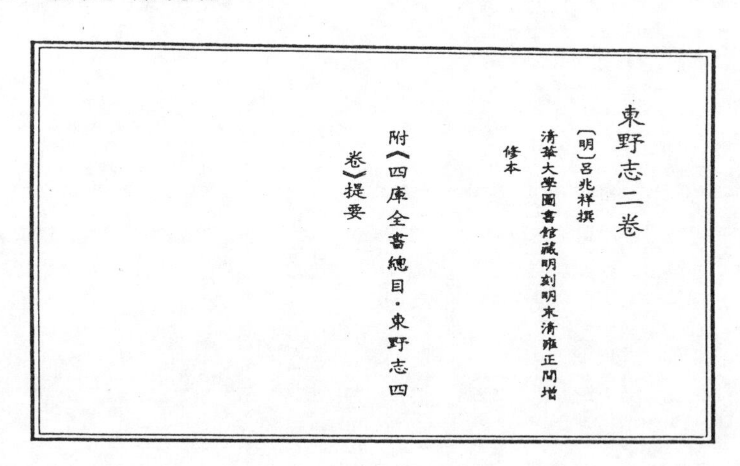

東野志二卷

(明)呂兆祥撰

清華大學圖書館藏明刻明末清雍正間增修本

附《四庫全書總目·東野志四卷》提要

5.「叢書名」著錄實例

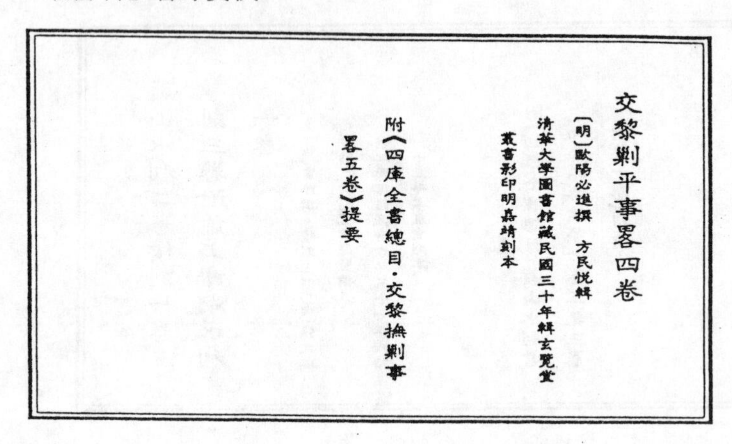

交黎剿平事畧四卷

（明）歐陽必進撰　方民悅輯

清華大學圖書館藏民國三十年輯玄覽堂
叢書影印明嘉靖刻本

附《四庫全書總目·交黎撫剿事
畧五卷》提要

編印《四庫全書存目叢書》側記

張 建 輝*

一、《四庫全書存目叢書》的提出及其運作

清乾隆時編纂的《四庫全書》收錄典籍3461種，將6793種書列爲存目（據中華書局1965年影印的《四庫全書總目》統計）。收入《四庫全書》的「著錄書」有七閣的鈔本傳世，流傳至今的尙有四部，其中文淵閣本幾經影印出版，傳本更多；而列爲存目之書，其命運迥然不同。時至今日，當年進呈原本的「存目書」已很稀見，大多數以別本流傳，存世者僅有5000種左右，有近三分之一已經亡佚。《四庫全書》編成後的二百多年間，曾有續修《四庫全書》的計劃，其收書範圍包括部分「存目書」。1992年，在北京召開的一次古籍整理規劃會議上，胡道靜、周紹良兩先生提出「四庫存目」中有許多有價值的書，應系統調查「存目書」的現存狀況，並在此基礎上編纂出版《四庫全書目叢書》。

編印《四庫全書存目叢書》的正式計劃是1992年底由民間機構「中國東方文化研究會歷史文化分會」提出的，此計劃很快得到「國

* 《四庫未收書輯刊》副主編。

務院古籍整理出版規劃小組」的批准，1992年12月23日簽發的《國務院古籍整理出版規劃小組關於編纂出版〈四庫全書存目叢書〉的批復》中批示道：「編纂出版《四庫全書存目叢書》的設想很好，這對於保存和搶救文化典籍，推動學術研究，弘揚優秀傳統文化，都具有重要意義。這套書規模大，搜集、編纂之功不易，並需有相當數量的經費，希望「東方文化研究會歷史文化分會」能周密規劃，並向海內外社會各界積極籌款，取得更廣泛的支持，爭取早日把這套書編好出版」。很快「歷史文化分會」便牽頭成立了「《四庫全書存目叢書》編纂出版工作委員會」，開始籌措資金、組織人員，進行《四庫全書存目叢書》編纂、出版的運作。

1994年中，《四庫全書存目叢書》的編纂出版進入實質性運作階段。國家文物局、國家教育委員會和文化部先後給各自的下屬單位發文，指示積極支持和密切配合《四庫全書存目叢書》的編纂出版工作，提供查閱和複製有關古籍的便利，並在收費上給予優惠，體現了編纂出版《四庫全書存目叢書》「官助民辦」的特色。經過三年多的努力，至1997年10月，全書按計劃出齊。

《四庫全書存目叢書》能如期完成得益於「官助民辦」運作模式的高效率，是學術活動與商業活動的成功結合，它爲大型學術文化工程的建設提供了新的思路。正在編纂之中的幾套「四庫系列叢書」均借鑒了《四庫全書存目叢書》的經驗和模式，對《四庫全書》進行全面的增補和完善。所以說《四庫全書存目叢書》編纂出版成功的意義已經超出了系統調查整理「存目書」的範疇。

二、《四庫全書存目叢書》的編纂

《四庫全書存目叢書》的編纂原則可概括爲：尊重歷史，保存文獻，整舊如舊，保持原貌。如《四庫全書總目》對「存目書」的評價多有失當之處，但考慮到〈提要〉畢竟是歷史的產物，某種書有無價值應由讀者做出評判，故《四庫全書存目叢書》的每種書後均附有該書武英殿版提要，供讀者參考。又如複製和製作稿件，有多道工序，每一環節均力爭保持原書的本來面目，除對複製製作過程中新產生的污迹進行清除外，不對原書的文字圖像進行任何修改，以做到保持原貌。這些原則貫穿於編纂的每一項具體工作中。

下面按編纂工作的流程分別介紹《四庫全書存目叢書》編纂的主要環節：

(一)調查編目

編目主要是調查「存目書」的傳世情況，並從傳本中選出一個較好的作爲底本收入《四庫全書存目叢書》，所謂「好」主要是指舊刻舊鈔、不缺不訛。

編目調查的第一步是利用各種古籍目錄、工具書，如《中國古籍善本書目》、《中國叢書綜錄》、《北京圖書館古籍善本書目》等等，通過這樣的間接手段能便捷地初步了解「存目書」的現存狀況。經過書本目錄的初步查訪，再將哪些未訪到的書和已訪到但版本不理想、收藏單位數量不多的書列作待訪目錄，交由數十家圖書館、博物館等有一定古籍收藏量的機構查訪。經過兩步查訪，對「存目書」的傳世現狀就有了一個比較全面的掌握。凡一書有那些版本傳世，每一版本有那些藏所，均在總目錄中做出標注，以備編纂工作的後續工序所用。對那些與《四庫全書》重複，和存目內部自相重複者，從總目錄中剔出，不收入《四庫全書存目叢書》。

調查編目是《四庫全書存目叢書》編纂工作的核心，學術性較強，爲拍攝複製、編輯書稿等各項編纂業務的開展提供具體操作的依據。

㈡複　製

複製是根據編目調查提供的「書品查核、拍攝目錄」爲依託，從公藏或私藏者手中複製底本，作爲編纂的原始素材。複製先要查核書品，書品包括內容和形式兩個方面：一是看是否有缺損，追求足本，盡量保存完整的文獻，是編纂《四庫全書存目叢書》的基本方針；另外，還要看是否漫漶、水漬或蟲蛀，以至於複製效果不佳，印刷後的書無法使用。凡一書有多個版本的，編目時均已按選用標準排列了先後順序，查核書品時首先安排版本最好的，若最好版本的幾個底本書品均不理想，則退而求其次，依次類推，直到找到一個滿意的底本，方可投入複製。若某書確係孤本，則視其書品情況，只要書品尙可者，即使殘缺，一般也進行複製；極個別書品太次的，只得割愛。凡有殘缺卷的書，則盡量配補，務必配齊。

複製善本書一般採用拍攝縮微膠片的形式，非善本的可採用靜電複印。較大規模的圖書館一般都有拍攝設備，但各館的設備不盡相同，有拍16毫米膠卷的，有拍35毫米膠卷的，也有拍縮微平片的，各家採用的膠片型號也是多種多樣，無法要求統一。另外，拍攝人員操作時採用的光照強度，沖洗膠片時採用藥水的成份、溫度、時間等對膠片的質量均有影響。凡用縮微膠片複製的，均需先用專門的還原機將膠片上的圖像還原到紙張上，以便審查稿件。凡膠片的密度在0.6至1.3之間的，均可還原出高質量的複製件；密度偏高或偏低的，還原件失眞較多，或底灰較重，或字迹淺淡，無法製版印刷，凡遇這種情況，則需重新拍攝。

複製來的書稿首先要鑒定是否爲指定版本的某書，其中版本的鑒定尤爲重要。因鑒別工作是依託複製件，原件的紙張、墨色等無法取得直觀的認識，增加了鑒定的難度。各種藏書目錄中的記載，藏書機構對書的鑒定只作爲參考，因各家鑒定水平不齊，準確性大不一樣。編纂《四庫全書存目叢書》的過程中，即發現和糾正了不少原來的鑒定錯誤。

㈢纂修與稿件製作

纂修是將徵集到的「存目書」複製件按《四庫全書總目》的舊序分冊纂輯成書，審查並糾正底本原有的錯誤和複製製作過程中新產生的錯誤，並按製版印刷的要求，對複製件進行加工製作。審稿分三個步驟進行，依次是：初審、複審、終審。製作稿件分四個步驟進行，即拼版心、規範尺寸、拼貼上下欄、貼頁碼。審稿和製作稿件交叉進行，其工作流程是：初審→拼版心、規範尺寸、拼貼上下欄→復審→貼頁碼→終審。

複製來的原始稿件先要經過初審，標定順序。古書錯刻、錯裝、缺頁的現象很普遍，複製時不加甄別，嚴格按原書的順序進行；複製過程中也會帶來一些新的問題，如漏印、重印，遮擋，和因設備故障或操作不當引起的局部圖像失眞等等。初審就要解決這些問題，將顚倒錯亂理順，去除重頁，缺頁的則要粘貼「原缺某頁」的標識。初審時需要逐頁審讀，看前後的內容是否銜接，必要時要找同一書的其它版本互校。詳加審核後，一一標出順序號，作爲拼貼人員操作時的依據。初審遺漏的問題，到後續工序發現時再處理，有時會造成很大的麻煩。筆者在檢查成品稿件和印刷用藍樣時均發現過各式各樣的遺留問題。如子部《惜陰錄》一書有「卷五」及「又卷五」，版心中縫均作「卷五」，原底本將「卷五」的第四、五、六頁與「又卷五」的相應頁錯裝，我在檢查印刷藍樣時發現文義不通，予以糾正，幸好兩處位置對調即可解決問題，沒有內容增減，無需倒版。又如子部《纂圖互注四子書》中《纂圖互注老子道德經》前有《老氏聖紀圖》三頁，複製時將第二頁後半頁與第三頁前半頁拍攝了兩次，審查時沒有發現，將重複的內容都做入稿中，我在檢查藍樣時才發現問題，爲剔去重頁，整部書經過了重新製做，重新製做不僅費時費力，而且極易造成新的錯誤，類似的教訓很多。

古書每頁以版心爲界分爲前後兩個半頁，裝訂時兩個半頁即爲正反兩面。拍照或複印時一般不能拆書，這樣複製到一個畫面上的是相鄰兩頁前一頁的後半頁和後一頁的前半頁，需要按初審標定的順序拼貼版心，使一頁分開的前後半頁重新結合，恢復本來面目。古書的版心記載着許多重要的信息，如書名、卷次、頁數、分卷標題、刻工姓名、刻書鋪號，還有魚尾、黑口或白口等等，這些都是一種書版本特徵的顯著標誌，務必要保持原貌。拼貼版心時也可能出現新的錯亂、脫漏，故拼好後要經過嚴格的覆校。雖經反復核查，仍然發現有拼貼造成的錯誤遺漏，我在檢查藍樣時多次發現過類似問題。如：經部第

153冊《九經圖》一書中《儀禮圖》的第九十頁、九十一頁、九十二頁三頁版心拼接錯誤，將第九十頁的前半頁與第九十二頁的後半頁拼到了一起，將第九十一頁的前半頁與第九十頁的後半頁拼到了一起，將第九十二頁的前半頁與第九十一頁的後半頁拼到了一起，我在審查時發現文意不接，遂予糾正。

現存的存目書數量仍然巨大，爲控制《四庫全書存目叢書》的規模，採用縮小的辦法加大容量，在每一頁新製作的稿件中容納原書兩頁的內容，一頁在上，一頁在下。《四庫全書存目叢書》按標準16開本印製，以此規格設計頁面的大小，成品稿件上下欄總的高度爲209毫米，兩欄之間至少留出5毫米，縮小後原書一頁的高度不應超過102毫米（有眉批者含眉批），寬度最大不超過144毫米。具體操作時，根據原始複製件的高、寬，計算具體的縮放百分比，規定高、寬至少有一個達到要求的最大尺寸，兩者都不應超過規定的最大尺寸。用複印機將拼好版心的複製件縮小至統一尺寸後，粘貼到白色的底紙上，粘貼時總是保持上欄的頂端距下欄的底端209毫米，凡一欄的高度不足102毫米者，多餘的空間放到兩欄之間。每種書第一頁的上欄不貼原書的正文，預留新做書名頁的位置。

貼好上下欄後，交審稿人員復審，復審要檢查初審遺留的問題和拼版心、貼上下欄時造成的新的錯誤。復審完畢，貼新的頁碼。新頁碼爲橫式排法，貼於每頁稿件的下部，距下欄底端3毫米。新頁碼由部、冊、分隔符、頁數組成，如：子82－230，即表示是子部第82冊的第230頁。貼好頁碼的稿件由編目人員根據對全書審定的結果，爲每種書做「書名頁」，爲每冊書做「本冊目次」。「書名頁」類似於古書的牌記，內容包括書名、卷數、作者朝代和姓名、著作方式、版本、所用底本的藏所、補配情況，以及所附該書《四庫全書總目》中〈提要〉的書名，因〈提要〉書名與實際收書的書名經常有差異，故單獨列出，以資參考。「本冊目次」是《四庫全書存目叢書》每一冊收書的目錄，內容包括：部、類名稱，及書名頁中除「提要書名」以外的項目，加上每種書的起始頁碼。

貼好頁碼，做好「書名頁」和「本冊目次」的成冊稿件，即可交付終審。終審要對書稿進行全方位的審核，檢查此前所有工序沒有解決的遺留問題，要經過兩位終審互相覆校，確保無誤後，方可交付出版。

㈣描　潤

影印古書，描潤不可或缺。因古書年代久遠，經蟲蛀、水漬，紙張變黃的很多，嚴重的甚至呈灰褐色，複製件上相應就有底灰、污垢；有不少底本紙薄透字，複製時有反文出現；再者，拼好版心用複印機統一尺寸，也會產生一些新的污迹，這些與原書內容無關的底灰、反文、污迹不應保留，需要根據製作工序的進展，對稿件進行必要的描潤。凡原書因刻板或刷印造成的文字漫漶、版面斷裂等，則嚴禁描修。描潤的目的是恢復並保持原書的面貌，實現整舊如舊，而不應有任何篡改，前人在影印古書時因描潤出錯的教訓很多。編纂《四庫全書存目叢書》的過程中，也曾發現有因描潤不當造成的錯誤，如子部第150冊中《迪吉錄》一書的第五卷第七十五頁首行「太守」兩字模糊不清，被當作污迹描掉了，筆者在檢查稿件時發覺此處文義不通，懷疑有缺文，經查膠卷驗證後糾正。還有將黑口誤描成白口的。

㈤電腦技術的運用

我在設計編纂工作流程時，即考慮了如何將電腦技術應用於《四庫全書存目叢書》編纂的全過程。電腦與人腦，各有所長，電腦做一些重複、機械的勞動，既快捷又不會出錯。具體做法是，從調查編目開始，即建立一個完善的「存目書」總目錄數據庫，包括實際收書書名、提要書名、作者、版本、藏所、頁數、板框尺寸等等編輯和管理中需要用到的各種信息。總目錄數據庫首先經過認眞核對，確保無誤，以備調用。總目錄數據庫中的數據是採用有序結構存放的，我通過編製系列軟件派生出各種專用目錄，如訪書用的《待訪目錄》、去除重複的《剔重目錄》、拍攝複製用的《書品查核目錄》和《拍攝複製目錄》、編纂管理用的《編纂工作目錄》、銷售宣傳用的《分類分冊目錄》等等，包括每冊書前的「本冊目次」和每種書前的「書名頁」的數據也都是直接從總目錄數據庫中提取出來的。只需保證總目錄數據庫正確無誤，軟件程序能保證這些新產生的專用目錄不會有新的錯誤。數據的共享使得在短時間內用很少的人力去完成大量工作成爲可能，既避免了重複勞動，也避免了手工作業可能造成的錯誤。

總目錄數據庫可以方便地對每一個項目進行查詢、統計，在著錄版本，尤其是叢書的版本，以及著錄作者等項目時，可通過查詢總目錄數據庫，很方便地做到規範統一。

電腦技術的另一應用是處理冷僻漢字。書名、人名、版本中有大量不常用的漢字，這部分漢字常規軟件中不能處理，用專門的軟件造字來解決，方便且美觀。

三、《四庫全書存目叢書》的印製

《四庫全書存目叢書》共1200冊，收書4508種，按經、史、子、集四部分別編號，經部220冊，史部292冊，子部261冊，集部426冊，目錄索引一冊。分別由齊魯書社出中國大陸版，臺灣莊嚴文化事業有限公司出大陸外版。

《四庫全書存目叢書》採用影印方式出版，標準16開本，圓背精裝，封面及書脊燙金字，封面燙叢書名、編纂者及出版者，書脊燙叢書名、部類名稱、冊次號及出版者的徽標。印刷時直接用審定好的稿件按1：1照相製版，上機印刷前先曬藍圖逐頁檢查，一是檢查照相膠片與原稿相比是否失眞，若失眞太多，需重新拍攝；再就是對稿件的內容做最後的審核，這是改正稿件錯誤的最後機會，待上機印刷，則無法修改，我在核查藍樣時，即糾正了很多稿件的錯誤，避免了謬種流傳。我國古代刻印圖書時即有檢查藍樣的傳統，實踐證明，這是編纂與印製相結合的重要環節，它能保證編纂成果得以準確地轉化到圖書上。《四庫全書存目叢書》採用黑白印刷，技術較爲簡單，但數量大、印數少，加之生產周期短，我在印刷生產部分，重點抓住穩定性控制。因《四庫全書存目叢書》每一冊的頁數不可能一樣，印數又少，裝訂不便採用機械化操作，大量的手工作業，關鍵在嚴格管理，防止錯亂，避免手工操作的不規範。

《四庫全書存目叢書》是中華民族文化遺產的一部分，要傳之久遠，印刷、裝訂均不計工本，用上好的材料。封面用意大利生產的仿皮面料以及荷蘭生產的2.5毫米厚雙面灰色紙板，配以全部手工工藝製作的圓背，與書的內容相得益彰，顯得古樸典雅、莊重大方。正文用了全木漿纖維偏鹼性的70克膠版紙，保存時間比普通紙要長很多。

四、編印《四庫全書存目叢書》的遺憾

前文已交待，《四庫全書存目叢書》採用的是「官助民辦」的操作模式，這一模式的核心是以商業化爲主體進行運作。《四庫全書存目叢書》的成功，正是商業與學術較好結合的產物，但這兩者的結合又注定會有矛盾的地方。迫於快速運轉的商業考慮，致使調查編目倉促，有少量傳世之「存目書」未能收入《四庫全書叢書》，中國大陸以外收藏的孤本「存目書」也只複製到一小部分，正擬出《四庫全書存目叢書補編》，以彌補這一缺憾；又古書流傳情況極爲複雜，而審稿時均是面對複製件，審稿人員的水平和責任心參差不齊，在相當緊迫的時間內完成如此巨大的工作量，難以做到仔細推敲，雖經反復審校，錯訛也在所難免；印製工作量極大，工藝雖不算複雜，但每一頁的印刷都要保持相當水準，每一冊書的裝訂都不出現錯亂亦不容易。

中法西法，權衡歸一？——讀《四庫全書總目》天文算法類提要

殷善培*

一

傳統目錄學在部次群書之時，往往以「辨章學術，考鏡源流」（章學誠·《校讎通義》敘）相期，或進而「論其旨歸，辨其訛謬」（《隋書·經籍志》）的講求、或致力於「類例既分，學術自明」（鄭樵·《通志·校讎略·編次必謹類例論》）的推敲，要皆不謙於甲乙部次爲止境。正因此，傳統目錄學除了可爲治學門徑、鑒別古籍、考訂存佚、檢核篇卷……等功用外，從其部次群書的原則，論辨旨歸的態度也可察知一時代的學術風尚❶，《四庫全書》便是極好的例證。

* 淡江大學中文系

❶ 這當然不是說每一部目錄學的著作都很可作如是觀，這涉及了兩個層次的問題：一是傳統目錄學三類體制中，小序、解題俱無者要看出其部次群書

從體制上看，《四庫全書總目》在傳統目錄學中堪稱完備：書下有敘錄、類前有小序、部前有總序，卷首且有凡例二十則說明義例；可說是四部分類架構下精彩的呈現。然而，「嚴格說來，《四庫全書總目》既不是『辨章學術，考鏡源流』，也不是乾隆朝內府藏書的目錄」❷，《四庫全書》的纂修或可說是明末以來叢集「儒藏」主張的具體落實❸。四庫開館之初，乾隆三十七年正月初四諭中就說：「其歷代流傳舊書，內有闡明性學治法，關繫世道人心者，自當首先購覓；至若發揮傳注，考覈典章，旁暨九流百家之言，有裨實用者，亦應備爲甄擇……」（《四庫全書總目·辨理四庫全書歷次聖諭》），這裏的學術風尚顯然可見。

既以儒家爲中心，對所謂「異端」如二氏之學該如何處理，目錄學中自有前例可援，《四庫全書總目》於此更爲嚴謹，凡例中對此便有說明❹。只是除了二氏之學外，明清之際，天主教傳教士藉各種技

的原則與論辨旨歸的態度自然要比「有小序無解題」及「有小序、有解題」者要棘手些；另一則是方法自覺的問題，若多因襲前人既有部次，這也較難察知其中變化。

❷ 昌彼得、潘美月《中國目錄學》（台北：文史哲，民國75年），頁213。其實這一問題，我們也可換一角度思考：從目錄學觀點說，《四庫全書總目》自是一本目錄學的書，但究其實《四庫全書》乃是叢書，叢書編選自有其標準。

❸ 明末曹學佺提出「儒藏」說以來，清代周永年、劉音、桂馥相繼有此主張，「儒藏」說實可視爲《四庫全書》的先聲。參見黃愛平《四庫全書纂修研究》（北京：中國人民大學·一九八九），第一章，第三節。又，這當然不是說《四庫全書》的編纂就是儒家學說的彙集，兩者間還是有所區別的。

❹ 「故釋道外教，詞曲末技，咸登簡牘，不廢蒐羅；然二氏之書，必擇其可

能以傳其學術，這與釋道單純於其教者顯然有別，這些技能對傳統學術也造成了相當大的衝擊，雖然開館已在教禁之後❺，但如何因應天主教所傳來的技與學，可以說是館臣面臨的新課題了。館臣於此似乎採取了頗爲理性的態度：

> 案歐邏巴人天文推算之密，工匠製作之巧，實愈前古，其議論夸詐迂怪，亦爲異端之尤。國朝節取其技能，而禁傳其學術，具存深意……❻（《四庫全書總目·子部·雜家類存目二·寰有詮》案語）

傳教士引之新說多矣❼，「節取其技能，禁傳其學術」是館臣因應西學的大原則，這或可說清末「中體西用」說的前奏❽，所謂「節取其技能」，所節取的主要是天文推算及工匠製作，《四庫全書總目》所

著資考證者，其經懺章咒，並凜遵諭旨，一字不收；宋人朱表青詞，亦概從刪削……」

❺ 康熙晚年已有教禁，但眞正嚴格執行則是雍正即位之後，規定除任職欽天監者外，其餘一律遣送至澳門。

❻ 《寰有詮》是亞里斯多德《論天》一書的注釋本，以歐洲中世紀的宇宙論爲基礎，對亞里斯多德的水晶球體系及相關的天文問題提出說明。

❼ 詳見：徐宗澤《明清間耶穌會士譯著提要目錄》（台北：臺灣中華，民國47年）。

❽ 「中體西用」問題，參見王爾敏，〈十九世紀中國士大夫對中西關係之理解及衍生之新觀念〉，《中國近代思想史論》（台北：華世，民國67年）；薛化元，《晚清「中體西用」思想論（1861--1900）》（台北：弘文館，民國76年）。

錄的西書多屬此類，如❾：

天文推算類：

《乾坤體義》，二卷，（意）利瑪竇

《表度說》，一卷，（意）熊三拔

《簡平儀說》，一卷，（意）熊三拔

《天問略》，一卷，（葡）陽瑪諾

《新法算書》，一〇〇卷，明·徐光啓、李之藻、李天經，及（意）龍華民、（德）鄧玉函、（意）羅雅各、（德）湯若望等修❿。

《圜容較義》，二卷，（意）利瑪竇述，明·李之藻撰。

《天步眞原》，一卷，（波）穆尼閣撰，清·薛鳳祚譯。

《同文算指》，前編二卷，通編八卷，明李之藻演利瑪竇所譯書。

《幾何原本》，六卷，歐幾里德撰，（意）利瑪竇譯。

子部·農家類：

《泰西水法》，六卷，（意）熊三拔。

---

❾ 計文德《從四庫全書探討明清間輸入之西學》（台北：漢美，民國80年）的統計，計文德所謂的西書是用廣義的說法，所以連李之藻撰《渾蓋通憲圖》（二卷）、徐光啓撰《測量法義》、《測量異同》、《句股義》（各一卷），都歸入西書，李、徐之作謂之西學可，謂之西書就不甚妥當。

❿ 此即「崇禎曆書」，清初湯若望略加修訂，進呈清廷，清廷改名爲《西法曆書》，後避乾隆諱又改名《新法算書》。

子部·譜錄類

《奇器圖說》，三卷，（德）鄧玉函授，明·王徵譯。

至於康熙敕纂的《御定數理精蘊》、乾隆敕纂的《御定曆象考成後編》、《御製儀象考成》亦均以西學爲主；不屬於天文算法、工匠製作這兩類的亦不過是史部·地理類《職方外紀》（意·艾儒略）、《坤輿圖說》（比·南懷仁）二部而已，而這二部又多少與天文推算、工匠製作有關⓫。

只是東來教士既是藉「技能」來彰明其「學」（宗教），「技（器、術）」與「學（道）」之間究竟存在怎樣的關係？能否簡單地以「節取其技能，而禁傳其學術」來規範？所節取的技能又對傳統學術造成怎樣衝擊？這就不免令人好奇了。

二

自《漢書·藝文志·數術略》列有「天文」、「曆譜」二類以來，歷代書志都有相似類目，唯「曆譜」或稱「曆算」（《七錄》、《新唐書·藝文志》、《文獻通考·經籍考》、《宋史·藝文志》））、或稱「曆數」（《隋書·經籍志》、《舊唐書·經籍志》、《崇文總目》、《明史·藝文志》）、或稱「曆議」（《遂初堂書目》）；據《漢志》，「天文」類的功用是：

⓫ 經部·樂類，康熙御定的《律呂正義續編》以及乾隆敕纂的《御製律呂正義後編》，亦均有傳教士撰修，如（葡）徐日昇，（意）德理格編、（德）魏繼晉等。

> 序二十八宿，步五星日月，以紀吉凶之象，聖王所以參政也。《易》曰：「觀乎天文，以察時變」。

在天人感應的思維下，「天垂象，見吉凶」是上天對人間的儆戒，星象、氣象俱是天所垂示的「象」，吉凶云云就在軌跡之外所呈現的種種變異上；順此，「天文」包括了天文占候就是再自然不過的事了[12]。《漢志》便著錄有《漢五星彗客行事占驗》、《漢日旁氣行事占驗》、《漢流星行事占驗》、《漢日旁氣行占驗》、《漢日食月暈雜變行事占驗》、《海中星占驗》、《海中五星經雜事》、《海中日月彗虹雜占》等天文占書，或許就因爲天文與天文占關係如此密切，所以《崇文總目》就逕名爲「天文占書」了。

至於「曆譜」，《漢志》說是：

> 曆譜者，序四時之位，正分至之節，會日月五星之辰，以考察寒暑殺生之實。故聖王必曆數，以定三統服色之制。又以探知五星日月之會，凶厄之患，吉隆之喜，其術皆出焉。此聖人知命之術也。非天下之至材，其孰與焉？

依天文記日月星辰運行之法（曆象），以制定人間秩序的行宜便是「曆」了，《曾子·天圓》說：「聖人愼守日月之數，以察星辰之行，

---

[12] 歷來有一種誤解，以爲中國傳統天文學就是占星學，如江曉原《天學眞原》（遼寧：遼寧教育，1992），第一章，這是有待商榷的。傳統天文學包含了天文占候，這是事實，但占候是其用而非其體，不能顚倒說天文學就是占星學。此一認識關係甚大，容日後他文申辨。

以序四時之順逆，謂之曆。」便是此意⓭，「曆」是天授王權權力的象徵，所以受命之後必得「改正朔，易服色，定禮樂，一統於天下，所以明易姓，非繼人。」（董仲舒，《春秋繁露·三代改制質文》）；在五行終始說的影響，國祚長短自有其數，合而有「曆數」一詞，列次帝王曆數便是「曆譜」了，「曆」待推算，算術亦附焉，於是有「曆算」（亦可稱「曆數」）。從「曆」（曆象）推出「曆數」、「曆譜」、「曆算」這一光譜系列（spectrum）清楚表現在《漢志》中，「曆譜」類著錄了《黃帝五家曆》、《顓頊曆》等曆，《耿昌月行帛圖》、《傳周五星行度》等躔度之法；也著錄《帝王諸侯世譜》、《古來帝王年譜》⓮及《杜忠算術》等「曆譜」、「曆算」。

「天文」、「曆譜（象、算、數）」關係如此密切，歷代目錄中遂有將兩類合併者，如《郡齋讀書志》的「天文曆數」、《直齋書錄解題》的「天文曆象」。若著眼於算術的獨立性，亦有將算術與「曆算」中劃出者，如《崇文總目》⓯。

到了《四庫全書總目》出現了不小變革，這一變革有二：

⓭ 徐幹《中論·曆數》云：「昔者聖王之造歷數也，察紀律之行，觀運機之動，原星辰之迭中，寤晷景之長短。於是營儀以准之，立表以測之，下漏以考之，布算以追之。然後元首齊乎上，中朔正乎下，寒暑順序，四時不忒。夫曆數者，先王以憲殺生之萌，而詔作事之節也，使萬國不失其業者也，此歷數之義也。」

⓮ 《漢書藝文志注釋彙編》引葉長青《漢書藝文志四論》云：「《世本》十五篇，既列六藝略《戰國策》前，則《帝王諸侯世譜》、《古來帝王年譜》皆其類也，奈何次日晷算術之間乎？」正是未悟此理。

⓯ 也有將自算術列入小學者，如《明史·藝文志》。

一是將天文、曆數、算法三類合併成天文算法類，其下再分爲推步、算法兩屬；

二是將天文占候除天文類剔除，轉併入數術類占候之屬；

何以將天文、曆數、算法三者併爲一類，算法之屬案語交待得頗爲清楚：「天文無不根算書，算書雖不言天文者，其法亦通於天文，二者恒相出入，蓋流別而源同，今不入小學而次於天文之後，其事

大，從所重也；不與天文合爲一，其用廣，又不限於一也。」這自然與彼時對天文、算學的認識有關；不過，即然下分推步、算法兩屬，何以不逕名「推步算法」類、或「曆法算書」類？恐怕與避乾隆之諱（高宗弘曆避偏諱「曆」）有關了⓰。至於將占候剔除的理由，占候之屬案語道出了原委：「案作《易》本以垂教，而流爲趨避禍福；占天本以授時，而流爲測驗災祥，皆末流遷變，失其本初。故占候之與天文，名一而實則二，王者無時不敬天，不待示變而致修省；王者修德以迓福，亦不必先期以告符命。後世以占候爲天文，蓋非聖人之本意。」從表面上看，這二項變革是相當理性，也相當可取，尤其是將天文占從天文類剔除，令人有「解除魔咒」的印象⓱。只是令人好奇的是，究竟是怎樣的學術背景支援《四庫全書總目》做出如此重大的變革？要回答此一問題，不能不先從天文算法小序中索解：

⓰ 凡曆改爲「歷」、「厤」，「曆書」稱「氣數」，「曆本」爲「時憲書」，「萬年曆」爲「萬年書」凡曆改爲「歷」、「厤」，「曆書」稱「氣數」，「曆本」爲「時憲書」，「萬年曆」爲「萬年書」，參王彥坤，《歷代避諱字匯編》（河南：中州古籍，一九九七），頁276。

⓱ 「解除魔咒」是韋伯（Max　Weber）引詩人席勒（F.Schiller）之語，用來解釋西方社會近代理性化的歷程。

> 三代以上之制作，類非後世所及，惟天文算法，則愈闡愈精。容成造術，顓頊立制，而測星紀閏，多述帝堯，在古初已修改漸密矣。洛下閎以後，利瑪竇以前，變化不一，泰西晚出，頗異前規，門戶構爭，亦如講學，然分曹測驗，具有實徵，終不能指北爲南，移昏作曉，故攻新法者，至國初而漸解焉。聖祖仁皇帝御製《數理精蘊》諸書，妙契天元，精研化本，於中西兩法，權衡歸一，垂範億年，海宇承流，遞相推衍，一時如梅文鼎等，測量撰述，亦具成書。故言天者，至本朝更無疑義。今仰遵聖訓，考校諸家，存古法以溯其源，秉新制以究其變，古來疏密，釐然具矣。若夫占驗禨祥，率多詭說，鄭當再火，裨竈先誣，舊史各自爲類，今亦別入術數家，惟算術天文，相爲表裏，《明史・藝文志》以算術入小學，是古之算術，非今之算術也，今核其實，與天文類從焉。

明末利瑪竇引入西方新曆法，與當時所用的大統曆、回回曆迴異，經過一番波折、檢證，終於在崇禎年間在徐光啓、李之藻等人協助下，完成了西洋曆法匯編的《崇禎曆書》，但不及施行而明朝已覆亡。順治時，以湯若望爲主的西洋新法派與回回曆法激烈爭奪曆法解釋權，康熙三年更由楊光先掀起影響深遠的「曆獄」，康熙七年雖獲平反，傳教士重返欽天監，但卻對傳教士的活動採取了更爲嚴格的限制。到了乾隆時期這些爭端都已經煙消雲散了，這就是所謂「攻新法者，至國初而漸解」。西學的一些觀念也就逐漸被接受，如天文與占候的分家的觀念，明末徐光啓早已啓之，徐氏在崇禎二年七月〈禮部爲奉旨修改曆法開列事宜乞裁疏〉云：「臣等考之《周禮》，則馮相與保章異職，稽之職掌，則天文與曆法異科，蓋天文占候之宜禁者，懼妄言禍福、惑世誣人也。若曆法則止於敬授人時而已，豈律例之所哉！」《四庫全書總目》天文算法類案語就是徐說的延伸。

只是這並不意味著西洋新法的全面勝利，事實上自康熙致力於中西會通⓲，並且將「中西兩法，權衡歸一」的原則體現在「西學中源」的觀念以後⓳，這一觀念便爲士人所遵行⓴，乾嘉時期更傾力從具體事例，尤其是天文算法，說明西學源自中國。

《四庫全書總目》天文算法類提要可能是出自戴震之手㉑，戴震爲乾嘉之重鎮，其說當然具有指標作用。在「西學中源」觀念中，最常用來代表「中源」的就是《周髀算經》，載震此書提要云：「其本文之廣大精微者，皆足以存古法之意，開西法之源」，何謂開西法之源？

⓲ 康熙致力中西會通的具體表現便是御制編纂《律呂全書》，分別從天文、算法、音律中尋求會通。

⓳ 這樣的主張是經過漫長的摸索得來，早在明末西學東來之初，教士及親教人士爲消泯嚴夷夏之防敵意，就曾提出「東海西海，心同理同」（李之藻，利瑪竇《天主實義》序），以期拉近雙方距離（如利瑪竇、徐光啓、李之藻）；至於士人或是基於禮失求諸野的心態，提出了「西學中源」，以期吸收西學，會通中西（如熊明遇）；但入清以後，在遺民間「西學中源」則轉而成一種文化優越感以抗外來之清（如王夫之、王錫闡）；隨遺民的消散，「西學中源」則成爲消化西學以及乾嘉學術的指導原則。

⓴ 如當時曆法大師梅文鼎，《四庫全書總目》說他「是皆於中西諸法，融會貫通，一一得其要領，絕無爭競門户之見。」（《勿菴曆算全書》），又說「文鼎以草野書生，乃能覃思切究，洞悉源流，其所論著，皆足以通中西之旨，而折今古之中，自郭守敬以來，罕見其比。」（《曆算全書》）

㉑ 錢寶琮〈載震算學天文著作考〉以爲天文算法類提要俱出自載震手筆，轉

明萬曆中，歐羅巴人入中國，始別創新法，號爲精密，然其言地圓，即《周髀》所謂地法覆槃，滂沱四隤而下也；其言南北里差，即《周髀》所謂北極左右，夏有不釋之冰，物有朝生暮穫，中衡左右，冬有不死之草，五穀一歲再熟，是爲寒暑推移，隨南北不同之故……西法出於《周髀》，此皆顯證，特後來測驗增修，愈推愈密耳。

說明了西學精密是漸修漸密之功，但戴氏亦知表面上的相似尚不足以證成「西學中源」之說，於是更引《明史・曆志》：「謂堯時宅西居昧谷，疇人子弟散入遐方，因而傳爲西學者，固有由矣。」來說明源流的關係。《明史・曆志》可能成於梅文鼎之手㉒，而文鼎正是康熙年間「西學中源」說的大將㉓。在「西學中源」的觀念下，《周髀算經》成了證明「西學中源」的至寶，如徐光啓〈題測量法義〉說到，「是法也，與《周髀》九章之句股測望，異乎？不異也；不異何貴焉？亦貴其義也。」但提要作者解讀起來就成了「序引《周髀》者，所以明立法之所自來，而西術之本於此，亦隱然可見」，所謂「隱然可見」其義就頗堪玩味。有趣的是這一觀念下的西學不僅包括歐羅巴，也包括了西域回回。《七政推步》這部回回曆的經典，提要就指出「然『回曆即西法之舊率，泰西本回曆而加精耳』，亦公論也。」

引自劉大椿、吳向虹《新學苦旅：科學・社會・文化的大撞擊》（（江西：江西高校，1995），頁113。

㉒ 轉引自陳衛平《第一頁胚胎：明清之際的中西文化比較》（上海：上海人民， 1992），頁128−9。

㉓ 梅文鼎《曆學疑問補》說：「西曆源流本出中土，即《周髀》之學。」

這句話其實是梅文鼎《勿菴曆算書記》中回回曆補註的案語，回回曆與西曆異同，梅文鼎《曆算全書·曆學疑問一》多有說明。文鼎之孫瑴成更指出元·李冶《測圓海鏡》的「立元一法」就是西學的「借方根法」，因而得出是書「流入西域，又轉而還中原也。」（《測圓海鏡》提要）

徐光啓曾提出「欲求超勝，必須會通」（〈治曆疏稿〉一）以引進西學，只是他大概無法預料到在他之後的「會通」竟是囫圇通棗地說成了「西學中源」；這樣的「會通」只造成了乾嘉時期古算學、古曆學的復興，卻與「超勝」愈行愈遠了。

三

館臣於天文算法類小序中頗爲自豪地說，「故言天者，至本朝更無疑義」，若就從上述類目變革而言，有清一朝對天文的認識如果眞能從占候之學中「解除魔咒」而出，或可稱得上殆無疑義。只是情況果眞如此嗎？清代掌管天文曆法的機構是欽天監，永瑢《歷代職官表》記載的欽天監的編制及職務是：

> 欽天監監正，滿洲一人，西洋一人……
>
> 監副，滿洲、漢人，各一人，左右兼副，各西洋一人……
>
> 掌測候推步之法，觀察星辰，稽定節序，占天象以授人時，所屬有時憲、天文、漏刻三科……
>
> 時憲科……掌天行之度，驗歲差以均節氣。
>
> 天文科……掌眡天象之垂，書雲物以協歲占……凡八節風占，及雲氣流星諸象，當者，送監密題以聞。

漏刻科……掌調壺占測中星，審緯度，相陰陽，以諏時日，而卜營建焉。

與歷代天文機構相較名稱或有不同，但所負責的職務其實並無多少差異㉔。欽天監的最重要的職責是「占天象以授人時」，「占天象」除記錄日月五星廿八宿纏次的常態外，就是觀察各種天文異象，諸如天象中的蝕孛彗墜，氣象中的迅雷塵霾等現象。至於「授人時」就更複雜了，各項禮儀的擇日、陰陽、風水等選擇術都由欽天監總司其責，在這些「授人時」的選擇術中，制定曆書（曆日、具注曆、通書）是其中重要的工作，《清史稿·職官志》載欽天監監正的職務之一就是「歲終奏新曆，送禮部頒行」。只是曆書與曆法不同，曆法依靠天文算法推算星象，多主軍國大事；曆書講究陰陽五行，行事宜忌，是民間預占禍福的工具，與天文知識未必相關㉕。

與《四庫全書總目》天文算法類剔除占候於天文學之外的理性態度相較，清代欽天監仍恪守傳統天文學的範圍就顯得過於保守。不過，有意思的是，自順治元年湯若望任欽天監以後，直至道光十八年畢學源（Cajetanus Pires）返國的近二百年間，世守其職的欽天監都有西洋教士涉足其間，或爲監修、監正、或爲監副㉖。只是促成

㉔ 隋以前欽天監歷代多名爲太史院（曹），唐爲司天臺，明爲司天監，編制與職務，歷代多無差異。

㉕ 江曉原，《星占學與傳統文化》（上海：上海古籍，1992）頁183。

㉖ 除康熙三年曆獄初起，傳教士一度被逐出欽天監外，康熙七年曆獄平反後，自南懷仁起，傳教士均在欽天監編制內（西洋監正、監副）。又，清代任職欽天監傳教士，可參考黃一農，〈清初欽天監中各民族天文家的權力起

《四庫全書總目》天文算法類變革的是西學，傳進西學的是傳教士，如此一來就出現了兩個問題：

一是任職欽天監的傳教士如何看待天文算法之學？傳教士的天自然不可能是蒼蒼莽莽的自然天，天文曆算準確地推出天體運行軌跡，在宗教信仰層次有具有什麼意義？尤其明末傳教士東來之際正處於歐洲天文學哥白尼革命之際，傳教士如何看待動搖教會「地心說」（地球中心說）的「日心說」（太陽中心說）？

二是任職欽天監的傳教士又如何看待「占天象以授人時」的種種選擇術？

就前者而言，托勒密（Ptolemy，95-165）的「地心說」一直是教會用來說明上帝創造世界的天文學理論，自哥白尼（N.Copernicus，1473-1543）在《天體運行論》中提出的「日心說」，經伽利略（Galileo， 1564-1642）以新創的望遠鏡證實「日心說」的正確性，則根本動搖了教會的權威，因此宗教法庭於一六一六年將哥白尼《天體運行論》列爲禁書，伽利略亦在一六三三年爲宗教法庭定罪㉗，這些事件可說是明末天主教東傳時的「當代史」；老舊的「地心說」確實無法回應觀測日精的天文學，傳播「日心說」違返了宗教法庭的禁令，又是信仰層次所不允許的，介乎兩者之間，耶穌會士究竟該如何因應？經過一番巧思，耶穌會教士引進一套第谷（Tycho Brahe，1546-1601）新說，第谷其人在歐洲天文學界頗有聲望，此說是在不

伏〉，新史學，2卷2期；方豪，《中西交通史·四》（台北：華岡，民國66年），第一章，第八節。

㉗ 詳見董進泉《黑暗與遇昧的守護神——宗教裁判所》（台北：文馨，民國八〇年），頁288-303。

違反教會說法下的折衷學說，以爲地球在宇宙中心，靜止不動；行星繞日旋轉，太陽率行星又繞地球旋轉㉘，擷取日心說的部分意見修證地心說，只是這套新說在歐洲並不流行，但引進中國後，從明末的《崇禎曆書》到康熙五十二年御定的《曆象考成》中均以是說爲主㉙，直到乾隆年間，才由蔣友仁(Michael Benoist)明確闡揚「日心說」㉚。

至於耶穌會教士究竟如何看待哥白尼、伽利略的新學說？雖然方豪極力辨說明末修曆的羅雅谷（1593-1683）在《五緯曆指》卷一中以「或日」的方式提到了哥白尼的學說，而不必等到蔣友仁始闡揚㉛。但恰恰就是冠之以「或日」的諱莫如深，以及羅雅谷對這段「或日」所下的斷語：「然古今諸士，又以爲實非正解，蓋地爲天之心，之如樞軸，定是不動。」更足以說明傳教士在這一問題上的見解。只要不觸及「日心說」這一敏感的問題，其他如伽利略的新發明確實有助於觀測星象，傳教士有就樂於宣揚，以期有助於傳教了㉜。

㉘ 「地心說」、「日心說」及第谷學說，參見《中國大百科全書，天文卷》（北京：大百科全書，1980），頁60,61,86,172,189,423；席澤宗《科學史八講》（台北：聯經，民國83年），下編，第八講。李約瑟《中國之科學與文明·第五冊》（台北：臺灣商務，民國74年），頁421-464。

㉙ 該書提要云：「又《新法算書》，言五星古圖以地爲心，新圖以日爲心，然第谷推步均數，惟火星以日爲心；若以地爲心立算，其得數亦與之同，知第谷乃虛立巧算之法，而五星本天，實皆以地爲心。蓋金水二星以日爲心者，乃其本輪，非本天也。土水火三星以日爲心者，乃次輪上星行距之蹟，亦非本天也。」又，戴震《續天文略》卷中也說：「天爲大圜，以地爲大圜之中心」（《戴震全書·四》，頁65），這是相當清楚的「日心說」。

㉚ 蔣友仁傳來「日心說」事，可參見阮元《疇人編》。

㉛ 方豪，《中西交通史·四》，第一章，第七節。

㉜ 羅雅谷，湯若望在其著作中均提及伽利略的望遠鏡，原因就在此。參見沈福偉《中西文化交流史》（台北：東華，民國78年），第九章。

至於任職欽天監教士如何對待傳統的天文觀念，這不單是信仰，更涉及風俗習慣的問題。就歐洲傳統占星學來說，天文家多兼星占家，每年亦編有星占年曆，如第谷、開普勒，神職人員亦有此道高手者㉝，因其不致動搖教會權威，教會態度便頗分岐，耶穌會是其中較抗拒星占學者，但就算如此，東來教士中「喜與人算術，而不招人入耶穌會，在彼教中號爲篤實君子」（《天步眞原》提要語）的穆尼閣亦撰有《天步眞原·人命》大談占星學。再則，退一步說，就算不反對歐洲占星學並不意味著就可以認同中國「占天象以授民時」的種種選擇術。只是一旦參與欽天監，就得學習與遵守這些選擇術，否則便是失職。據《大清律例》欽天監失占天象是要「杖六十」㉞，這還是小事；若是選擇術上的疏失，重可至死，順治時期，湯若望擇榮親王葬期被控「不用正五行，反用洪範五行，山向年月俱犯忌殺，事犯重大」（《清史稿·湯若望傳》），便牽扯出「曆獄」一案，株連甚廣㉟。除開職責問題之外，任職欽天監教士如何向教會「交待」這類事涉「迷信」的風俗習慣？這恐怕與教會於順治十六年對華傳教士與訓令大有關係了，這份訓令說：

只要不是顯然有違宗教和善良道德，千萬不可使人們改變自己

㉝ 江曉原，《歷史上的星占學》（上海：上海科技，1995），外國篇，第五、六、八章。

㉞ 《大清律例》：「凡天文，如日月、五緯、二十八宿之屬，乖象，如日重輪、及日月珥蝕、景星彗孛之類，欽天監官失於占候奏聞者，杖六十。」

㉟ 「康熙曆獄」等問題，黃一農系列論文論之甚辨，詳見〈擇日之爭與「康熙曆獄」（清華學報，新21卷2期）

> 的禮儀、習慣與風俗……任何民族的禮儀與習慣，只要不是邪惡的，不僅不應排斥，且要予以保存……不值得讚揚的，你不須像阿諛奉媚者一般，予以阿諛，只宜小心謹，不予置評，絕不可毫不體諒地隨便予以譴責。㊱

選擇術自然是禮儀與習慣，欽天監中傳教士稍事於此既與信仰無礙，就更有助於傳教工作的展開，順此，湯若望就編有《新曆曉或》、《民曆鋪注解惑》以回答種種問題㊲。只是亦步亦趨地援用中國傳統選擇術，對有文化優越感的傳教士（如利瑪竇、湯若望）當然不是滋味㊳，一旦掌握了欽天監權力，又豈會輕易放過？果然，湯若望對傳統曆書便做了一些修訂，一是以定氣法推算節氣，推翻了歷來的平氣法；二是對調廿八宿中觜參兩宿；三是刪除四餘中的紫氣；四是改一日爲九十六刻，一刻十五分；五是加列各省太陽出入晝夜及節氣時刻表；六是已日纏十二次定義㊴，或多或少也引起術士反應。

只是傳教士這樣的「妥協」，未必換來傳教的順利，「中法西

㊱ 燕鼐思(Joseph Jennes)原著，粟鵬舉(Albert van Lierde)英譯，田永正(Paul T'ien Yung-Cheng)中譯，《中國教理講授史》，頁88。轉引自黃一農〈耶穌會士中國傳統星占術數的態度〉（九州學刊，4卷3期）。

㊲ 這兩部書的性質及內容，參見黃一農，〈湯若望《新曆曉或》與《民曆鋪注解惑》二書略記〉，國立中央圖書館館刊，新25卷1。

㊳ 東來傳教士的文化優越感多見於教士與歐洲人士的書信中，魏特原著，楊丙辰譯的《湯若望傳》（台北：臺灣商務，民國49年）所在多有。

㊴ 湯若望對傳統曆書所做的變革，詳見黃一農〈從湯若望所編民曆試析清初中歐文化的衝突與妥協〉，清華學報，新26卷2期、〈清前期對觜、參兩宿先後次序的爭執：社會天文學史之一個案研究〉，《近代中國科技史論集》，

法，會通歸一」更未能符合教會的期許，先是康熙三年，教廷將曆書中選擇術視爲迷信㊵；再則有四十四年、五十七年教廷派特使來華，宣佈利瑪竇以來的傳教方式爲異端，禁止教徒祭天、祭祖、祭孔，掀起了有名的「禮儀之爭」㊶，也更加強清廷「節取其技能，而禁傳其學術」的正當性，可惜節取技能的同時卻又陷入了「中學西源」的觀念災害之中，連技能也都難保了㊷。

四

在天命觀念的影響下，天象顯現的是軍國大事，除國君及太史等掌天文官員外，其他人是不得私習的，這也導致了觀測天文的職務多

台北：中央研究院近史，1992、〈耶穌會士對中國傳統星占術數的態度〉，九州學刊，4卷3期、〈清前期對「四餘」定義及存廢的爭執：社會天文學個案研究〉，（北京）自然科學史研究，12卷3-4期

㊵ 參見：黃一農〈從湯若望所編民曆試析清初中歐文化的衝突與妥協〉，清華學報，新26卷2期。

㊶ 「禮儀之爭」問題，參見劉大椿《新學苦旅：科學·社會·文化的大撞擊》，第五章；陳衛平，《第一頁與胚胎：明清之際的中西文化比較》（，第二節。

㊷ 實用的技能，到了乾隆時就成了對制作精巧的賞玩，離科學就更遠了，莫怪蔣友仁傳來完整的「日心說」時，連編《疇人傳》的阮元都指責此說：「其爲說至於上下異位，動靜顚倒，則離經叛道，不可爲訓，固未有若是甚焉者也」（卷46，蔣友仁傳），一直要晚清，李善蘭譯《談天》，「日心說」才廣爲時人所接受。參見南炳文、李小林、李晟文《清代文化：傳統的總結和中西大交流的發展》（河北：天津古籍，1991），第一、六章。

爲世襲[43]。若是私習天文，輕者「徒二年」、「黥面流海島」，重者可至死刑[44]，私習禁令代代重申，影響所及，明代已罕有私習天文者了[45]。世襲者抱殘守缺憚於興革，又禁止民間私習，因襲苟且，後果可知。明代襲用元代郭守敬所創的大統曆，二百餘年下來，至晚明推步已疏，若是國家尚稱太平，推步之疏或可說成天眷[46]，但到明末多事之秋再怎麼堅持祖制不可變，也抵不過「變天」的恐懼，觀念也不得不隨之調整了，《明史·曆志》載禮部尚書范謙之言足以說明問題：

> 曆爲國家大事，士夫所當講求，非曆士之所得私，律例所禁，乃妄言妖祥者耳，監官拘守成法，不能修改合天，幸有其人，所當和衷共事，不宜餉忌……

崇禎開設曆局，召傳教士編修曆書亦都是懼天命的因應之道，其實還說不上是「解除魔咒」，隨著西學的持續引進，清代天文學不再如以往充滿禁忌，士大夫習曆者亦爲常事，梁啓超就說：「清朝一代學者，對於曆算學都有興味，而且最喜歡談經世致用之學，大概受

---

[43] 欽天監的世襲制度，其實可以溯源至周代太史寮系統，詳見李零《中國方術考》（北京：人民中國，1993），緒論。

[44] 詳見，江曉原、鈕衛星《天人之際：中國星占文化》（上海：上海古籍，1994），第一章。

[45] 《萬曆野獲編·卷廿·曆法》載：「國初學天文有厲禁，習曆者遣戍，造曆者殊死。 至孝宗弛其禁，且命徵山林隱逸能通曆學以備其選，而卒無應者。」

[46] 《明史·曆志》載萬曆時推算屢次不中，但「帝喜，以爲天眷，然實由推步之疏也。」。

利、徐人影響不小。」（《中國近三百年學術史》），這才可說是理性化的逐步展開。不過清代對歷代留下的天文禁令一時仍難俱去，《大清律例》就還有些痕跡，如卷十六：

「術士妄言禍福」條：

凡陰陽術士，不許於大小文武官員之家妄言（國家）禍福。違者杖一百。其依經推算，星命卜課，不在禁限。

「禁止師巫邪術」條云：

習天文之人，若妄言禍福煽惑人民者，照律治罪。

「收藏禁書」條云：

凡私藏天象器物（如璇璣、玉衡、渾天儀之類）、圖讖（圖象讖緯之書、推治亂）、應禁之書，及（繪畫）歷代帝王圖象、金玉符璽等物（不首官）者，杖一百。並於犯人名下追銀一十兩，給付告人充賞（器物等象，並追入官）。

康熙年間疏告南懷仁的楊燝南，還曾因此遭杖責、徒刑㊼。律令之外，四庫開館時乾隆亦曾諭令查禁《天元玉曆祥異賦》、《乾坤寶典》等天文占驗之書㊽，影響所及正如王芑孫《惕甫未定稿·洴澼百

㊼ 楊燝南案，詳見黃一農〈楊燝南——最後一位疏告西方天文學的保守知識份子〉，漢學研究，9卷1期。

㊽ 《辦理四庫全書檔案》載乾隆四十六年二月四日諭：「此等天文占驗，妄言禍福之書最易混淆人心，自未便存在外。」《宮中檔案乾隆朝奏析》亦

金方序》所說：

書禁亦嚴，告訐憑起，士民葸愼，凡天文、地理、言兵、言數之書，有一於家，唯恐遺禍，無問禁與不禁，往往拉雜摧燒之。

與此相較，在風俗習慣的制約下，就連具有推步能力的康熙對天象災異亦不得不行禮如儀，下詔罪己：

康熙三十年詔曰：「欽天監奏來正月朔日食，天象示儆，朕甚懼焉，其罷元日筵宴諸禮，諸臣宜精白供職，助朕修省。」（《清史稿·聖祖本紀》）

對欽天監亦是督責其謹司占候：

康熙十六年諭禮部：「帝王克謹天戒，凡有垂象，皆關治理，設立專官，謹司占候，今星辰淩犯，霜露非時，欽天監不以實告，有辜職掌，其察議以聞。（《清史稿·聖祖本紀》）

日食時亦得「救護」，《清史稿·禮志·日食救護》載：

順治元年，定制，遇日食，京朝文武百官俱赴禮部救護，康熙十四年，改由欽天監推算時刻分秒，禮部會同驗準，行知各省官。

有：「乾隆四十六年八月二十四日廣西巡撫姚成烈奏折：『本年先後承准廷寄，欽奉諭旨搜繳明仁宗所著《天元玉曆祥異賦》及不知撰著名氏之《乾坤寶典》，天文占驗、妄言禍福應禁各書，及各直省咨送違礙書目』」。

觀念的轉變誠可謂戛戛乎其難哉！不過，觀念畢竟已有所轉變了，所以嘉慶夏四月己丑朔，欽天監上奏四月朔日，「日月合璧，五星聯珠」，這等向來視為無上祥瑞的天象時，嘉慶亦只是說：「躔度偶逢，兵戈未息，何足言瑞？」（《清史稿・仁宗本紀》）），從《四庫全書總目》天文算法類，我們雖看到了「解除魔咒」的曙光，只是「解除魔咒」畢竟是漫長且曲折的歷程，路其實還正長著呢！

四庫館臣篡改《經義考》之研究

林慶彰*

壹、前言

自從明末開始，經學的研究產生了相當大的變化。學者對於流傳一兩千年的經書，都覺得有重新檢討的必要。檢討的方向大體可分爲三方面：一是辨別經書的眞僞，由於流傳過程有不少僞經出現，甚且摻入佛、老之學，所以必須從諸多的經書中，分出眞經和僞經。這方面的研究成果最爲豐碩，代表人物有閻若璩、黃宗羲、黃宗炎、毛奇齡、朱彝尊、姚際恒、陳確等人。由於他們的努力，如《易圖》、《太極圖》、《古文尚書》、《子貢詩傳》、《申培詩說》、《石經大學》、《石經中庸》都被認爲是僞託之作，非孔門之書❶。二是強調《論》、《孟》的重要性。在諸多的經書中，最能代表孔門教義的，

* 中央研究院中國文哲研究所研究員

❶ 參見林慶彰撰：《清初的群經辨僞學》（台北：文津出版社，1990年）各章。

應是《論語》、《孟子》。自宋以來，學者雖也讀《論語》、《孟子》，但讀的是朱子的《論》、《孟》，不是孔孟的《論》、《孟》。學者要眞正了解孔、孟的眞面目，就要從朱子注解的陰影中解脫出來，直接回歸孔、孟的原典。在這方面下功夫最深的是姚際恒，三是總結經學的研究成果。從明萬曆年間起，就陸續有學者注意到這一問題的重要，如朱睦㮮作《授經圖》，收錄漢以來諸家經學著作，又作《經序錄》，收諸家經學著作的序文。孫承澤作《五經翼》，亦收諸家序跋文。然體例最完備，最能總結歷代經學研究成果的應是朱彝尊的《經義考》。

朱彝尊的《經義考》三百卷，著錄兩漢至清初的經學著作有八千四百多種，著者四千三百多家。所著錄各書，先列作者姓名、書名、卷數，次標明存佚，再列原書序跋，諸儒論說，和作者爵里，朱氏有辨正者，則附各條之末。《經義考》由於卷帙龐大，在朱氏生前也僅刻成易、書、詩、禮、樂五類而已，乾隆二十年（1755）才由盧見曾補刻完成。之後，清廷修《四庫全書薈要》、《四庫全書》等書，都有收入，清末浙江書局也有刻本。民初中華書局的《四部備要》，將《經義考》收入經部。今流傳最廣者爲《四部備要》本。

《經義考》雖有總結歷代經學研究成果，展現經學興衰的作用，但由於卷帙龐大，又未施標點，學者雖常備案檢索之用，但眞正下功夫對《經義考》作研究者並不多❷。

❷ 今人較重要的研究成果有：(1)田鳳台〈朱彝尊與經義考〉，《中華文化復興月刊》11卷2期（1978年2月），頁76－83。後收入田氏著：《古籍重要目錄書析論》（臺北：黎明文化事業公司，1991年10月），頁135－160。(2)盧仁龍：〈經義考綜論〉，《社會科學戰線》，1990年2期，頁334－341。

筆者以爲要重新讓學者了解《經義考》的重要性，應先將《經義考》作整理，乃和蔣秋華、楊晉龍、張廣慶等先生於民國八十三年（1994）向國家科學委員會提出整理《經義考》的專題研究計畫。整理的方法是以盧見曾補刻本爲底本，加以新式標點，並以《四庫全書》本、《四部備要》本爲輔本，詳加校勘，並作成校記，又將歷來勘正《經義考》失誤的著作，如翁方綱《經義考補正》、羅振玉《經義考校記》、《四庫全書總目》涉及《經義考》部分，附於《經義考》相關條目之下。計畫於民國八十四年（1995）六月完成。計畫成果則由中央研究院中國文哲研究所出版，現已出版四冊。

在整理的過程中，筆者發現四庫館臣對《經義考》中所錄的錢謙益相關資料，幾乎全部加以篡改。《經義考》中所引錢氏資料有多少，篡改方法如何，此事雖有吳政上先生作過研究，但統計的數字並不精確❸，有必要重新統計，並逐條加以分析。另外，四庫館臣何以特別要篡改錢謙益的相關資料，也有必要加以說明。

以下是對上述諸多問題的分析和解答。

貳、《薈要》本篡改情況之分析

乾隆三十八年（1773）開館修纂《四庫全書》。但高宗深恐《全

(3)杉山寬行：〈朱彝尊經義考について〉，《日本中國學會報》第31集（1970年10月），頁211－224。(4)吳政上編：《經義考索引》（台北：漢學研究中心，1992年3月）

❸ 見吳政上撰：〈經義考提要及版本介紹〉，《經義考索引》，附錄一。

書》卷帙浩繁，曠日費時，於是有濃縮《四庫全書》的構想，將預編入《四庫全書》的書，選錄重要者，繕成一部小型之書，名爲《四庫全書薈要》。乾隆四十三年（1778）完成《薈要》第一分書，藏於摛藻堂。

朱彝尊的《經義考》收入《薈要》的史部中。當時鈔錄《經義考》時，所用的版本是乾隆二十年（1755）盧見曾補刻本。將《薈要》本《經義考》細加檢閱，館臣篡改《經義考》的情況，可分兩方面討論。一是篡改違礙字句。此一方面的情況並不多，卷71，晁說之《周易太極傳外傳因說》之自序，有「靖康元年丙午冬金賊猖狂」，館臣將「金賊猖狂」改爲「兵革蹂躪」。另一方面，是將《經義考》中與錢謙益有關的字句肆意加以篡改，這是本節討論的重點所在。

在《經義考》與錢謙益有關的70條中，《薈要》館臣作了如下的處理：

一、未刪改者一條

第64條朱氏睦㮮《授經圖》條下所引黃虞稷之言曰：「本《崇文總目》中《授經圖》之意，著《五經授受諸儒同異》及《古今經解目錄》成編，錢氏《列朝詩集》作五卷。」。（卷249，群經11）《薈要》館臣並未將「錢氏列朝詩集」加以篡改。所以未篡改，可能是漏改，也可能是書名，沒有錢謙益之名那麼刺眼。

二、已刪改者六十九條

(一)改作其他學者有六十七條

1.錢陸燦64條❹

⑴第1條趙氏汸《大易文詮》引（卷49）

⑵第2條周氏南老《易傳雜說》引（卷49）

⑶第3條方氏孝孺《大易枝辭》引（卷49）

⑷第4條楊氏士奇《周易直指》引（卷49）

⑸第5條王氏達《易經選注》引（卷49）

⑹第6條桑氏悅《易抄》引（卷49）

⑺第7條洪氏貫《周易解疑》引（卷50）

⑻第8條何氏孟春《易疑初筮告蒙約》引（卷51）

⑼第9條都氏穆《周易考異》引（卷51）

⑽第10條周氏用《讀易日記》引（卷51）

⑾第11條張氏邦奇《易說》引（卷51）

⑿第12楊氏愼《易解》引（卷52）

⒀第13條豐氏坊《易辨》引（卷54）

⒁第14條王氏世懋《易解》引（卷55）

⒂第15條屠氏本世畯《卦玩》引（卷56）

⒃第16條朱氏篁《鏗鏗齋易郵》引（卷57）

⒄第17條屠氏隆《讀易便解》引（卷59）

⒅第18條卓氏爾康《易學全書》引（卷61）

⒆第19條華氏時亨《周易箋注》引（卷62）

⒇第20條張氏次仲《周易玩辭困學記》引（卷63）

㉑第21條周氏是修《廣演太極圖》引（卷71）

---

❹　吳政上的統計是「五十餘例」，並未有精確的數目。見註❸。

⑵第22條王氏廷相《太極辨》引（卷71）
⒀第23條朱氏右《書集傳發揮》引（卷87）
⒁第24條王氏達《書經心法》引（卷87）
⒂第25條夏氏寅《尙書箚記》引（卷88）
⒃第26條吳氏寬《書經正蒙》引（卷88）
⒄第27條王氏問《書經日抄》引（卷89）
⒅第28條莫氏如忠《尙經訓詁大旨》引（卷89）
⒆第29條張氏居正《書經直解》引（卷89）
⒇第30條申氏時行《書經講義會編》引（卷89）
(31)第31條湯氏顯祖《玉茗堂尙書兒訓》引（卷90）
(32)第32條袁氏宗道《尙書纂注》引（卷90）
(33)第33條貝氏瓊《中星考》引（卷93）
(34)第34條何氏模《禹貢圖注》引（卷94）
(35)第35條劉氏天民《洪範辨疑》引（卷97）
(36)第36條瞿氏佑《詩經正葩》引（卷112）
(37)第37條袁氏煒《毛詩定見》引（卷113）
(38)第38條高承埏《五十家詩義裁中》引（卷117）
(39)第39條毛氏晉《毛詩草木蟲魚疏廣要》引（卷118）
(40)第40條楊氏維楨《禮經約》引（卷143）
(41)第41條戴氏冠《禮記集說辨疑》引（卷144）
(42)第45條趙氏汸《春秋師說》引（卷198）
(43)第46條劉氏基《春秋明經》引（卷199）
(44)第47條張氏以寧《春秋胡傳辨疑》引（卷199）
(45)第48條郭氏登《春秋左傳直解》引（卷200）

⑷6第49條王氏鏊《春秋詞命》引（卷200）
⑷7第50條楊氏循吉《春秋經解摘錄》引（卷200）
⑷8第51條季氏本《春秋私考》引（卷201）
⑷9第52條皇甫氏�《春秋書法紀原》引（卷202）
⑸0第53條李氏攀龍《春秋孔義》引（卷202）
⑸1第54條王氏世貞《春秋論》引（卷202）
⑸2第55條汪氏道昆《春秋左傳節文》引（卷202）
⑸3第56條吳氏國倫《春秋世譜》引（卷202）
⑸4第59條吳氏希哲《春秋明微》引（卷207）
⑸5第60條薛氏正平《孝經通箋》引（卷230）
⑸6第61條朱氏存理《經子鉤玄》引（卷247）
⑸7第62條薛氏蕙《五經雜說》引（卷248）
⑸8第63條孫氏宜《遁言》引（卷248）
⑸9第65條曹氏學佺《五經困學》引（卷250）
⑹0第66條王氏惟儉《經抄》引（卷250）
⑹1第67條趙氏宧光《談經彙草》引（卷250）
⑹2第68條劉氏定之《杲卦》引（卷272）
⑹3第69條陸氏治《家語注》引（卷278）
⑹4第70條通說三引（卷297）

2.陸元輔1條

第74條聶氏崇義《三禮圖集注》引（卷163）

3.錢啓新1條

第57條鄒氏德溥《春秋匡解》引（卷205）

4.錢有終1條

第58條錢氏時俊《春秋胡傳翼》引（卷206）

以上改爲其他學者之名的，計有67條。其中，改爲錢陸燦者有64條，佔全部條目之九成以上。錢陸燦是何許人，爲何將全部條目之九成改在他名下？

根據清人所傳傳記資料，錢陸燦，清常熟人，字湘靈，號圓沙。順治舉人，爲錢謙益之族孫。陸燦應誦芬堂黃錫綬之請，將錢謙益《列朝詩集》中各詩人之小傳，摘出合爲一書，即《列朝詩集小傳》。陸燦所作〈彙刻列朝詩集小傳序〉所述甚詳。該序作於康熙三十七年（1698），距謙益逝世，已三十五年。

《經義考》所引錢謙益的相關資料，有三種來源，一是《列朝詩集小傳》，二是《初學集》，三是《有學集》❺，《薈要》館臣如果要改成「錢陸燦」，因《列朝詩集小傳》是錢陸燦所輯錄，將來自《列朝詩集小傳》的部分，改爲「錢陸燦」，還勉強說得通。但《薈要》館臣並沒有這麼理性，他們把出自《初學集》、《有學集》的，也改爲「錢陸燦」。但第44條，出自《有學集》，卻改爲「陸元輔」；第37條，出自《初學集》，卻改作「錢啓新」。可見，《薈要》館臣在刪改這些資料時，並沒有一較完備合理的方法，祇能說肆意妄改。

㈡其他情況二條

⑴第42條李氏如一《禮經緯正》下引「錢謙益志墓曰」，《薈要》本改作「李貫之墓誌」（卷146）

❺ 參見楊晉龍撰：〈四庫全書處理經義考引錄錢謙益諸說相關問題考述〉，《第七屆所友學術討論會論文集》（高雄：國立高雄師範大學國文學系，1998年5月），頁31—48。

(2)第43條豐氏坊《石經大學》條引陸元輔之言：「錢蒙叟《列朝詩集》爲豐坊作小傳，謂《石經大學》、《子貢詩傳》等書，皆坊僞撰。」《薈要》本改作「豐坊以詩名于時，有集行世，至所傳《石經大學》、《子貢詩傳》等書，實皆僞撰。」

第43條，本是陸元輔引錢謙益之言，是錢氏對當時流行之僞書《石經大學》、《子貢詩傳》作者之判斷，《薈要》館臣將「錢蒙叟《列朝詩集》」等字刪去，並將整段文字改寫，儼然成了陸元輔的話。

參、文淵閣本簒改情況之分析（上）

乾隆四十七年（1782），完成《四庫全書》第一分書，藏於文淵閣。《經義考》收入史部目錄類中。所用底本，根據《四庫全書總目》是「通行本」，即盧見曾補刻本。文淵閣本，卷首僅錄乾隆四十二年（1777）四月六日清高宗御製詩及乾隆四十六年（1781）五月紀昀等進呈提要，其餘奏文、序跋、目錄，依四庫編輯體例，皆刪去。

在簒改違字句方面，四庫館臣將卷71晁說之《周易太極傳外傳因說》自序中的「金賊猖狂」，改作「金兵南下」。在有關錢謙益資料方面，四庫館臣並不完全沿襲《薈要》本，將這70條大部分改爲「錢陸燦」即了事。館臣在處理這70條資料時，花費了相當的工夫。以下對館臣處理情況略作分析。

一、未刪改者七條❻

(1)第19條華氏時亨《周易箋注》引（卷62）

---

❻ 吳政上作「二例」，見註❸。

⑵第20條張氏次仲《周易玩辭困學記》引（卷63）

⑶第21條周氏是修《廣演太極圖》引（卷71）

⑷第23條朱氏右《書集傳發揮》引（卷87）

⑸第24條王氏達《書經心法》引（卷87）

⑹第25條夏氏寅《尚書劄記》引（卷88）

⑺第43條豐氏坊《石經大學》條，引陸元輔之言曰：「錢蒙叟《列朝詩集》爲豐坊作小傳，……」《全書》館臣並未將「錢蒙叟《列朝詩集》」等字加以刪改。

以上7條，所以未纂改，並非這幾條的「錢謙益」之名不刺眼，不引起高宗的不快，而是漏改。從這裏也可以看出高宗的文網雖密，百密也有一疏，更可看出館臣對此事也有敷衍的一面。

二、已刪改者六十三條

㈠全部刪除者十一條❼

⑴第32條袁氏宗道《尚書纂注》引（卷90）

⑵第40條楊氏維楨《禮經約》引（卷143）

⑶第42條李氏如一《禮經緝正》引（卷146）

⑷第61條朱氏存理《經子鉤玄》引（卷247）

⑸第62條薛氏蕙《五經雜說》引（卷248）

⑹第63條孫氏宜《遁言》引（卷148）

---

❼ 吳政上說：「有關抽毀部分，以錢謙益之論述爲例，則有袁氏宗道《尚書纂注》等十五例之多。」根據筆者統計僅有十一例。因吳先生並未將例子全部舉出，不知那些爲筆者所遺漏。同註❸。

⑺第65條曹氏學佺《五經困學》引（卷250）

⑻第66條王氏惟儉《經抄》引（卷250）

⑼第67條趙氏宧光《談經彙草》引（卷250）

⑽第68條劉氏定之《呆卦》引（卷272）

⑾第69條陸氏治《家語注》引（卷278）

在70條與錢謙益有關的條目中，《薈要》本並沒有刪除的條目。《全書》館臣則刪除了11條。館臣如果不願意動腦筋，也可以把這些條目，都繫在「錢陸燦」名下，但是從刪除的條目，大部分分布在卷217至卷278間，即條目的61至69條間，可見館臣對篡改之事，可能很厭煩，連改名謄錄都懶得做，乾脆全部刪去。

㈡改作其他學者者三十一條

1.錢陸燦16條❽

⑴第1條趙氏汸《大易文詮》引(卷49）

⑵第2條周氏南老《易傳雜說》引(卷49）

⑶第3條方氏孝孺《大易枝辭》引(卷49）

⑷第4條胡氏廣等《周易傳義大全》引(卷49）

⑸第5條王氏達《易經選注》引(卷49）

⑹第6條桑氏悅《易抄》引(卷50）

⑺第7條洪氏貫《周易解疑》引(卷50）

⑻第8條何氏孟春《易疑初筮告蒙約》引(卷51）

⑼第9條都氏穆《周易考異》引(卷51）

⑽第10條周氏用《讀易日記》引(卷51）

❽ 吳政上作「十三例」。同註❸。

⑾第11條張氏邦奇《易說》引（卷51）

⑿第41條戴氏冠《禮記集說辨疑》引（卷144）

⒀第44條聶氏崇義《三禮圖集注》引（卷163）

⒁第46條劉氏基《春秋明經》引（卷199）

⒂第47條張氏以寧《春秋胡傳辨疑》引（卷199）

⒃第70條通說3引（卷297）

2.毛奇齡1條

第12條楊氏愼《易解》引（卷52）

3.陳子龍4條❾

⑴第13條豐氏坊《易辨》引（卷54）

⑵第14條王氏世懋《易解》引（卷55）

⑶第15條屠氏本畯《卦玩》引（卷56）

⑷第45條趙氏汸《春秋師說》引（卷198）

4.黃虞稷一條

⑴第16條朱氏篁《鏗鏗齋易郵》引（卷57）

5.陸元輔3條❿

⑴第17條屠氏隆《讀易便解》引（卷59）

⑵第38條高氏承埏《五十家詩義裁中》引（卷117）

⑶第39條毛氏晉《毛詩草木蟲魚疏廣要》引（卷118）

6.高攀龍1條

第18條卓氏爾康《易學全書》引（卷61）

---

❾ 吳政上作「三例」。同註❸。

❿ 吳政上作「二例」。同註❸。

7.何景明1條

第22條王氏廷相《太極辨》引（卷71）

8.何光遠1條

第34條何氏模《禹貢圖注》引（卷94）

9.谷應泰1條

第56條吳氏國倫《春秋世譜》引（卷202）

10.羅喻義2條

⑴第58條錢氏時俊《春秋胡傳翼》引（卷206)

⑵第59條吳氏希哲《春秋明微》引（卷207）

這31條，《薈要》館臣幾乎都改作「錢陸燦」，但《全書》的館臣，卻大費周章，除了作「錢陸燦」的16條外，將其餘的條目，分派給明末清初的毛奇齡、陳子龍、黃虞稷、陸元輔、高攀龍、何景明、何光遠、谷應泰、羅喻義等人。將第12條楊氏慎《易解》(卷52）所引錢謙益爲楊愼所作的小傳，改名爲「毛奇齡」。實際上，毛氏的著作中並沒有類似的文字。又如第16條朱氏篁《鏗鏗齋易郵》(卷57）所引錢謙益爲朱篁所作小傳，改名爲「黃虞稷」。黃氏的《千頃堂書目》根本未收《鏗鏗齋易郵》，更遑論有朱氏的小傳。可見，《全書》館臣將某人的小傳，由錢謙益之名，改爲另一學者之名實，事先似乎未詳細檢覈，也未做較合理的規畫，僅是肆意妄作，交差了事。

肆、文淵閣本篡改情況之分析（下）

㈢改作某方志者十五條。

1.蘇州府志2條⓫

(1)第26條吳氏寬《書經正蒙》引（卷88）

(2)第27條王氏問《書經日抄》引（卷89）

2.江南通志7條⓬

(1)第28條莫氏如忠《尚書訓詁大旨》引（卷89）

(2)第30條申氏時行《書經講義會編》引（卷89）

(3)第33條貝氏瓊《中星考》引(卷93，書22）

(4)第52條皇甫氏涍《春秋書法紀原》引（卷202）

(5)第54條王氏世貞《春秋論》引（卷202）

(6)第55條汪氏道昆《春秋左傳節文》引（卷202）

(7)第60條薛氏正平《孝經通箋》引（卷230）

3.湖廣通志1條⓭

第29條張氏居正《書經直解》引（卷89）

4.江西通志1條

第31條湯氏顯祖《玉茗堂尚書兒訓》引（卷90）

5.山東通志2條

(1)第35條劉氏天民《洪範辨疑》引（卷97）

(2)第53條李氏攀龍《春秋孔義》引（卷202）

6.浙江通志2條

(1)第36條瞿氏佑《詩經正葩》引（卷112）

(2)第37條袁氏煒《毛詩定見》引（卷113）

⓫ 這兩條，吳政上的統計，並未列出。同註❸。

⓬ 吳政上作「大例」。同註❸。

⓭ 這一條，吳政上的統計，並未列出。同註❸。

將「錢謙益」之名改作某某方志，《薈要》館臣並沒有想到。這可說是《全書》館臣的「傑作」。因爲，《經義考》所錄的經學家，在各地方志的儒林傳大多有收錄，山東省出身的，就改作《山東通志》，浙江出身的，就改作《浙江通志》，不但省得苦思要改作何人的名字，也更能名實相符。可是《全書》館臣衹不過將「錢謙益」之名，改換成某方志之名而已，並沒有將整個條目的內容改換，如改爲《江南通志》的條目有7條。這裏所說的《江南通志》，應指尹繼善等修，黃之雋等纂，乾隆三年（1738）刊行的《乾隆江南通志》。將《全書》館臣所改的7條，與這《江南通志》相核對，內容上大都不相合，如：第30條申時行《書經講義會編》（卷89）之下所引云：

> 《江南通志》：「時行，字汝默，長洲人。嘉靖壬戌狀元，以修撰歷官詹翰，以吏部左侍郎入直東閣，官至少師、吏部尚書、中極殿大學士。爲元輔九年而歸，歸二十有三年，壽八十考，終於里第。」（卷89，頁19）

而《江南通志》的〈申時行傳〉則作：

> 申時行，字汝默，吳縣人。嘉靖壬戌進士第一，授修撰，歷吏部左侍郎。萬歷六年，拜東閣大學士。十一年，進首輔，時行性平粹，承前相綜覈之後，一切爲寬大，以諧人情，亦數自獻納，錄建言諸臣，罷内操，皆有力焉。嘗力言催科急迫，徵派加增，刑獄繁多，用度侈靡之害。十九年，予告歸里。又二十三年卒。謚文定。[14]

[14] 見清尹繼善等修，黃之雋等纂《乾隆江南通志》（乾隆3年刊本），卷166，頁7上。

兩條之內容相差甚多。可見，《全書》館臣並未眞正檢閱《江南通志》。其他各條大抵如此，不再舉例。

再看看改作《山東通志》的有兩條，這裏的《山東通志》，指岳濬等修，杜詔等纂，乾隆元年（1736）刊行的《雍正山東通志》。第30條劉天民《洪範辨疑》下所引云：

> 《山東通志》：「天民，字希尹，濟南人。正德甲戌進士，除户部主事，諫南巡，廷笞三十，改吏部，泣諫大禮，又笞三十。歷文選郎中，調壽州知州，累遷至河南副使。改四川，以貪罷。」

而《山東通志》的〈劉天民傳〉云：

> 劉天民，字希尹，濟南人。正德甲戌進士。除户部主事，以諫南巡，廷杖。嘉靖初，改吏部稽勳司。又以泣諫大禮，廷杖。直聲遠震，壯志益堅。累官四川按察司副使，改仕。晚年專工詞曲，雅俗皆稱之。[15]

兩段文字相差甚多。可見《全書》館臣並沒有眞正檢閱《山東通志》。

㈣改作「闕曰」者三條

⑴第48條郭氏登《春秋左傳直解》引（卷200）

⑵第49條王氏鏊《春秋詞命》引（卷200）

⑶第50條楊氏循吉《春秋經解摘錄》引（卷200）

---

[15] 見清岳濬等修、杜詔等纂《雍正山東通志》（乾隆元年刊本），卷28之3，頁41下。

這裏，所謂「闕曰」，是指在原來「錢謙益」的名字作空白，在其旁加注小字「闕」，和原來的「曰」字，合成「闕曰」。《薈要》本並沒有改作「闕曰」的例子。《全書》本，篡改時刻意複雜化，這三條可能一時想不出適當的人名或方志名，祇好注上「闕」，而形成「闕曰」。

㈤其他情況三條

⑴第51條季氏本《春秋私考》條，所引錢謙益之言：「近代之經學鑿空杜撰，紕繆不經，未有甚於季本者也。本著《春秋私考》，於惠公仲子則曰隱公之母，盜殺鄭三卿則曰戍虎牢之諸侯，使刺客殺之，此何異於中風病鬼。而世儒猶傳道之，不亦悲乎。傳《春秋》者三家，杜預出而左氏幾孤行於世。自韓愈之稱盧仝，以爲：『春秋三傳束高閣，獨抱遺經究終始。』世遠言湮，譌以承譌，而季氏之徒出焉。孟子曰：『始作俑者，其無後乎』，太和添丁之禍，其殆高閣三傳之報與！季於《詩經》、《三禮》皆有書，其鄙倍略同。有志於經學者，見即當焚棄之，勿令繆種流傳，貽禍後生也。」（卷201，春秋34）這段話之前，本應有「錢謙益曰」四字，謄寫文淵閣四庫本的館臣卻將「錢謙益曰」四字，改爲「私考駁正」，意即對季本《春秋私考》的駁正。這樣改，是誰的駁正，根本看不出來。

⑵第57條鄒氏德溥《春秋匡解》條，引有錢謙益的序（卷205，春秋38）。館臣將「錢謙益序曰」，改作「匡解原序曰」。這樣改，是何人所序，也看不出來。

⑶第64條朱氏睦㮮《授經圖》下引黃虞稷之言：「本《崇文總目》中《授經圖》之意，著《五經授受諸儒同異》及《古今經解目錄》成編，錢遵王《敏求記》作五卷。」（卷249，頁4）「錢遵王《敏求記》」五

字，《經義考》原作「錢氏列朝詩集」。這裏，《薈要》本並未篡改，《全書》本則改作「錢遵王《敏求記》」。其實，錢曾《讀書敏求記》根本未收錄朱睦㮮的《授經圖》。

伍、篡改《經義考》的原因

從以上的分析，可知《經義考》遭四庫館臣篡改的有兩方面：一是篡改違礙字，如卷71，晁說之《周易太極傳外傳因說》條，所引晁氏自序有：「靖康元年丙午冬金賊猖狂」，《薈要》館臣將「金賊猖狂」改作「兵革蹂躪」；《全書》館臣則改作「金兵南下」。這完全站在維護異族之尊嚴而改，由於《經義考》中這類的違礙字眼相當少，看不出清廷統治手段的卑劣。

另一是篡改錢謙益相關資料，《經義考》引用錢氏之言有70條，《薈要》本和《全書》本，對這70條作了不同程度的修改，使兩個版本的《經義考》中，幾乎見不到錢謙益的話。所以，討論四庫館臣篡改《經義考》，幾乎可說是，討論館臣爲何要篡改錢謙益之言，甚至可說，清高宗爲何那麼痛恨錢謙益？

錢謙益生於明神宗萬曆十年（1582）九月二十六日。錢氏自萬曆三十八年（1610）中一甲三名進士後，歷翰林院編修，浙江鄉試正考官，經筵日講官，詹事府少詹事、禮部右侍郎兼翰林院侍讀學士。順治元年（1644）五月，福王即位於南京，馬士英入閣辦事，把持朝政，錢謙益上書頌揚馬士英之功，遂以原官禮部尙書任用。順治二年（1645）清豫親王多鐸統兵南下，錢謙益率先上表稱臣。也留下了永遠無法磨滅的人生污點。順治三年（1646）一月，任命謙益爲禮部侍郎管秘書院事，充《明史》副總裁。六月，因疾乞歸。順治七年（1650）十月，所構絳雲樓遭火焚燬，惟佛像未燬，遂決心皈依三寶。康熙三年（1664）五月廿四日卒，享年八十三。

謙益雖大節有虧，清順治、康熙二帝對他的人格並沒有太多的批評。他的著作也陸續刊行，如：順治九年（1652），《列朝詩集》由毛氏汲古閣刊行；康熙三年（1664），《有學集》由無錫鄒流綺刊行；康熙六年（1667），《杜工部箋注》二十卷刊行；康熙二十四年（1685），《有學集》由梁漢金匱山房重刊行；康熙二十八年（1689），《錢牧齋尺牘》三卷，由虞山如月樓刊行；康熙三十七年（1678），《列朝詩集小傳》由黃錫綬誦芬堂刊行。⑯

進入乾隆中期以後，情況完全改觀，首先是乾隆二十六年（1761），沈德潛編成《清詩別裁集》，向清高宗求序，高宗見冠首者爲錢謙益等人，心中甚爲不悅，乃以公論名教爲由，令詞臣另行刪定，原版則銷燬。乾隆三十四年（1769），高宗又因閱謙益《初學》、《有學》二集，見其中多「荒誕悖謬」、「詆譭本朝」之語，乃下令查禁。該年六月六日諭曰：

> 錢謙益本一有才無行之人，在前明時身躋膴仕，及本朝定鼎之初，率先投順，洊陟列卿，大節有虧，實不足齒於人類。朕從前序沈德潛所選《國朝詩別裁集》，曾明斥錢謙益等之非，黜其詩不錄，實爲千古立綱常名教之大閑。彼時未經見其全集，尚以爲其詩自在，聽之可也。今閱其所著《初學集》、《有學

⑯ 參考柳作梅撰：〈清代之禁書與牧齋著作〉，《圖書館學報》，第4期（1962年8月），頁155－208。

集》，荒唐背謬，其中詆謗本朝之處，不一而足。夫錢謙益果終爲明臣，守死不變，即以筆墨騰謗，尚在清理之中，而伊既爲本朝臣僕，豈得復以從前狂吠之語刊入集中，其意不過欲借此以掩其失節之羞，尤爲可鄙可恥。錢謙益業已身死骨朽，姑免追究，但此等書集悖理犯義，豈可聽其流傳，必當早爲銷毀。著各該督撫等將《初學》、《有學》二集，於所屬書肆及藏書之家，諭令繳出彙齊送京，至於村塾鄉愚，僻處山陬荒谷者，並著廣爲出示，明切曉諭，定限二年之內，俾令盡行繳出，毋使稍有存留。錢謙益籍隸江南，其書板必當尚存，且別省或有翻刻印售者，俱著該督撫等即將全板儘數查出，一併送京，勿令留遺片簡。朕此旨實爲世道人心起見，止欲斥棄其書，並非欲查究其事。⓱

本來高宗僅嫌惡錢謙益的人品，在閱讀謙益《初學》、《有學》二集後，以爲既爲清朝之朝臣，豈可詆謗本朝，遂下諭查禁其書，並銷燬書板。高宗這一聖諭也揭開一連串查禁錢謙益著作的序幕。

從乾隆三十四年（1769）七月起，各地督撫陸續將所屬搜查所得的錢氏著作送繳上京，如江蘇按察使吳壇、蘇糧巡道朱奎揚送繳的十二箱，內容是：

第1箱，《初學集》1部，24本；燕譽堂藏板《初學集》17部，

⓱ 見「軍機處檔」第2771箱，69包，10289號，乾隆34年8月23日，浙江巡撫永德致軍機處咨呈。轉引自莊吉發先生：〈清高宗禁燬錢謙益著述考〉，《大陸雜誌》，第47卷5期（1973年11月），頁263。

368本。共18部，392本。

第2箱，燕謈堂板《初學集》1部，20本。未釘1部。無

面頁《初學集》15部；296本。又未訂1部。共18部，316本。

第3箱，無面頁《初學集》18部，376本。

第4箱，無面頁《初學集》16部，376本。

第5箱，錢謙益自定《有學集》4部，40本；金匱山房《有學集》30部，俱未釘。共34部，40本。

第6箱，金匱山房《有學集》34部，411本。無面頁《有學集》8部，80本。共42部，491本。

第7箱，玉詔堂選箋《初學集》62部，372本。

第8箱，玉詔堂選箋《初學集》62部，342本。

第9箱，玉詔堂選箋《初學集》41部，328本。又未訂16部。共57部，328本。

第10箱，玉詔堂選箋《有學集》82部，490本。

第11箱，玉詔堂選箋《有學集》80部，445部。

第12箱，無面頁《有學集》19部，內草釘1部，186本。玉詔堂選箋《初學集》3部，內草釘1部，17本。未釘玉詔堂《初學集》9部，玉詔堂選箋《有學集》4部，內草釘1部。計20本，未訂玉詔堂《有學集》24部。共59部，223本。[18]

從這十二箱書的內容來看，起先查禁的僅是錢氏的《初學集》、《有學集》而已。乾隆四十年（1776）十一月十七日又下諭云：

---

[18] 見莊吉發先生：〈清高宗禁燬錢謙益著述考〉。

明季諸人書集，詞意抵觸本朝者，自當在銷燬之列。……如錢謙益在明已居大位，又復身事本朝，而金堡、屈大均，則又遁跡緇流，均以不能死節，靦顏苟活。乃託名勝國，妄肆狂狺，其人實不足齒，其事豈可復存。自應逐細查明，概行燬棄，以勵臣節，而正人心。……又若彙選各家詩文內，有錢謙益、屈大均所作，自當劃去。

可見，不僅錢氏的著作應查禁，相關詩文選集也在查禁之列。乾隆四十四年（1779）九月，閩浙總督兼署福建巡撫三寶，進呈的違礙書，如《留青集》1部、《留青全集》5部、《留青列書》4部、聽嚶堂《翰苑英華》1部，都有錢氏之文；《明詩歸》3部、《留青廣集》10部、《吳梅村詩》2部、《江左三家詩鈔》2部、《五家詩選》1部，都有錢氏的詩。《史序》22部、《經序》21部、《吳梅村全集》1部、《啓禎野乘》1部，都有錢氏的序⑲。這些書也因爲有錢謙益的詩文在內，全部被查禁。

在此種雷厲風行的查禁過程中，四庫館臣奉令刪改各書中與錢氏有關的文字，自是很容易理解的事。至於如何刪改，高宗皇帝應該沒有明確的指示。從《薈要》本和《全書》本處理錢謙益的七十條相關資料來看，館臣並沒有一完備的刪改方法，說是「肆意妄作」也不爲過。

陸、結　論

從上文的分析討論，可得下列結論：

⑲　同註⑰。

其一，《經義考》引錄與錢謙益有關的資料有七十條之多，《薈要》本的處理方式是：⑴未刪改者一條，這可能是漏改。⑵已刪改者六十九條。其中六十四條改作「錢陸燦」，錢陸燦爲錢謙益族孫，曾從謙益的《列朝詩集》中輯出詩人小傳，編爲《列朝詩集小傳》，《薈要》館臣自以爲如此篡改可能較合理，但錢陸燦僅是編者，並非作者。此種篡改，很難說是合理。

其二，《四庫》本的處理方式較多樣化：⑴未刪改者有七條，這也是漏改。⑵已刪改者六十三條。其中，全部刪除者十一條。改作其他學者者三十一條，分別改爲錢陸燦、毛奇齡、陳子龍、黃虞稷、陸元輔、高攀龍、何景明、何光遠、谷應泰、羅喻義等人。改爲錢陸燦的有十六條最多。改作某方志者有十五條，包括《蘇州府志》、《江南通志》、《湖廣通志》、《江西通志》、《山東通志》、《浙江通志》等。另改作「闕曰」的有三條，不在上述情況的也有三條。《全書》本之館臣看似更用心篡改，其實是肆意妄作。

清廷編修《四庫全書》是籍右文之名，遂行其政治的目的。因此，收入《四庫全書》中的著作，大多遭到篡改，前人對此事已屢有討論⑳。四庫館臣的篡改《經義考》，爲清高宗的文字箝制增加一實例，也提醒學者使用四庫本時應特別小心。

---

⑳ 針對《四庫》本進行比對研究的，如：黃寬重撰：〈四庫全書本得失的檢討——以程珌的治水集爲例〉，《漢學研究》第2卷1期（1984年6月），頁223－244。汪嘉玲撰：〈春秋傳宋刊本與四庫全書本對校表〉，見《胡安國春秋胡傳研究》（臺北：東吳大學中研所碩士論文，1998年5月），附錄。

附記：本文撰寫過程中，曾由馮曉庭學弟提供大部分資料；並參考中研院文哲所楊晉龍兄新撰大作〈四庫全書處理經義考引錄錢謙益諸說相關問題考述〉一文，又得劉師兆祐的指導，特於此致謝。

《四庫全書》所表現出的藝術觀
—以《四庫全書》藝術類書目爲觀察對象

馬銘浩*

在《四庫全書》的分類中，於子部列有藝術一類，其中所收書籍的種類有書法、繪畫、音樂、篆刻和雜技（包括有棋奕、射法、擊球等）五種，其中又以書法及繪畫佔了絕大部份的篇幅。可知：清・高宗期間在編《四庫全書》時，館閣臣對於純藝術的觀念，仍延續傳統以書法、繪畫爲主的看法，並沒有受到太多西方文明的影響。若以現代藝術的觀念來看，四庫全書藝術類所收的書目，並無法涵蓋中國的純藝術類的書籍。事實上，在近期由中華文化復興運動總會所組成《四庫全書》索引編纂小組，所編纂而成的《四庫全書藝術類分類索引》，其對於藝術類書籍的編採仍不囿於子部藝術類的書籍，而是綜合了「藝術」、「金石」❶、「譜錄」三大類，將其重新整理分類，以符合於現今所謂藝術的理念。只是《四庫全書》藝術類的分類模式，卻也和傳統中國對藝術分類的概念不盡相同。當然在《四庫全書》之前，歷代史志典籍裡已經有「藝術類」或是「雜藝術類」的書

* 淡江大學中文系副教授

❶ 《四庫全書》所收金石類的書籍，多歸於史部目錄類之下。

目，雖有部份涵蓋了《四庫全書》「藝術類」的書籍，但其所收的書目大多是以雜技藝能爲主，內容相當駁雜，甚至於和《四庫全書》同時代的《古今圖書集成》，其中所收的「藝術典」，都還是比較接近歷代史志「藝術類」的觀念。可知《四庫全書》對藝術類書目的分類模式，實是介於中國傳統以雜技爲主的觀念，和近代純藝術的概念之間，一種能突破傳統觀念，卻又還無法完全接受西方藝術思潮的應對模式。因此，對《四庫全書》藝術類存書及其歸類模式的檢討，當有助於對當時藝術認知的釐清。

《四庫全書》在立藝術類之前有一段小序說道：

> 古言六書後明八法，於是字學書品爲二事，左圖右史，畫亦古義，丹青金碧，漸別爲賞鑒一途，衣裳製而纂組巧，飲食造而陸海陳，踵事增華，勢有馴致，然均與文史相出入，要爲藝事之首也，琴本雅音，舊列樂部，後世俗工撥捩率造新聲，非復〈清廟〉〈生民〉之奏，是特一技耳。摹印本六體之一，自漢白元朱，務矜鐫刻，與小學遠矣。〈射義〉〈投壺〉載於戴《記》諸家所述，亦事異《禮》經，均退列藝術於義差允，至於譜博奕論歌舞，名品紛繁，事皆瑣碎，亦併爲一類，統曰雜技焉。

從這一段小序裡，我們至少可以得到以下幾點訊息：第一、棋奕之類的書籍，之所以列於藝術類的原因，其實並不是有什麼特別的創見，而是在不得已的情形下，以雜技的名目，勉強歸於藝術類。第二、篆刻列於藝術類的原因，是以其已脫離了傳統小學的範疇，不再是訓詁所必然具備的知識，變成爲以刀工技藝主的創作模式。第三、音樂本來就是儒家六藝的一部分，是屬於經部樂類的書籍，但由於文化的演進，使得部分音樂性的書籍，已不具備有傳統經學的功能，所以才歸之於藝術類。第四、書法和繪畫歸爲藝術類，並得到大量登錄，其主要是在於「鑒賞」的功能，和悠久的發展歷程。

首先就琴譜、篆刻和雜技而言：《四庫全書》藝術類所收琴譜最早的是宋・朱長文的《琴史》六卷，其餘均爲明、清時代人的作品，充分表現出「後世俗工撥捩率造新聲」的看法。就音樂在中國經學史上的發展來說，自《詩經》以來音樂就有其教化上的特殊功能，尤其在漢代重視經學和漢樂府的社會背景下，自是將其功能發揮到極至，而後隨著教化功能的淪喪及古樂譜的亡佚，音樂性的書籍遂逐漸脫離經學傳統，自成爲以審美爲主的藝術形式。是以自明代以降，以音樂技藝爲著錄內容的琴譜，自然就不再列入經部中，唯一不同的是該類所收《羯鼓錄》一卷和《樂府雜錄》二卷。《羯鼓錄》疑是唐代人南卓所撰❷，《樂府雜錄》則是唐・段安節所撰，雖然這兩部書籍是唐時人的作品，但其特色卻是以胡樂的歌法曲度爲主，已不同於經學傳統中清廟之音的特殊教化功能。所以《四庫全書》的編目者，並不將其編於藝術類的琴譜之屬，而是歸於藝術類的雜技之屬，並特別註明說：

> 案《羯鼓錄》、《樂府雜錄》，《新唐書・志》皆入經部樂類，雅鄭不分，殊無倫理，今以類入之於藝術，庶各得其倫。

---

❷ 據《四庫全書總目提要》所說，該書原載於《唐書・藝文志・樂類》，然不云卓何許人。《雜史類》又載：南卓《唐朝綱領圖》一卷。註曰：字昭嗣，大中時黔南觀察使。

可知：在四庫全書編目的觀念中，對音樂的看法可以分成屬於經學內涵的樂府、屬於藝術類的琴譜和屬於雜技類的胡樂技藝三種。至於篆刻相關書籍，之所以離開經部小學的範疇，改列於藝術類，主要則是因爲鑒於讀者在觀讀篆印書籍時，已經不以其小學功能爲標的，而是重在其精緻的鐫雕之功所表現出來的審美特色。雖然《四庫全書總目提要》說篆印的審美是從「漢白元朱」爲起點，但所收篆印的書籍最早也只有元代的《學古編》，據《四庫全書總目提要》說：該書是「專爲篆刻印章而作」，可知縱使漢、宋諸印是當代人學印的典範，可是在元代以後才發展出其理論架構，是以篆印的改列於藝術類，應該也是元、明以後的觀念。而其餘以雜技之屬列於藝術類的射術、棋奕相關書籍，在《四庫全書》的分類模式中，雖然在《四庫》前已有書目將其列於藝術類❸，但整體而言是比較類似於目錄分類中的雜藝類，在此也只是雜錄其中而已。

在《四庫全書》藝術類所收書籍中以書法和繪畫爲大宗，也就是說藝術類之所以成立的原因，主要是有書法、繪畫的存在。就書法而言：《四庫》館閣臣認爲自從「古言六書，後明八法」之後，書法就已經脫離了小學的範疇，自成爲一套完整的藝術審美模式。而此所謂「八法」係針對書法成爲完整的藝術形式之後，衍生而來的創作理論，時代發展上應當是在唐代眞書成立以後，因此《四庫全書》藝術類所收書法的書目，除南朝梁庾肩吾的《書品》一卷外，則以唐代人的書論爲主。《書品》之所以出現，除了書法史上的意識外，其實和六朝品評人物等第的風氣有極爲密切的關係，所以其所衍生而來的書

❸ 例如明·焦竑所編《國史經籍志》即在藝術家一類中，將射、騎、嘯、畫錄、投壺……等列於其中。

法理論並不是以創作技法爲思考重心，而是以作品風格的詮釋爲主。就一完整的藝術形式而言，缺少了創作論的理論基礎，是以必須要等到「明八法」之後，書法才成爲一種充足的藝術形式。而繪畫成爲藝術類的重心，主要是以其脫離了圖譜的單純工具性質，而「漸別爲鑒賞一途」，所謂「左圖右史」是以文字爲主要閱讀對象，以圖譜爲參考資料，也是中國以儒家經學傳統爲重心的文化模式，必須要等到圖畫脫離文字附庸，不再以其工具性質爲存在目的後，其鑒賞的美學藝術價值才能成立。既然繪畫是以鑒賞爲最主要目的，則當有其完整的創作理論與審美依據，以成爲中國藝術領域裡的重心。所以，不管是書法還是繪畫，所收書目大都已能表現出該門藝術的發展脈絡和內部理論。這其中有幾點特別值得注意的地方。

首先是習字作畫的範本在該類書目中，只收有繪畫類元·李衎《竹譜》十卷，其餘均付之闕如。此一現象在中國藝術史上，有其特殊的意義。書法習字所依據的金石、法帖，大多列於史部目錄類，如《集古錄》、《金石錄》、《法帖釋文》、《法帖譜系》、《絳帖平》、《淳化秘閣法帖考正》等；習畫的範本如《群芳譜》、《香雪林集》、《素園石譜》則是歸於子部譜錄類，而不列入子部藝術類中，唯獨將李衎《竹譜》單獨列入藝術類的書目之中。李衎《竹譜》是一部版畫畫譜的作品，其實該譜並不是第一部版畫畫譜。從創作年代來看，宋·宋伯仁的《梅花喜神譜》應該才是第一部版畫畫譜，只是其創作目的並不是藝術性的，更不是爲了作爲習畫的底本，據作者自己說：其作《梅花喜神譜》的用意，是要藉梅花堅貞剛毅的特性以喚起時人的知覺，並進而效法梅花之精神以報效國家❹，然猶如宋伯

❹ 宋伯仁在《梅花喜神譜》的序言自謂：「是花藏白收香，黃數紅綻，可以

仁在該譜的自序中所說：

> 余有梅癖，闢圃以栽，築亭以對，刊清臞集以詠，每於梅猶有未能盡花之趣。

所以在作該譜的時候，雖是以抒發情性爲目的，但卻也因作者的梅癖，透過仔細的觀察❺，將其生態詳刻於《梅花喜神譜》中。《梅花喜神譜》全書分上、下兩卷，記梅花從蓓蕾到就實的各個程序，依次爲蓓蕾、小蕊、大蕊、欲開、大開、爛漫、欲謝、就實等，並在所摹刻的一百幅不同花態之旁，都題以一首詠梅詩，使加強其情韻。因此該譜在「供博雅君子鑒賞悅情」的同時，其實也就提供學習畫梅的最好範本，在「蓓蕾」的部份該譜還細分爲麥眼、柳眼、椒眼、蟹眼等四種情狀，更提供給初習畫者以入門之階。事實上，對大自然生態的掌握，是學習繪畫不可或缺的一環，《梅花喜神譜》提供習畫者寫生的依據，已經超越該譜原始闡揚梅花精神的用意，卻也開闢出由版畫畫譜對自然形象的掌握，並成爲中國繪畫教育的重要基礎。

《梅花喜神譜》成爲繪畫教育中的素材，是作者不經意而產生的效果，所以該譜嚴格上說來，仍不是屬於藝術性的書籍。首先將版畫畫譜的繪畫教育精神表現出來的，則是元·李衎的《竹譜》，該譜可以說是一部指導習畫者畫竹的專門性論著，在例言裡作者就已經將其

續❹止三軍渴，可以調金鼎羹。此書之作，豈不能動愛君憂國之士，出欲將，入欲相，垂紳正笏，措天下於泰山之安。」

❺ 同上註的序言亦說到：「余於花放之時，滿肝清霜，滿肩寒月，不厭徘徊於竹籬茆屋邊，嗅蕊吹英，挼香嚼粉，諦玩梅花之低昂、俯仰、分合、卷舒，其態度泠泠然，清其俊古，紅塵事無一點相著。」

創作意圖說的十分詳細，李衎謂：

> 文湖州授東坡訣云：「竹之始生，一寸之萌耳，而節葉具焉，自蜩蝮蛇蚹，至於劍拔一尋者，生而有之也。今畫竹者乃節節而爲之，葉葉而累之，豈復有竹乎？故畫竹先得成竹於胸中，執筆熟視，乃見其所欲畫者，急起從之，振筆直遂，以追其所見，如兔起鶻落，少縱則逝矣！」坡云：「與可以教與如此，予不能然也，夫既心識所以然而不能然者，內外不一，心手不相應，不學之過也。」且坡公尚以爲不能然者，不學之過，況後之人乎？人徒之畫竹者，不知在節節而爲，葉葉而累，抑不思胸中成竹從何而來，慕遠貪高，踰級躐等，放弛情性，東抹西塗，便爲脱去翰墨蹊徑，得乎自然。故當一節一葉措意於法度中，時習不倦，眞積力久，自信胸中眞有成竹，而後可以振筆直遂，以追其所見，不然徒執筆熟視，將何所見而追之邪？苟能就規矩繩墨則自顧瑕纇，何患乎不至哉？從失於拘，久之猶可達於規矩繩墨之外，若遽放逸，則恐不復可入於規矩繩墨，而無所成矣！故學者必自法度中來，始得。❻

基本上，李衎對於習畫的論點，正是中國傳統藝術對於初學者的要求。「成竹在胸」是蘇東坡承接中國傳統藝術理論而來的觀念，爲了使初學者能夠了解並進而掌握「技進於道」的理念，不要好高騖遠，一味的追求氣韻生動的極則，李衎特別示人以畫竹的法度，希望透過「時習不倦，積學日久」，將畫竹法的每一枝節都能措意於法度之

❻ 原文詳見李衎《竹譜詳錄·序》七卷。

中，而後再到繪畫神妙的意境。《竹譜詳錄》卷一，還特別說出了其創作《竹譜》的用意爲：

> 悉取李頗、文湖州兩家成法，寫予疇昔用力而得之者，與夫命意、位置、落筆、避忌之類，一一詳疏卷端，無所隱秘，庶幾後之君子一覽靡遺憾焉。

全書分爲畫竹譜、墨竹譜、竹態譜、墨竹態譜、竹品譜等五類，其中畫竹譜和墨竹譜都是在構圖、設色、用筆等繪畫技法上有所闡述❼，是屬於畫竹的基本技法認知，而竹品譜則延續了借由植物的生命特性，作爲創作者表現其精神象徵的手法。事實上，「以畫論人」一直是中國繪畫理論中難以擺落的觀念，在這裡畫品與人品的結合，才能夠使得習畫者從純技藝的學習，走向氣韻生動的創作，已經是學習創作中另一層次的命題。整部《竹譜》在中國繪畫史上的成就可以分成三部分，分別爲：「一、對於自然描寫的生動。二、要求經由自然之描寫而求得精神上的抽象意義。三、對構圖和造型法則上的講究。」❽其中第一點和第二點都還不脫離《梅花喜神譜》的意念，第三點則突顯出《竹譜》在繪畫教育上的價值，應該也是使得該譜成爲《四庫全書》藝術類中，唯一收錄版畫畫譜的重要原因。也是部份研究者從

---

❼ 如墨竹譜論畫竹的形態有所謂五忌的說法，謂「法有所忌，學者當知粗忌似桃，細忌似柳，一忌孤，二忌並立，三忌如叉，四忌如井，五忌如手指及蜻蜓。」論墨色的用法，則說：「若只畫一、二竿，則墨且得便從，若三竿之上，前者色濃，後者色淡，若一色則若不能分辨前後矣。」

❽ 見石守謙著《元代繪畫理論之研究》，頁111～112，國立臺灣大學歷史研究所碩士論文，民六十六年六月。

中國藝術史的觀點，將李衎《竹譜》定爲中國第一本畫譜，而不是《梅花喜神譜》的原因❾。若依此觀念而來，則《梅花喜神譜》當置於子部錄譜類之中，以羅列次第各種物品爲主要原則，就如譜錄類中諸多草木蟲魚之屬，或許在鑒賞者有意的運用下，可以成爲藝術史上部分材料，但卻不是藝術史上具有積極效果的作品，是以李衎《竹譜》列於藝術類中，正標識著中國繪畫理論與實務創作的結合，通過有效的繪畫教育，以達到氣韻生動的終極目標。

在《四庫全書》藝術類的存目中，另外收錄的版畫畫譜還有明·黃鳳池的《唐詩畫譜》五卷和明·不著撰人的《畫譜》六卷（包含有《唐六如畫譜》一卷，五、六、七言唐詩畫譜各一卷，木本、本草花譜合一卷及扇譜一卷），雖然仍名之爲畫譜，但是卻不具有藝術學習上的積極功能，而是感通於文學與藝術之間，使文人雅士「案頭展玩，流連光景」❿的遊戲之作，將其置於藝術類的存目中，雜技的觀念應該重於以繪畫史爲中心的藝術觀念才是。

除了版畫畫譜的問題之外，在《四庫全書》藝術類的書目中，所收錄的畫法繪畫相關書籍，多爲理論性的論述。不管是書畫史、創作理論還是鑒賞理論，都相當完整的著錄，這也充份顯示出書法、繪畫在中國藝術史上的份量，以及其發展脈絡的長遠。只是明末清初正值西方文明積極進入中土的時期，透過傳教士也傳進了部份藝術類的書籍，就現存《四庫全書》所著錄的西洋藝術類著錄來看，共只有音樂類的《古今音樂篇》、《律呂正義續篇》、《律呂纂要》、《御製律

---

❾ 同上註之研究就是將李衎《竹譜》認是中國第一部畫譜。

❿ 明·吳汝綰《詩餘畫譜·序》。

呂正義後編》、《西琴曲意》和美術類的論西洋畫的《畫說》等幾本書籍而已，並不如科學般的受重視。究其原因，中國文字的本身就是一種藝術，尤其書法經過多年來的累積與傳承，已經成爲中國在世界藝術史上獨一無二的藝術品，並不容易受到外來藝術、文化的影響。倒是在繪畫方面，中西方各擅勝場，清初的郎世寧、艾啓蒙等傳教士供養畫院後，將西洋畫重視明暗、凹凸表現的寫實風格，帶入中國並相當程度的影響到部份畫家的創作風格⓫。只是在中國文人畫的傳統上，寫實並不是最重要的審美原則，所以西洋畫的理論並沒有撼動中國繪畫的基石，顯現在《四庫全書》藝術類的著錄中，也幾乎看不到西學傳入中土的痕跡。

可知《四庫》館閣臣對藝術理念的認知，還是以中國傳統以書法、繪畫爲中心的純藝術理念，容或雜有部份雜技類的摻入，仍未能改變對藝術內涵的認知，更遑論西方藝術理論的影響。而從《四庫全書》藝術類書目收錄的情形而論：以書法及繪畫所構成的中國藝術主流，已形成中國藝術的中心概念。縱使在藝術的領域裡包羅萬象，只是仍以技藝爲主要思考形式的範圍，並不被中國藝術理念所接受，充其量只是雜技藝的概念而已，必須要透過「技進於道」的理路，使該項技藝成爲人文思考的一環，才有可能成爲中國藝術主流的一環。而《四庫全書》藝術類所收書目，正可以反應出此一對藝術的理念。觀諸現今時代對藝術作品的鑒賞評論，《四庫全書》所建構以書法、文人繪畫爲核心的中國藝術念，卻也能眞實反應出中國藝術在世界藝術潮流的地位。

⓫ 曾鯨的烘染技法很明顯是受到西洋畫的影響。

「四庫七閣」始末

劉薔*

清朝纂修《四庫全書》是中國文化史上的一次重大的文獻整理活動。這部中國古代最大一部叢書的主要歷史影響除學術成就外，當數「四庫七閣」的建立。該書因卷帙浩繁，不曾付梓刊行，只手抄了七部，分別建閣貯之，這就是被稱作「內廷四閣」或「北四閣」的北京大內之文淵閣、圓明園之文源閣、承德避暑山莊之文津閣和盛京（今瀋陽）故宮之文溯閣；以及被稱作「江南三閣」的揚州大觀堂之文匯閣、鎮江金山寺之文宗閣和杭州聖因寺之文瀾閣。四庫七閣因書而建，《四庫全書》因閣而得以保存。從書成閣立至今二百餘年間，書與七閣歷盡滄桑，伴隨著中國近代史上的頻繁戰亂而飽受摧殘，最短的存世僅六、七十餘年，目前只有文淵、文津、文溯、文瀾四閣尚屹立人間。以往對四庫七閣的考察，多限於一地一閣，綜論的文章亦不全面。本文擬就四庫七閣的建制沿革、藏書始末及歷史功績等方面進行研究，旨在從現代圖書館的角度，比照我國古代國家藏書樓的典範——四庫七閣，評析它的建築功用、典藏方法、管理制度、利用傳播等情況，並將其與西方同年代的皇家圖書館作比較研究。

---

* 清華大學科學技術史暨古文獻研究所

一、四庫七閣史話

乾隆修「四庫」，世所共知。其起因卻衆說紛紜：或云是沿襲了宋太宗編《太平御覽》等「四大書」、明成祖編《永樂大典》、本朝康熙年間編《古今圖書集成》等鴻書巨帙的做法，以編輯這樣一部更加偉大的巨著來標榜他的太平盛世、政通人和；或云是要通過編纂過程中的徵書、禁書、毀書和編書等一系列做法，來清除各種漢族士人反對滿清異族統治的思想和典籍，即鉗制思想，消滅異己，也就是後世所謂的「寓禁於徵」；或云是順應學術潮流，提倡漢學的校勘、輯佚、訓詁等研究，稽古右文，以渲染文治修明的景象，等等。這些說法都是後人在分析論證編纂《四庫全書》所起到的實際效果時總結出的，恐怕也的確都是乾隆皇帝的動機所在。

無論如何，從乾隆三十七年（1772）正月開始徵書，三十八年（1773）二月四庫館開館，到乾隆四十六年（1781）十二月第一份《四庫全書》抄成，這次由朝廷倡導的規模空前的修書活動，在中國歷史上是絕無僅有的。《全書》廣泛網羅和搜集了從上古流傳至清初的所有著作，用「經」、「史」、「子」、「集」四大部分類，共收書3,461種，總計79,337卷，約97,700萬字。它不僅全面總結和系統整理了三千年來中國封建文化的學術成果，保留了豐富的典籍，而且任職於「四庫全書館」的官員學者，多是當時學術界名流，他們傾十年心血而成的《四庫全書》，無疑也是對中國古代文化的一大貢獻。

中國自古便有重視書籍保藏的傳統，上至天璜貴胄，下至平民百姓，對藏書大多珍愛有加，只要條件允許便精心營造專門建築以庋藏圖籍。早在乾隆三十九年（1774）六月，《四庫全書》尚在編纂之中，乾隆皇帝就想到了如何使編成之書「以垂久遠」的問題。他知道「藏書之家頗多，而必以浙之范氏天一閣爲巨擘」❶並聽說范家的藏書樓「純用磚甃，不畏火燭，自前明相傳至今，並無損壞，其法甚精」，❷便特諭當時的杭州織造寅著「親往該處看其房間制造之法如何，是否專用磚石，不用木植；并其書架款式若何，詳細詢察，燙具準樣，開明丈尺呈覽。」❸寅著親赴杭州，很快就將天一閣的構造、建制等情況一一查明，迅速稟告朝廷。乾隆皇帝見天一閣「間數及梁柱寬長尺寸皆有精義，蓋取「天一生水，地六成之」之意」，❹下令「爰依《永樂大典》之例，概行抄錄正本，備天祿之儲」，❺同時仿照天一閣的現制，興建藏書之所。

首先修建的是所謂「內廷四閣」，分別選在紫禁城內、御苑圓明園、承德的避暑山莊和興王之地——盛京的故宮內，這些都是清朝皇帝經常駕臨的所在。四閣由乾隆精心命名，稱「文淵」、「文源」、「文津」、「文溯」。乾隆皇帝以爲，「文之時義大矣哉！以經世，以載道，以立言，以牖民，自開辟以至於今，所謂天之未喪斯文也。以水喻之，則經者文之源也，史者文之流也，子者文之支也，集者文

❶ 乾隆《御制文二集·文源閣記》。

❷ 《辦理四庫全書檔案》，乾隆三十九年六月二十五日諭。

❸ 《辦理四庫全書檔案》，乾隆三十九年六月二十五日諭。

❹ 乾隆《御制文二集·文源閣記》。

❺ 乾隆《御制文二集·文津閣記》。

之派也。流也，支也，派也，皆自經而生。故吾於貯四庫之書，首重者經，而以水喻文，願溯其源。且數典天一之閣，亦庶幾不大相徑庭也夫。」❻這既表明了乾隆帝推崇儒家經典的宗旨，也借若「淵」、「源」、「津」、「溯」等字，從水而立義，仿效范氏天一閣的「天一生水」而克火，以求閣書永存。乾隆皇帝還爲每個閣都親撰記文，勒於碑上，立在閣前。

文淵閣於乾隆三十九年十月開始修建，乾隆四十一年（1776）告成。地點選在紫禁城東南的文華殿之後，原明代聖濟殿舊址。文華殿本就是皇帝歲時經筵講學必臨之地，貯入《四庫全書》以後，更成爲清帝「枕經葄史，鏡己牖民」❼的所在。閣內懸有乾隆御書「匯流澄鑒」四字匾。

文津閣於乾隆三十九年秋動工，次年夏建成，這是內廷四閣中第一座建成之閣。位於山莊西北隅，千尺雪景區之北。乾隆帝對在此建閣貯書極爲得意，認爲「山莊居塞外，伊古荒略之地，而今則閭閻日富，禮樂日興，益茲文津之閣，貯以四庫之書，地靈境勝，較之司馬遷所云名山之藏，豈啻霄壤之分也哉？」❽加之每年帝王諸臣、各族首領和外國使節都雲集山莊，將皇家藏書樓建在此地，更可以標榜天朝的文治武功。

文源閣是乾隆三十九年在圓明園內原有建築四達亭的基礎上略爲增葺，於次年繼文津閣之後告成的。位置在全園的西北，南接水木明

❻ 乾隆《御制文二集·文源閣記》。

❼ 乾隆《御制丈二集·文淵閣記》。

❽ 乾隆《御制文二集·文津閣記》。

瑟，西臨柳浪聞鶯。閣額及閣內「汲古觀瀾」匾皆乾隆御書。文源閣落成後，乾隆皇帝每年駐蹕圓明園，幾乎都要來此修憩觀書，吟詠題詩。

文溯閣在四閣中建成最晚，至乾隆四十七年（1782）始建成。閣在瀋陽故宮之西，一如其它三閣規制。乾隆帝曾說「恰於盛京而名此名，更有合周詩所謂溯澗求本之義，」❾體現了乾隆皇帝不忘祖宗創業艱難，爲後世子孫示守文之模的深意。

乾隆四十六年（1781）底第一份《四庫全書》抄成，首先庋置於大內文淵閣，此後又陸續抄成了其它三份，順次送藏文溯閣、文源閣和文津閣。北四閣全書尙在抄寫裝潢期間，鑒於江浙一帶素稱「文獻之邦」，自「趙宋以來，成名山之業者，紛紛稱盛」，乾隆又做出了一重大決定，他在四十七年（1782）頒布的上諭中說道：「因思江浙爲人文淵藪，允宜廣布流傳，以光文治。現特發內帑銀兩，雇覓書手，再行繕寫全書三份，分貯揚州大觀堂之文匯閣，鎭江金山寺之文宗閣，杭州聖因寺擬改建文瀾一閣，以昭美備。」這就是所謂的「江南三閣」或簡稱「南三閣」的由來。

文宗閣於乾隆四十四年（1779）率先建成。康熙和乾隆南巡時，常駐蹕在形勢險要的鎭揚，因此鎭江的金山上、揚州城外的天寧寺內都建有宏麗的行宮，文宗閣就建在金山行宮之左，江天寺（即金山寺）之南。閣名「文宗」，乾隆有詩爲釋：「四庫全書抄四部，八年未蕆費功勤，集成拔萃石渠者，頒貯思公天下輿。古今英華率全薈，江山秀麗與平分。百川於此朝宗海，是地誠應庋此文。」相傳鎭江的

---

❾ 乾隆《御制文二集·文溯閣記》。

金山是百川朝海之處，故有此名。閣內懸有乾隆親書「文宗閣」和「江山永秀」兩塊匾額。

文匯閣略晚於文宗閣，於乾隆四十五年（1780）建成。天寧寺位於揚州北門外，文匯閣在天寧寺行宮的御花園內，園內正殿名爲大觀堂。閣名「文匯」，乾隆亦有詩說明：「萬卷圖書集成部，頒來高閣貯凌雲，會心妙趣生清暇，撲鼻古香欲淨蕓。身體力行愧何有，還浮反樸念常勤，烟花三月揚州路，莫謂無資此匯文。」閣內也懸有乾隆親書的「文匯閣」和「東壁流輝」兩塊匾額。

文瀾閣位於西湖之濱，背山軒立，它是將杭州聖因寺後的玉蘭堂改建而成的，建成於乾隆四十八年（1783）。改建的各項工費均由浙江商人捐辦。據時人記載：閣在孤山之陽（南麓），左爲白堤，右爲西泠橋，地勢高敞，攬西湖全勝。外爲垂花門，門內爲大廳，廳後爲大池，池中一峰獨聳，名「仙人峰」。東爲御碑亭，西爲游廊，中爲文瀾閣。」❿

七閣內的《四庫全書》均用浙江上等開化紙繕寫，每份抄得三萬六千冊。書冊封皮采用「經、史、子、集四部各依春、夏、秋、冬四色」的裝潢辦法，所謂「經誠元矣標以青，史則亨哉赤之類，千肖秋收白也宜，集乃冬藏黑其位」。⓫味其大意，即用象徵四季的顏色來標明書的類別：經書居群籍之首，尤如新春伊始，當標以綠色；史部著迷浩博，如火之熾，應用紅色；子部采擷百家之學，如同秋收，應着以淺色爲宜；集部詩文薈萃，好似冬藏，適用深色。現存七閣之

---

❿ 《兩浙鹽法志·文瀾閣圖說》，卷二。

⓫ 乾隆《御制時五集·文津閣作歌》詩注，卷十七。

書基本上遵循了乾隆皇帝的想法，絹面分別爲經部葵綠色、史部紅色、子部藍色、集部灰黑色。以色分部，一目了然。只是南三閣全書與北四閣全書稍有差別，經、史兩部不變，而子部爲玉色，集部爲藕合色，仍未離取法春夏秋冬四季的初衷。

裝幀上爲軟絹包背裝，束之綢帶，並以楠木爲匣，既精緻美觀，還能防潮防蛀。江南三閣之書的開本比北四閣略小，而且許多文獻記載南三閣的抄工比較草率，缺卷、缺葉情況較多，這恐怕就是不能善始善終之故了。各閣全書上還分別鈐印以示區別：文淵閣全書每冊首頁鈐「文淵閣寶」，末頁鈐「乾隆御覽之寶」；文源閣全書首頁鈐「文源閣寶」和「古稀天子」，末頁鈐「圓明園寶」和「信天主人」；文津閣全書首頁鈐「文津閣寶」，末頁鈐「避暑山莊」和「太上皇帝之寶」；文溯閣全書首頁鈐「文溯閣寶」，末頁鈐「乾隆御覽之寶」；江南三閣全書，均爲首頁鈐「古稀天子之寶」，末頁鈐「乾隆御覽之寶」。朱色晶瑩，又爲全書增色不少。

從乾隆三十八年二月開館，至五十二年四月續繕三份全書告成，在長達十四年的時間裡，清朝政府動用大量的人力物力，終於基本完成了七份《四庫全書》的纂修和繕校工作。參加編修、謄寫的多達4,000餘人，抄成的七份總共20餘萬冊，是名副其實的「文化總匯」、「典籍淵藪」。四庫七閣的建立不僅豐富了清王朝的國家藏書，也爲當時和後世留下了許多話題供人評說。

二、藏書建築史佳話

中國古代藏書建築保存至今的爲數不多，其中以明代的天一閣和清代四庫七閣中幸存的四座最爲著名。盡管四庫七閣是乾隆皇帝頒詔以范氏天一閣爲樣榜建立的，實際在設計思想、內部構造、與環境的協調統一等方面，四庫七閣較天一閣更加完善與合理，可以說它代表了中國古代藏書建築的最高水平。

四庫七閣的建造者對天一閣最忠誠的繼承是「以水克火」的設計思想。范欽看到自己的密友書法家豐坊家中的萬卷樓失火，上萬卷的珍本秘籍頓時化作灰燼，極爲驚痛，遂采用漢代學者鄭玄注解《易經》中的「天一生水，地六成之」的說法，以「天一」爲自己藏書樓命名，同時在設計建造這座天一閣時無處不體現其「以水克火」的思想。范欽曾經做過明嘉靖朝的工部員外郎，對建築業有過直接接觸，因此對天一閣的建造考慮得很是周詳。天一閣上下兩層，面闊六間，暗合「地六成之」之說；閣前有池，引月湖之水，可用作滅火急需；此外還綜合考慮了通風、防蠹、防潮等問題。天一閣落成（1561－1566）後數百年巋然不廢，這在中國藏書史上是絕無僅有的。人們對它熱情傳誦，對它的防火功能更是百般猜測，當然其中也不乏無稽之談：

> 有人云：四明范氏天一閣，藏書架間多度秘戲春冊以避火也，予謂春冊乃誨淫之具，雖是名筆，豈可收藏？況與古人書籍同列，更滋褻瀆。避火之說，本自何書？范氏貽謀不若是其謬，當是傳聞之誤。縱或信然，亦不足法。

家大人聞之曰：「爾之言是也。惟聞天一閣北方多隙地，壘石爲坎卦，取生水之義，此實有至理，異日予家「津逮樓」，宜北向，即於壁間以磚作坎卦六象，其謹識之。」⓬

這裡的「家大人」是指金陵藏書家甘福（1768－1834），清道光二十年（1832）他曾建造了一座上下三楹的藏書樓，就是這段舊聞中的「津逮樓」，可惜只傳世三十年，就和文宗閣、文匯閣一樣，毀於太平天國攻打南京的戰火中了。

由於乾隆皇帝的親自過問，七閣的設計者對天一閣的建築思想精髓格外用心領會，並結合自己的藏書實際融匯貫通。建築之前，設計者首先對藏書數量和建築面積的對應關係進行了周詳的考慮。《四庫全書》每部分裝36,000餘冊，納爲6,144函，加上《古今圖書集成》和《四庫全書總目》、《四庫全書考證》等書，總共多至6,700餘函，比天一閣藏書多出一倍以上。因此設計者沿襲了天一閣正宇上下六楹、各通爲一間，暗合六之成數的作法，而對內部結構予以很大改進，採取了明兩層暗三層的「偷工造」法，即外觀重檐兩層，實際上卻利用上、下樓板之間通常被浪費的腰部空間暗中多造了一個夾層，全閣上、中、下三層都能用來貯藏書籍。具體安排爲：下層中間爲一廣廳，高貫兩層，除閱覽外，儲藏《總目》、《考證》和《古今圖書集成》，左右稍間儲藏《四庫全書》的經部20架；中間一層儲藏史部33架；上層儲藏子部22架和集部28架。這樣既充分利用空間，又節省工料，體現了清代宮廷建築師們在工程設計和建造藝術上的高度造詣和技巧。

⓬ 《白下瑣言》，卷六。

七閣對「水」的強調比天一閣更爲突出。它繼承了天一閣前有曲池，旁有假山的作法，借山水葱鬱之氣庇護閣書永存。現存文淵、文津、文溯、文瀾四閣以及文源閣遺址或閣前，或閣後，或閣旁，無一不是以太湖石、雲片石疊推出綿延起伏的假山，除文淵閣是引內金水河之水，上架一三梁石橋外，其它均是鑿挖曲池，並放養金魚於其中，據說大可盈尺。文源閣的池前還豎有一巨大太湖石，名「石玲峰」。高出水面三丈餘，玲瓏剔透，環孔衆多，正視之，則石如烏雲翻卷；手叩之，音色如銅。石寬盈丈，四周俱鐫有名臣詩賦，是當年圓明園中最大、也是最著名的一塊太湖石，與頤和園樂壽堂前的「青芝岫」齊名。

外觀上七閣均爲水磨絲縫磚牆，清宮慣例的朱紅牆色因其火氣十足而被易爲較沉靜無華的灰色，廊柱和窗檻等爲綠色。文淵閣還易天一閣的硬山式屋頂爲頗具宮廷味的「歇山頂」。屋頂上覆黑琉璃瓦，檐頭鑲以綠琉璃瓦邊，即所謂的「綠剪邊」。油漆彩畫也一改皇宮中金龍和璽的富貴堂皇，而代以清新的蘇畫，爲了顯示建築功能，特地繪以河馬負書和翰墨卷帙畫面，並以波濤流雲爲點綴，色調清雅。北四閣地處皇家宮禁園囿中，在一片金碧輝煌中卓然不群，獨擅樸素之美；南三閣更是與傳統的江南園林和諧一致，達到了宮廷建築與民間建築的高度統一。

注重防火的同時，尙要防止潮氣侵入。據記載，七閣閣體的山牆厚達三尺四寸，內牆四周還安裝了護牆板一層。蟲蛀也是書籍的大敵，爲此，七閣之書首先是以珍貴的楠木或樟木製作函套及夾板，其次爲免生蟲蟻，七閣周圍不植樹木，隙地僅種青竹若干，徑可盈寸，高三丈餘，幽靜雅致。稍特殊的是文淵、文溯兩閣，因深居宮禁，不宜種竹，只種上不多的幾株蒼松，尤顯靜穆拙樸。

藏書樓不僅貯書，還要供人在樓內閱覽，因此採光、通風問題也被七閣設計者充分考慮到。七閣正面均設有游廊，並裝欄杆一列，閣內閱覽一般是在一層大廳，爲保證光線能盡量多地射入這裡，檻窗後退至楹柱之間，加上外欄低矮，比較其它大多數清宮建築內的昏暗陰森，七閣內可算明亮宜人了；儲書的書架和博古櫥、碧紗櫥等，被按照需要排放在空曠的大廳內，又使得格局靈動自由，富於變化。

清王朝對這部「浩如烟海，委若邱山」的巨書的貯藏可謂是極爲審愼的，對七座藏書樓的設計也頗具匠心。盡管四庫七閣是以天一閣爲藍圖，原則上與天一閣無異，然而上至大木結構，下逮彩畫雕飾，無不易爲官式做法。致使二者之間，孰創孰因，幾難辨別。七閣外觀古樸典雅，蘊含深意，內中遍藏宏富卷帙，寧靜肅穆，不愧是現存中國古代藏書樓的典範之作。

三、四庫七閣後話

七份《四庫全書》抄畢送藏七閣後，伴隨著「康雍乾盛世」的餘光，確也度過了半個多世紀寧靜祥和的時光。但是好景不長，嘉慶、道光以後，清朝統治日漸衰微，國家多故，內憂外患，中國社會進入了一個戰火紛紜，動蕩不堪的時期；清朝滅亡後，軍閥割據，日本侵華，依舊是戰亂頻仍。在這一百餘年風風雨雨中，七座中國規模最大、氣勢最恢弘的藏書樓與其中的七部《四庫全書》，飽經戰火的摧殘，厄運接連不斷，與整個國家一起度過了最艱難的歲月。

首當其衝的是江南三閣。先是在道光二十二年（1842）的鴉片戰爭中，英國兵艦攻陷鎮江，城內英兵、清兵、土匪橫行無阻，到處殺人放火，混亂中文宗閣的藏書損失了一部分。隔了僅十年，南三閣便遭到了眞正的滅頂之災。道光末年，太平天國起義爆發，爲古老疲憊的中華大地帶來最後一次強大的農民戰爭風暴。太平天國講求自己獨特的宗教信仰，頒行自己的「天歷」，爲表示與封建文化的決絕，徹底反對儒家思想，他們視孔子爲「邪神」，儒家經典爲「妖書」。所到之處必搗毀孔廟，焚毀典籍，並嚴禁買賣藏讀儒家書籍，很多傳統文化典籍便毀於這場農民起義的戰火之中。咸豐三年（1853），太平軍林鳳翔、羅大綱、李開方等攻打鎮江，2月22日，由瓜州挺進金山，使得金山一片火海，金山寺僧衆早以將佛藏移至五峰下院，文宗閣及《四庫全書》無暇顧及，只得聽任火燒，閣與全書遂全部焚毀。太平軍占領鎮江後，隨即渡江，進克揚州，至使揚州城內外也發生大火，文匯閣及所藏《四庫全書》也被付之一炬。這之前，揚州紳士曾呈請揚州轉運史籌措經費，將全書挪藏在深山裡，以避戰亂，卻遭到拒絕。大火燒起時，閣上扃鑰完固，人無法進入，竟是一冊都未能搶出。關於文匯閣被毀歷史，一般認爲是楊秀清率領的太平軍所至，但據《咸同廣陵史稿》記述「其實皆大兵之所放也，欲掠重財……以觀猥賊埋伏之有無，即以快趁火打劫之心。」故毀於何人之手，尚無定論。

太平天國起義失敗後，有人認爲這兩閣的藏書或許並未全部焚掉，有些借出未歸與揀拾自焚餘的遺文佚冊會散落民間，甚至可能有百一之存。特別是聽到杭州丁氏兄弟搜集到大量文瀾閣散出的《四庫全書》的消息後，更加受到鼓舞。其中最著名的訪尋者便是學者莫友芝，他曾於同治四年（1865）專程至鎮揚諸地，悉心詢問兩閣全書的下落，卻毫無所獲，空手而回。

咸豐十一年（1861），杭州城爲太平軍攻陷，文瀾閣管理者自逃性命，閣雖存而棟宇半圮，屋頂被毀，閣書星散。杭州鄉紳、清末四大藏書家之一的「八千卷樓」主人丁申、丁丙兄弟避難至此，偶於市中發現用來包裹東西的字紙，竟全是《四庫全書》的書頁，立即隨手檢拾，便得數十大冊。此時正值其父去世不久，借爲其父修墓的機會，丁民兄弟請了幾個膽大之人，乘月夜潛入孤山上的文瀾閣，將殘留下的一萬餘卷全書捆扎起來，運出城外。在丁氏兄弟和杭州當地人士的努力搜集下，劫後餘生的文瀾閣《四庫全書》竟也有八千餘冊保存下來，暫時存放在杭州府學尊經閣內。

光緒六年（1880），浙江巡撫譚鍾麟動用巨額絲織款項重建了文瀾閣，閣仍舊制，並遷回了尊經閣內的《四庫全書》。同時丁氏兄弟開始主持補抄全書的工作，他們盡出家藏，並廣泛採用當地其他藏家藏書，不僅補抄入《四庫全書》原有之書，還補足了全書中有些書籍的闕佚部分，爲此文瀾閣本《四庫全書》在文獻價値方面比其它幸存三閣之書更有獨到之處，丁氏兄弟也因他們的義舉而倍受時人和後人的贊揚。辛亥革命以後，浙江省立圖書館建成，文瀾閣因地處孤山腳下，靠山臨水，濕度較大，故將全書遷入省館西側的紅樓保藏。1937年，日本侵華戰爭開始，國難當頭，文瀾閣《四庫全書》的安危格外牽動人心，在館長陳訓慈的奔走呼籲下，7月底全書開始大規模動遷。這一去，直到1946年7月返杭，在外整整顛沛流離了九年，輾轉浙、閩、贛、湘、黔、川，橫穿南方六省，來回行程逾萬里，這在世界圖書史上都是極爲罕見的壯舉。1949年以後，由於紅樓年久失修，大樑腐朽，已無法再承擔保藏國寶的重任，政府將位於孤山之巔的青白山居撥作專貯文瀾閣本《四庫全書》之所。此後雖然1969年至1976年由於中蘇珍寶島事件，這部《四庫全書》又被遷至浙江麗水地區的戰備書庫達七年之久，畢竟再無散失，安全無虞地保存到現在。光緒年間重建的文瀾閣較原建之閣更加描金畫銀，氣宇不凡，現如今已被圈在浙江省博物館內，作爲一個海內外知名的旅遊景點向公衆開放。

當太平軍、捻軍如秋風掃落葉般橫行在南方大地上時，北方的清王朝在英法聯軍的炮火攻擊下焦頭爛額，自顧無暇。咸豐十年（1860），英法聯軍攻占北京，他們在飽掠圓明園珍寶之後，舉全園而火焚之，大火在這座舉世聞名的「萬園之園」中肆虐了三日，文源閣和其中的《四庫全書》以及貯藏于味腴書屋的一套《四庫全書薈要》也在這場浩劫中化爲灰燼。閣與書從告竣送藏到被毀，在世僅七十餘年。現在的文源閣閣已不存，僅餘閣基，其上青磚仍較爲規整；曲池已涸，高大的「石玲峰」因民國時兩股土匪爭相盜賣不得，被其中一方炸爲兩截，轟然坍於蔓草之中。當年曾在四庫館擔任副總裁的彭元瑞、曹文埴題寫的詩文碑刻，雖湮沒在一片荒蕪中，尙依稀可辨；而乾隆皇帝的御碑已挪至文津街的北京圖書館分館院內，文字僅存其半。整個文源閣遺址和旁邊的舍衛城遺址遙相呼應，偶有遊人憑弔至此，不勝唏噓慨嘆！至於閣中所藏《四庫全書》，僅聞民國時湖州劉承幹嘉業堂曾藏有鈐「文源閣寶」的全書六冊，此後人世間便不再有此驚鴻一現了。

文淵、文津、文溯三閣，沒有遭到文源閣被焚的厄運，端賴歷任政府的愛護而完好保存至今。北京故宮博物院、承德避暑山莊和瀋陽故宮均屬國家級重點文物保護單位，除文淵閣目前仍不對公衆開放外，文津閣和文溯閣都可隨意遊覽，遊人可以盡情一睹二百年前乾隆初建七閣時的風采。只是閣與所藏《四庫全書》早已分離：文淵閣本自1933年運出，便再沒回來。抗日戰爭期間爲避戰亂，當時的故宮博物院圖書館將文淵閣所藏《四庫全書》全部裝箱運往上海，此後又輾轉於重慶、南京等地，最後渡過海峽，被運至臺灣，現藏臺灣故宮博物院；1914年，民國政府教育部將承德文津閣所藏《四庫全書》調撥給新籌建的京師圖書館收藏，「以宏沾溉」。爲紀念此事，當時京師圖書館館舍（即現北京圖書館分館）所臨大街被命名爲「文津街」，至今這一地名仍在沿用。從此文津閣本《四庫全書》作爲北京圖書館的鎮館之寶一直被妥善收藏；辛亥革命後，文溯閣的全書曾一度運至北京故宮的保和殿存放，1925年又被運回瀋陽。1966年，文化部決定將文溯閣《四庫全書》移交當時的所謂「戰備圖書館」——甘肅省圖書館代藏，這套書遂從瀋陽被遷至蘭州。甘肅省圖書館在蘭州市郊的乾旱山區，特爲貯藏此書建立了一座新的書庫，據說遠望像一座小小的土城堡。因爲蘭州地處內陸，乾燥少雨，極有利於古籍的保藏，文溯閣本《四庫全書》倒也適得其所。

四、四庫七閣旁話

滿清統治中國的267年間，康雍乾三朝是最爲昇平的時期，也是整個中國封建社會發展的巔峰時期。康熙和乾隆二帝都身居龍座六十年，並且都崇尚文化，酷愛典籍，建立了輝煌的文治武功，他們在促進清朝的學術文化發展和官府藏書方面都起了重大作用。盡管康熙皇帝熱衷於文化的傳播，編定刊行了許多書籍，但他並沒有爲那些珍貴的藏書建造一座華煥堂皇的皇家藏書樓，清朝國家藏書的眞正極大發展是在乾隆統治約六十年，以《四庫全書》的編纂和四庫七閣的建立爲標誌。七閣的建立，閣內藏書組織、借閱和管理制度以及管理官員和機構的設立，標誌著我國封建社會官府藏書發展到最完善、最豐富的階段。

我們不妨嘗試一下，從現代意義上的圖書館的視角來考察四庫七閣——這七座堪稱中國封建社會最宏偉的皇家藏書機構，或許對深入認識四庫七閣的歷史功績有所幫助。應當承認的是，中國封建社會的皇家藏書機構事實上兼有相當於近代的國家圖書館的職能，而衆所周知，國家圖書館應是以徵集、收藏、整理和指導利用全社會歷史的和現實的文化產品爲主要職能的，那麼，比照這些職能，對圍繞《四庫全書》的編纂和四庫七閣建立的一系列活動進行逐一分析，便不難得出結論了。

在全國範圍內搜訪徵集圖書，是《四庫全書》編纂初期的首要之舉。通過乾隆三十七年至四十三年的聲勢浩大的徵書活動，共從民間徵書13,000餘種，幾乎網羅了當時的全部出版物，兼及抄本、稿本，甚至碑刻、圖錄等其它歷史文獻。這次朝廷徵書是中國歷代王朝中規模最大的一次，不僅成功地保證了《四庫全書》的編纂來源，也使得民間典籍充分入藏皇家藏書。盡管早在1537年，法國的弗朗索瓦一世就頒布了世界上最早的呈繳本制度，以法律的形式規定：國內一切出版物必須向皇家圖書館交納兩冊，在很大程度上保障了早期皇家圖書館圖書的收集，但相比之下，乾隆皇帝的徵書無疑是更加快速、及時，全面而有效的。

《四庫全書總目》是「乾隆修四庫」中最爲人稱道的一部學術產品。數十位著名學者歷二十年之久，將徵集到的乾隆以前的歷代典籍進行審愼地清理甄選，爬梳輯校，然後撰寫提要，考證辨析，分類編次，編纂出了這部中國古代最傑出的官修目錄，顯示了一代學術精華。它在充分總結前代學術成果的基礎上，構建起中國古代最爲完備、最爲系統的圖書分類體系。《四庫全書》的編纂在客觀上起到全面整理和總結中國傳統文化典籍的作用，其意義便集中體現在這部多達二百卷的《四庫全書總目》之中。入藏於七閣中的《全書》正是四庫館臣們精心取捨的直接結果，代表了清統治者倡導的學術文化主流。

四庫七閣所藏之書既是集一國藏書之大成，本也應負起「一代收藏」之重責。由於乾隆皇帝的熱心提倡，七閣之書較以前歷朝皇家藏書的「崇嚴邃閣」更爲開放，一定程度上發揮了國家藏書傳播知識、服務學術的功用。乾隆皇帝在位時間長達60年（1736－1795），是中國歷史上對皇家藏書發展貢獻最大的一位皇帝。他對文化政策極其重視，從1772年下令開「四庫全書館」，編纂《四庫全書》開始，直到四庫七閣的建成和開放，他都親自過問，並且頒布了許多詔諭，他的一系列詔諭集中反映了清朝統治者對藏書公開利用的重視。早在編書之始，他就曾表明「至於四庫所集，多人間未見之書，朕勤加采」訪，非徒廣金匱石室之藏，將以嘉惠藝林，啓牖後學，公天下之好也。」⓭並且認爲古書僅靠刊刻來廣爲流傳還是不夠的，更多的應該是公開藏書。

北四閣建成以後，乾隆皇帝看到「文淵閣等禁地森嚴，士子等固不便進內鈔閱」便詔令「翰林院現有存貯底本，如有情殷誦習者，亦

⓭ 《四庫全書總目》卷首，「乾隆四十一年六月初一諭」。

許其就近鈔錄，掌院不得勒阻留難。」⓮極力主張士子們利用翰林院官藏。內廷四閣的《四庫全書》利用畢竟是有限的，除供皇帝御覽外，只許大臣在閱讀翰林院所藏底本遇有疑誤時，還須經領閣事批准，方可入閣查對，一般文人士子根本無緣入內，只能到翰林院抄閱四庫底本。

在江南建立三閣，本就是「俾江浙士子得以就近觀摩謄錄，用昭我國家藏之美富，教思無窮之盛軌。」⓯乾隆皇帝甚至顧慮到「第恐地方大吏過於珍護，讀書稽古之士，無由得窺美富，廣布流傳。是千緗萬帙徒爲插架之供，無裨觀摩之實，殊非朕崇文典學傳示無窮之意」。遂下詔「如有願讀中秘書者，許其陸續領出，廣爲傳寫。」⓰允許民間士子借抄藏書，開放江南三閣。

然而，江南三閣仍然是珍護嚴密的。數年後，乾隆皇帝又再次諭示：「《四庫全書》薈萃古今載籍，富有美備，不特內府珍藏，籍資乙覽，亦欲以流傳廣播，沾溉藝林。」由於《四庫全書》卷帙浩繁，中多舛誤，乾隆皇帝又令復加詳細仇校，以臻完備。他認爲江浙「爲人文淵藪，嗜奇好學之士，自必群思博覽，藉廣見聞。從前曾經降旨，準其赴閣檢視抄錄，俾資蒐討，但地方有司恐士子翻閱污損，或至過有珍秘，以阻爭先快睹之忱，則所頒三分全書，亦僅束之高閣，轉非朕搜輯群書、津逮譽髦之意。」於是，他再次諭令「該省士子有願讀中秘書者，許其呈明到閣鈔閱，但不得任其私自攜歸，以致稍有

⓮《四庫全書總目》卷首，「乾隆五十五年六月初一日諭」。

⓯《纂修四庫全書檔案史料》，「乾隆四十七年七月八日上諭」。

⓰《四庫全書總目》卷首，「乾隆四十九年三月上諭」。

遺失。」乾隆皇帝認爲只有這樣，七閣藏書才能「廣爲傳播，俾茹古者得睹生平未見之書，互爲鈔錄，傳之日久，使石渠天祿之藏，無不家弦戶誦，益昭右文稽古，嘉惠士子盛事。」⑰。

寬借書之禁，直接促進了江南文化的發展，時人稱頌爲「四庫縹緗，津逮末學，琅嬛福地，遍及東南」⑱。道光年間浙江藏書家錢熙祚刻印的《守山閣叢書》，便是從文瀾閣藏《四庫全書》中抄得的珍秘稀見之書；現泰州市圖書館收藏的五冊南三閣《全書》零本，恐怕即是當年士子領出傳寫的幸存，這也是開放江南三閣所意想不到的積極後果。

七閣的主要職官由當時朝廷重臣和翰苑文士擔任，如文淵閣於乾隆四十一年建成後，即於六月初設官兼掌：「文淵閣領閣事三人，掌典綜冊府由大學士、協辦大學士、掌院學士兼充；直閣事六人，掌典守厘輯，由內閣學士、少詹事、講讀學士兼充；校理十有六人，掌注冊點驗，由庶子、講、讀、編、檢兼充；檢閱八人，由內閣中書派充；內務府司員、筆帖式各四人，由提舉閣事大臣奏充。」⑲由這些官員負責閣書的日常管理，注冊點驗和按時晾曬。七閣全部建成後，改由專人專司其職，內務府提舉閣事，建立起了一個較爲完備的管理機構。爲方便查檢翻閱，七閣內還另外繪制了《四庫全書排架圖》，具體標明《全書》及其它藏書的排架位置。

江南三閣因開放藏書，對閱覽的管理，乾隆皇帝有更爲明確的說

---

⑰ 《四庫全書總目》卷首，「乾隆五十五年六月初一日上諭」。

⑱ 《兩浙鹽法志·文瀾閣圖說》，卷二。

⑲ 《清史稿》卷115，職官二。

明；「全書本有《總目》，易於檢查，祇須派委妥員董司其事，設立收發檔案，登注明晰，並曉諭借鈔士子加意珍惜，毋致遺失污損，俾藝林多士均得殫見洽聞，以副朕樂育人才、稽古右文之至意。」⑳。三閣的職官由地方官員充任，如文匯閣即交由兩淮鹽運使經管，每年派給閣中十幾位地方紳士，負責閣書的曝曬檢查以及借閱管理，再另設典書官一名，專司校勘之役。歷任典書官中最著名的是有「通儒」之稱的學者汪中。汪中字容甫，江都人。長於經史之學。在校勘三閣藏書期間，他遍閱閣中秘籍，記下20餘萬字的校書札記，同時還「欲以書之無刻本或有刻本而難獲者，以漸梓刻」，可惜的是汪中「未果行而死」。

中國古代的皇家藏書樓無一不是以典藏爲能事，以保藏爲首善，而清代的江南三閣明確了與內廷四閣不同的藏書管理方式，向普通士子學人開放藏書，從而使藏書復歸到「藏以致用」的本來意義，順應了學術發展的需要，這對於中國古代官私藏書一貫的「秘不示人」、「寧飽蠹魚」無疑是一大進步。十八世紀的中國曾被外國學者贊許爲全世界最文明、管理得最好的國家之一，四庫七閣作爲當時的國家藏書，與同時代歐洲最大、也是最著名的法國皇家圖書館相比亦是毫不遜色。皇家圖書館的極大發展也是在路易十四在位的54年，這一時期法國國力強大，文化昌盛，皇家藏書因呈繳本制度的保證，到十八世紀末藏書達到15.7萬冊。然而這座宏大的圖書館仍然保持著濃厚的皇家博物館和陳列館的色彩，並且從不對民衆開放，直到1789年的法國資產階級大革命後，才使它得以根本性地改變。從這一點上講，清代

⑳ 《辦理四庫全書檔案》，「乾隆四十九年二月二十一日上諭」。

四庫七閣藏書公開利用的思想和做法更有價值，其它諸如開放管理制度、閣書校勘、目錄編制等方面此歐美皇家藏書更為完善。

《四庫全書》的編纂和四庫七閣的建立是中國文化史、乃至世界文化史上的一件大事，其意義深遠影響至今，尤其對中國近代圖書館的產生、演變及發展成熟有直接關聯，諸多問題尚有待於進行更為深入地探討。

《四庫全書》本《直齋書錄解題》館臣案語研究——以《解題》經錄之部館臣案語爲限

何廣棪*

一、前　言

晁公武撰《郡齋讀書志》，陳振孫撰《直齋書錄解題》，二書同被後世所推重，譽之爲有宋目錄著作之雙璧。清代乾隆間，紀昀撰《四庫全書總目》，對《解題》尤讚揚不絕，以爲「古書之不傳於今者，得藉是以求其崖略；其傳於今者，得藉是以辨其眞僞，核其異同，亦考證之所必資，不可廢也」。❶蓋《解題》一書，爲用至宏，有助於輯佚、辨僞與考證，故紀氏所評，良非虛譽也。

余近數年來頗致力於陳振孫及其《解題》之研究，已出版有《陳振孫之生平及其著述研究》、❷《陳振孫之經學及其〈直齋書

*　華梵大學東方人文思想研究所教授

❶　見《四庫全書總目》卷八十五《史部》四十一《目錄類》一。

❷　民國八十二年十月初版，文史哲出版社。

錄解題〉經錄考證》兩書，❸又絡繹撰就《陳振孫之史學及其〈直齋書錄解題〉史錄考證》及《陳振孫之子學及其〈直齋書錄解題〉子錄考證》，❹目前所進行者即爲《陳振孫之文學及其〈直齋書錄解題〉集錄考證》，❺此書亦希能於年內完成。

余撰《陳振孫之生平及其著述研究》一書時，曾就《解題》之版本作頗深入而全面之探討與考證。大抵《解題》除直齋所撰之底本外，另有傳鈔本、批注本、舊鈔本、刊本、輯本、鉛印本、影印本、校本、重輯本、點校本及余所撰之考證本。❻至《四庫全書》本《直齋書錄解題》乃屬輯本之《解題》，蓋乾隆間修《四庫全書》，館臣以爲此書久佚，遂就《永樂大典》輯出，初刊於《武英殿聚珍板叢書》，後即收入《四庫全書》中。《解題》原本五十六卷、五十三類，清人盧文弨撰有《直齋書錄解題新定目錄》，❼於此事考證詳明，讀之當可

❸ 國科會八十四年度專題計畫，NSC84-2411-H211-001。民國八十六年三月十五日初版，里仁書局。

❹ 國科會八十五年度、八十六年度專題計畫，計畫編號：NSC85-2475-H111-002及NSC86-2417-H-211-001。

❺ 國科會八十七年度專題計畫，計畫編號：NSC87-2411-H-211-002。

❻ 請參考拙著《陳振孫之生平及其著述研究》第五章《陳振孫之主要著作〈直齋書錄解題〉》第四節《直齋書錄解題之版本》。頁三九五—五一七。

❼ 盧文弨《直齋書錄解題新定目錄》載：「卷一《易類》、卷二《書類》、卷三《詩類》、卷四《禮類》、卷五《春秋類》、卷六《孝經類》、卷七《語孟類》、卷八《經解類》、卷九《讖緯類》、卷十《小學類》、卷十一《正史類》、卷十二《別史類》、卷十三《編年類》、卷十四《起居注類》、卷十五《詔令類》、卷十六《僞史類》、卷十七《雜史類》、卷十八《典故類》、卷十九《職官類》、卷二十《禮注類》、卷二十一《時令類》、卷二十二《傳記類》、卷二十三《法令類》、卷二十四《譜牒類》、

曉悉《解題》原本分卷、分類之實況。《四庫全書》本《解題》則分二十二卷、五十三類，❽其卷數雖似較原本少三十四卷，其實內容無甚相異，二者僅分卷有所不同耳。

卷二十五《目錄類》、卷二十六《地理類》、卷二十七《儒家類》、卷二十八《道家類》、卷二十九《法家類》、卷三十《名家類》、卷三十一《墨家類》、卷三十二《縱橫家類》、卷三十三《農家類》、卷三十四《雜家類》、卷三十五《小說家類》、卷三十六《神仙類》、卷三十七《釋氏類》、卷三十八《兵書類》、卷三十九《曆家類》、廣棪案：《四庫》本作《曆象類》。卷四十《陰陽家類》、卷四十一《卜筮類》、卷四十二《形法類》、卷四十三《醫書類》、卷四十四《音樂類》、卷四十五《雜藝類》、卷四十六《類書類》、卷四十七《楚辭類》、卷四十八《別集類》上、卷四十九《別集類》中、卷五十《別集類》下、卷五十一《詩集類》上、卷五十二《詩集類》下、卷五十三《總集類》、卷五十四《章奏類》、卷五十五《歌詞類》、卷五十六《文史類》。右《目錄》依元本定，杭東里人盧文弨校錄於鍾山書院。」案：其後盧氏又於《新定目錄》「卷二十八」旁寫「三十六」，「卷二十九」旁寫「二十八」，「卷三十」旁寫「二十九」，「卷三十一」旁寫「三十」，「卷三十二」旁寫「三十一」，「卷三十三」旁寫「三十二」，「卷三十四」旁寫「三十三」，「卷三十五」旁寫「三十四」，「卷三十六」旁寫「三十七」，「卷三十七」旁寫「三十五」。校注曰：「《神仙類》中有陳氏語云：『各已見《釋氏》、《道家類》。』則知其序當如此也。」又案：盧氏於《新定目錄》「《總集類》」上注：「鈔本誤置《別集》之前，元本係在《詩集》後。」

❽ 《四庫》本《解題》之分卷、分類情況爲：卷一《易類》，卷二《書類》、《詩類》、《禮類》，卷三《春秋類》、《孝經類》、《語孟類》、《讖緯類》、《經解類》、《小學類》，卷四《正史類》、《別史類》、《編年類》、《起居注類》，卷五《詔令類》、《僞史類》、《雜史類》、《典故類》，卷六《職官類》、《禮注類》、《時令類》，卷七《傳記類》、《法令類》，卷八《譜牒類》、《目錄類》、《地理類》，卷九《儒家類》、

《四庫全書》本《解題》各條之下，間見館臣撰寫之案語。此等案語，有見解精闢，考證縝密者，亦有舛誤顯明或未盡周延，而有待後人糾正者。本論文撰作之目的，除擬揭示館臣撰作案語之義例外，亦擬舉例介紹其所撰之案語，就其中見解精闢、考證縝密者加以肯定，亦就其明顯訛謬及闡說未盡周延者，予以辨證。惟囿於篇幅，凡所揭示，介紹及辨證，均不得不以《解題》經錄之案語爲限。至輯錄《解題》及撰寫案語之館臣爲誰？歷來利用《四庫》本《解題》以研治學術者，均甚少留意及此問題，本論文亦欲一併考證說明之。

二、《四庫》館臣撰作《解題》案語之義例

《四庫》館臣據《永樂大典》以輯錄《解題》，因所輯得之本常有著錄書名、篇目、卷數而與其他史志、目錄書籍所著錄者有所異同，且所著錄之內容亦常有脫略、錯衍等情狀，故館臣每於相關之條目之下，徵引資料以爲考異或校補，且亦有訂正《解題》著錄之訛誤。至其所徵引之資料及所徵引之次數，余嘗就《解題》經錄之部略作統計，共計爲：

《道家類》，卷十《法家類》、《名家類》、《墨家類》、《縱橫家類》、《農家類》、《雜家類》、卷十一《小說家類》、《神仙類》、《釋氏類》、《兵書類》、《曆象類》、廣棪案：盧文弨《直齋書錄解題新定目錄》本作《曆家類》。《陰陽家類》、《卜筮類》、《形法類》，卷十三《醫書類》，卷十四《音樂類》、《雜藝類》、《類書類》，卷十五《楚辭類》、《總集類》，卷十六《別集類》上，卷十七《別集類》中，卷十八《別集類》下，卷十九《詩集類》上，卷二十《詩集類》下，卷二十一《歌詞類》，卷二十二《章奏類》、《文史類》。

一、《舊唐書·經籍志》一次。

二、《兩朝國史藝文志》一次。

三、《新唐書·藝文志》四次。

四、朱子曰二次。

五、鄭樵《通志》五次。

六、晁公武《郡齋讀書志》六次。

七、趙希弁《讀書附志》一次。

八、馬端臨《文獻通考》二十八次。

九、《宋史》二次。

十、《宋史·藝文志》三十次。

十一、朱彝尊《王氏詩總聞序》一次。

其中以《宋志》及《通考》二書徵引次數最多。惟亦有已出案語而未注明所據之資料者，凡六次。總上約略計算，則共徵引資料十一種，八十一次。

《四庫》館臣徵引上述資料以撰作案語，其義例約有下列四類：

㈠考訂所著錄書籍卷數及書名之異同

館臣於《解題》經錄之部所撰案語，以考訂所著錄書籍卷數異同爲最多，凡十四條。如《易類》「《周易正義》十三卷」條，所撰案語曰：「《舊唐書·經籍志》作十六卷，《唐書·藝文志》作十四卷。」同類「《周易口義》十三卷」條，案語曰：「《文獻通考》作《易傳》十卷，《宋史》作《易解》十二卷，鄭樵《通志》作《口義》十二卷。」又如《詩類》「《新經詩義》三十卷」條，案語曰：「《宋史·藝文志》作二十卷。」又《春秋類》「《國語》二十一卷」條，案語曰：「晁公武《讀書志》云：『班固《藝文志》：《國語》二十一篇。《隋志》二十二卷，《唐志》二十一卷。今書篇次與《漢志》同，蓋歷代儒者析簡併篇，互有損益，不足疑也。』」是館臣徵引《舊唐志》、《新唐志》，暨《郡齋讀書志》、《通志》、《通考》、《宋史》、《宋志》諸書，以考訂《解題》所著錄書籍卷數與其他史志、目錄書籍著錄之異同，而其中「《周易口義》十三卷」條，更考及書名之異同也。

至館臣案語考訂及書名異同者，尚見《易類》「《京房易傳》三卷、《積算雜占條例》一卷」條，該條案語曰：「晁公武曰：『《隋志》有京氏《章句》十卷，又有《占候十種》七十三卷。《唐志》亦作京氏《章句》十卷，而《占候》存者三種、三十三卷。《章句》既亡，今所傳者京氏《積算易傳》三卷、《雜占條例法》一卷。所謂《積算易傳》，疑即《隋》、《唐志》之《錯卦》是也；《雜占條例法》，疑即《隋》、《唐志》之《逆刺占災異》是也。』此本篇目與晁《志》異。」館臣此條正徵引《郡齋讀書志》以考書名之異同。其謂《京房易傳》即《積算易傳》，疑即《隋》、《唐志》之《錯卦》；而《積算雜占條例》即《雜占條例法》，疑即《隋》、《唐志》著錄之《逆刺占災異》也。是則上述書籍多有同書而異名者。

㈡校補《永樂大典》本《解題》之脫略

《四庫》本《解題》既就《永樂大典》輯錄而成，故凡《大典》本《解題》有所脫略者，館臣皆撰作案語加以說明，並作校補。《四庫》本《解題》經錄之部，其館臣校補脫略之案語約十一條，其中有據《文獻通考》校補者，如《易類》「《易本傳》三十三卷」條，於

「如捨本卦而論他卦，及某卦從某卦來者皆所不取」句下，案語曰：「此二句原本脫漏，今據《文獻通考》補入。」有據《宋史·藝文志》校補者，如《春秋類》「《春秋邦典》二卷」條，於「唐既濟灊亨撰」句下，案語曰：「原本脫『濟』字，今據《宋史·藝文志》增入。」亦有未說明其所據依而逕行校補者，如《禮類》「《禮記正義》七十卷」條，於「惟皇甫侃、熊安生二家」句下，案語曰：「此句原本脫『生』字，今校補。」是館臣校補《解題》之脫略，亦頗具成績也。

㈢訂正《解題》之錯誤及考校其所著錄者與他書之異同

《四庫》本《解題》，其中文字有錯誤者，館臣皆逕行改正，然後出案。如《易類》「《易辨》三卷、《淵源錄》三卷」條，案語曰：「《文獻通考》何萬《易辨》三卷，原本作《易辭》，今改正。」又如《春秋類》「《春秋得法志例論》三十卷」條，於「其父堯民希元爲鄉先生」句下，案語曰：「堯民原本誤作『先民』，今據《文獻通考》改正。」以上二條，皆館臣據《通考》以作改正者。惟亦有未說明其所據依者，如《語孟類》「《論語紀蒙》六卷、《孟子紀蒙》十四卷」條，於「國子司業臨海陳耆卿」下，案語曰：「耆卿原本誤作『著卿』，今改正。」更有據《四庫》本《解題》，以訂正《文獻通考》所著錄資料之錯誤者，如《春秋類》「《息齋春秋集注》十四卷」條，於「禮部侍郎鄞高閌抑崇撰」句下，案語曰：「《文獻通考》作高閱，誤。」

館臣訂正錯誤之同時，亦作考校異同之工作。如《春秋類》「《春秋列國諸臣傳》五十一卷」條，載王當嘗以蘇軾薦，館臣案語曰：

「《文獻通考》作『以蘇轍薦』。」此乃考校《解題》與《通考》二者記載之不同，惟此條實《通考》誤也。又同類「《左氏國語類編》二卷」條，此條《解題》作「呂祖謙撰」。案語曰：「《宋史·藝文志》注：『祖謙門人所編。』」此則考校《解題》與《宋志》著錄撰人之不同也。

㈣對《解題》容有之缺失及存疑問題進行考證或辨證

《解題》書中，直齋著錄容有缺失，亦有疑而待決之問題，館臣案語中每作考證或辨證。如《詩類》「《王氏詩總聞》三卷」條，案語曰：「朱彝尊《王氏詩總聞序》：王氏名質，字景文，汶陽人。紹興庚辰進士，召試館職不就，歷樞密院編修官，出通判荊南府，不行，奉祠山居，有《集》四十卷，此書亦作二十卷。」是此書撰人王氏，《解題》未明記其名字，疑而待決，館臣乃據朱彝尊《序》作考證，考出其人爲王質，字景文。又如《易類》「《葆光易解義》十卷」條，此書乃張弼撰，《解題》載弼「紹聖中，以章厚、黃裳等薦，賜號葆光處士」。館臣案語曰：「晁公武《讀書志》：『弼於紹聖中，張惇薦於朝，賜號葆光處士。後黃裳等人再薦，詔爲福州司戶、本州教授。』考《宋史》，紹聖中無張惇，此本又作章厚，疑爲章惇所薦，以避光宗諱，故名章厚耳。」是薦張弼者乃章惇，非張惇，《郡齋讀書志》固誤；而《解題》作章厚，亦因避光宗諱，蓋光宗姓趙名惇也。是館臣考證者不誤。至王安石與政之年，館臣亦有考。《解題·書類》「《書義》十三卷」條引王安石《序》，謂「熙寧二年，臣安石以《尚書》入侍，遂與政」。館臣案語曰：「王安石與政在熙寧三年，原本作『二年』，誤。今改正。」是安石與政，作熙寧三年是，而《解題》引《序》作二年非也。又《詩類》「《詩譜》三卷」條，其書乃鄭玄撰，歐陽修補亡。修有《序》，謂慶曆四年至絳州得《詩譜》，「有注不見名氏」，是修亦不知爲《詩譜》作注者爲誰人也。館臣案語曰：「宋《兩朝國史志》，歐陽修於絳州得注本，卷首殘缺，因補成進之，而不知注者乃太叔求。」是館臣據《兩朝國史藝文志》，考出爲《詩譜》作注者乃太叔求。此問題懸疑既久，一朝得解，館臣作出此案，實大有功於直齋《解題》矣。

三、館臣《解題》案語有見解精闢、考證縝密者

館臣撰作《解題》案語，其中不乏見解精闢、考證縝密之處。茲不妨略舉數例以作說明：

如《易類》「《周易集解》十卷」條著錄：「《周易集解》十卷，唐著作郎李鼎祚集子夏、孟喜、京房、九家、《乾鑿度》、馬融、荀爽、鄭康成、劉表、何晏、王弼、宋衷、虞翻、陸績、王肅、干寶、姚信、王廙、張璠、向秀、王凱沖、侯果、蜀才、翟玄、韓康伯、劉瓛、何妥、崔憬、沈麟士、盧氏、崔覲、孔穎達等諸家，凡隋、唐以前《易》家諸書逸不傳者，賴此猶見其一二，而所取於荀、虞者尤多。」是《解題》所記李鼎祚《集解》所集《易》說凡三十二家，然館臣案語云：「此書子夏以來《易》說三十二家，又引張氏倫、朱氏仰之、蔡氏景君三家注。」據此，則館臣所考證，較直齋尤爲精確縝密，其所增之三家，足補《解題》之未備。

又同類「《周易口訣義》六卷」條著錄：「《周易口訣義》六

卷，河南史之徵撰。不詳何代人，《三朝史志》有其書，非唐則五代人。避諱作『證』。」是直齋撰《解題》此條時，因避宋仁宗趙禎之嫌名，故此書之撰人史之徵，直齋本改寫作為史之證。惟《四庫》本根據《永樂大典》以編纂，又還原姓名作史之徵。館臣於「河南史之徵撰」句下作案語曰：「《宋史·藝文志》作『史文徽』，《文獻通考》作『史證』，鄭樵《通志》作『史之證』。宋人避違『徵』字，此改從其舊。」據是，可推知此書之作者原名史之徵，宋人避諱改作證，故《通志》作『史之證』；而《文獻通考》作『史證』，《通考》殆據《崇文總目》脫字而誤，❾疑《崇文總目》脫「之」字。而《宋史》乃元人所撰，故不避宋諱，遂改回姓名作「史之徵」。然今見《宋史·藝文志》所作「史文徽」者，蓋「文徽」二字乃「之徵」形近之訛。館臣謂「宋人避諱『徵』字」，故直齋《解題》姓名改作「史之證」，實避諱使然。是館臣將此條姓名「改從其舊」，誠屬有識。

《解題·禮類》「《古禮》十七卷、《釋文》一卷、《識誤》三卷」條著錄：「《古禮》十七卷、《釋文》一卷、《識誤》三卷，永嘉張淳忠甫所校，……識其誤而為之。《序》謂：『高堂生所傳《士禮》爾，今此書兼有天子、諸侯、卿大夫禮，絕非高堂所傳。其篇數偶同，自陸德明、賈公彥皆云然。』不知何所據也。」考《古禮》即《儀禮》。張淳《序》以為高堂生僅傳《士禮》，今其書兼具天子、諸侯、卿大夫之禮，故謂「絕非高堂所傳」，而直齋則斥為「不知何

❾ 《崇文總目》卷一《易類》著錄：「《周易口訣義》六卷，原釋：河南史證撰，不詳何代人。」錢東垣輯釋本。是《通考》據《崇文總目》稱史證。

所據」。然直齋所斥則未盡深入，且未列出所斥者之理據。館臣案語則謂：「朱子曰：『張淳所云，不深考於劉向所定之誤，又不察其所謂《士禮》者，特略舉首篇以名之。其云推而致於天子者，蓋專指冠、昏、喪、祭而言，若燕、射、朝、聘，則士豈有是禮而可推耶？』」是館臣引朱子之論以駁張淳之失，原原本本，有論有據，所考較直齋精審，又足補《解題》之未逮。

《解題·春秋類》「《春秋集解》十二卷」條著錄：「《春秋集解》十二卷，呂祖謙撰。」直齋以此書撰人爲祖謙，其實誤也。館臣案語則辨之，曰：「趙希弁《讀書志》第云東萊先生所著，長沙陳邕和父爲之《序》，而不書其名。蓋呂氏望出東萊，故三世皆以爲稱，成公特其最著者耳。而《宋史·藝文志》於《春秋集解》三十卷，直書成公姓名，世遂因之。考《呂祖謙年譜》，凡有著述者必書，疑世所傳三十卷，即本中所撰也。朱子亦云：『呂居仁《春秋》甚明白，正與某《詩傳》相似。』」案：此書卷數，《解題》與《宋志》著錄不同。考成公即呂祖謙，呂居仁即呂本中。館臣旁徵博引，論證此書之撰人乃呂本中，既立新說，又指正《解題》之誤。此條見解精闢，考證縝密，於館臣案語中，實屬不可多得之作。

四、館臣《解題》案語有舛誤顯明及闡說未盡周延者

館臣所撰案語中，有舛誤顯明者，亦有闡說未盡周延者。茲亦略舉數例，以作說明：

《解題·禮類》「《集釋古禮》十七卷、《釋宮》一卷、《綱目》一卷」條著錄：「《集釋古禮》十七卷、《釋宮》一卷、《綱

目》一卷，廬陵李如圭寶之撰。淳熙癸丑進士，嘗爲福建撫幹。」惟淳熙干支無癸丑，《解題》此條實誤。故館臣出案語，曰：「《文獻通考》作紹興癸丑進士。」惟館臣案語亦誤。考紀昀《四庫全書總目》卷二十《經部》二十《禮類》二著錄曰：「《儀禮集釋》三十卷，《永樂大典》本。宋李如圭撰。如圭字寶之，廬陵人，官至福建路撫幹。考《文獻通考》引《宋中興藝文志》曰：『《儀禮》既廢，學者不復誦習。乾道間有張淳始訂其僞，爲《儀禮識誤》。淳熙中，李如圭爲《集釋》，出入經傳；又爲《綱目》，以別章句之旨；爲《釋宮》，以論宮室之制。朱熹嘗與之校定《禮書》，蓋習於《禮》者。』云云，則如圭當與朱子同時，而陳振孫《書錄解題》言如圭淳熙癸丑進士，《文獻通考》引振孫語，又作紹興癸丑進士。考淳熙紀元凡十六年，中間實無癸丑。紹興癸丑爲高宗改元之三年，朱子校定《儀禮》乃在晚歲，疑當爲紹熙癸丑，陳氏、馬氏並訛一字也。」是如圭進士及第之年應爲光宗紹熙癸丑歲，其撰《儀禮集釋》亦在紹熙，《通考》引《宋中興藝文志》作「淳熙中，李如圭爲《集釋》」，亦誤。又考《宋元學案》卷六十九《滄洲諸儒學案》上「撫幹李如圭」條曰：「李如圭字寶之，廬陵人，紹熙癸丑進士，福建撫幹。文公與之校定《禮經》。所著有《集釋古經》十七卷、《釋宮》一卷、《儀禮綱目》一卷。」是《宋元學案》亦記如圭爲「紹熙癸丑進士」，是則館臣僅據《文獻通考》立說，所云「紹興癸丑進士」，其舛誤甚明。

又《解題·春秋類》「《春秋二十國年表》一卷」條著錄：「《春秋二十國年表》一卷，不知何人作。周而下，次以魯、蔡、曹、衛、滕、晉、鄭、齊、秦、楚、宋、杞、陳、吳、邾、莒、薛、小邾。」館臣此條案語曰：「《解題》自『周而下』，所列止十八國，蓋有脫字。」惟此條究脫何字？館臣則未嘗深究。考《通志堂經解》本《春秋二十國年表》，其所列之二十國，於「薛」下有「許」字，是《解題》所脫者正爲「許」字。是則館臣所考證，亦有未見縝密與周延者也。

《解題·書類》「《禹貢論》二卷、《圖》二卷」條著錄：「《禹貢論》二卷、《圖》二卷，程大昌撰。凡《論》五十三篇、《後論》八篇、《圖》三十一。」館臣此條案語曰：「《宋史·藝文志》作《禹貢論》五卷、《禹貢論圖》五卷、《後論》一卷。」兩相比較，是《解題》所著錄者，其卷數既與《宋志》不同，又闕「《後論》一卷」四字。惟《解題》此條其卷數作如此之著錄實有依據，考傅增湘《藏園訂補郘亭知見傳本書目》卷一《經部》一《書類》著錄：「（補）《禹貢論》二卷、《後論》一卷、《山川地理圖》二卷，宋程大昌撰。宋淳熙八年泉州學刊本，十二行，行二十二字，白口，左右雙闌。劉惠之藏，余曾借校，改訂《通志堂》本數百字，較《四庫》本多二圖。」據傅書所記，則《解題》所著錄程書之卷數，其《論》、《圖》均作二卷，實與傅書著錄者同，蓋直齋所據以著錄者乃淳熙八年泉州學刊本。因館臣不知程書有此本，乃僅據《宋志》以立說，是以其案語所述，乃屬知其一不知其二，其所考證殊未見縝密與周延也。

至《四庫》本《解題·易類》著錄有龔原「《易講義》十卷」一條，其條之後有隨齋批注曰：「此段當在《正易心法》之前。」由是可推知《永樂大典》本《解題》，其「《易講義》十卷」一條，原不在「《正易心法》」條前也。惟今《四庫》本《解題》則正作如是之編排，而館臣又未出案語以說明原委，遂使《永樂大典》本《解題》

此條之原次竟不可考知。此點實屬館臣之失慎，其所輯錄《解題》之工作，其中亦有因稍欠縝密致使其書之整理有不甚周延者。❿

五、《四庫》本《解題》之輯錄及撰作案語者乃鄒炳泰

《四庫》本《解題》之輯錄及撰作案語者爲誰氏？今人精治《解題》如陳樂素、喬衍琯二先生，對此問題均未研考及之。其實只須翻檢《武英殿聚珍版叢書》本《解題》，其書目錄後有《提要》，《提要》文末署作「乾隆三十八年七月恭校上，……纂修官庶吉士臣鄒炳泰」。是則《解題》一書由鄒氏纂修，殆可無疑。今人王欣夫先生撰《藏書紀事詩補正》，其書卷一「陳振孫伯玉」條曰：「《直齋書錄解題》，今《武英殿聚珍》本係從《永樂大典》輯出，當時任搜輯者爲鄒炳泰。鄒字仲父，號曉屛，無錫人。官至協辦大學士。著有《午風堂集》。此事即見《集》中卷一。」是欣夫先生據《武英殿》本所署，亦知此書乃炳泰所輯。惟欣夫先生謂炳泰所著有《午風堂集》，其書名實作《午風堂叢談》，王氏偶誤矣。考《午風堂叢談》卷一載：「宋吳興陳振孫《直齋書錄》列經、史、子、集，中分五十三類，視晁公武《讀書志》議論較爲精核，馬氏《經籍考》多援之而作。其書久佚，《永樂大典》載之，余校纂成編，列入《四庫》，曾以聚珍版印行，購者珍如星鳳。」據是，則《四庫》本《解題》確爲鄒氏據

❿ 喬衍琯《陳振孫學記》第四章《直齋書錄解題》第三節《隨齋批注》已先有此說，見頁七七。

《大典》校纂而成，此事殆可視爲定讞。炳泰，《清史稿》卷三百五十一《列傳》一百三十八、《清史列傳》卷三十二《大臣傳》次編七均有傳。⑪

六、結　語

綜上所述，《四庫》館臣撰作《解題》案語實有其義例，余所考出者凡四類：考訂所著錄書籍卷數及書名異同，一也；校補《永樂大典》本《解題》之脫略，二也；訂正《解題》之錯誤及考校其所著錄者與他書之異同，三也；對《解題》容有之缺失及存疑問題進行考證或辨證，四也。惟館臣所撰之案語，其間固有見解精闢、考證縝密者，亦間有舛誤顯明而闡說未盡周延者，余皆各舉例證予以說明。至有關輯錄《四庫》本《解題》並撰作案語之館臣爲誰？今人多未作研考，余乃據《武英殿聚珍版叢書》本《解題·提要》文末所署，並參考王欣夫先生之說，及《午風堂叢談》卷一所載資料，確證《四庫》本《解題》一書，乃鄒炳泰於乾隆三十八年依據《永樂大典》輯錄並撰寫案語以成編。上述考證所得，均有若如山鐵案，是則余繼欣夫先生之後補考出之結論，殆可成定讞矣。

---

⑪ 請參考拙著《陳振孫之生平及其著述研究》第五章《陳振孫之主要著作——〈直齋書錄解題〉》第四節《直齋書錄解題之板本》已《輯本》，頁四五二—四五五。

清四庫館臣對文獻文物管理方法之探尋

吳哲夫*

一、前　言

存書種以傳承文化香火，素為我先民努力的目標，《四庫全書》之纂輯，即為其顯例。清高宗曾明示：「朕一再思維，《四庫全書》之輯，廣收博採，彙萃群書，內以昭垂久遠，公之天下萬世。」❶所謂昭垂久遠，公之天下萬世，目的即在求確保書種的永存，以收取光大文治的功效，而其達成的手段，非借助於完善管理制度無法竟功。故《四庫》開館之日，即廣求遺書，從正確掌握全國見存文獻入手，進行規畫合理的圖書蒐集辦法及修纂工作的條理化，來達成盡速藏工與《全書》的美備；同時又預籌完成後的典藏環境與副本的分儲，以力保全書的永傳；並確立日後的開放制度及管理規則，杜絕書冊的

* 國立故宮博物院文獻處處長

❶ 陳　垣編《辦理四庫全書檔案》（北平：國北平圖書館，民國二十三年）上冊，頁七三。

污損與遺失；此外復考編最具合理實用的詳盡目錄，弘顯《全書》的利用價值與點檢功能。由於各項施爲的正確周全，不但《四庫總目》贏得「自劉向《別錄》以來才有此書」❷的美譽，且學林更推崇《全書》有「學者得以參考、目錄之完備、分類之正確、載籍之完整、公共閱覽之規定」等項優點，而事實更印證，《全書》迄今猶能完整如新的傳世，確實實踐了修纂當年「昭垂久遠」❸的要求。本文特根據當年《四庫》館在文獻文物管理方面的各項施爲，略作探討陳述，或於圖書收藏者有啓發性之幫助。

二、放眼全國書藏、進行重點徵集

自唐代將祕閣書藏按經、史、子、集分類入儲四個獨立庫房後，「四庫書」遂成爲群籍的總稱。清修《四庫全書》，特標一「全」字，用在說明其容納群書的完備性。由於收錄古今著作的弘博，故館臣於《全書》完成後曾自詡「前千古而後萬年，無斯巨帙。」❹不過欲求收容的完整性，中秘書藏必深感不足，需仰賴於民間大量藏書的支援，因而清高宗於修書之前，於乾隆三十七年正月諭令：

> 今內府藏書插架不爲不富，然古今來著作之手，無慮千百家，或逸在名山，未登柱史，正宜及時採集，彙送京師，以彰千

---

❷ 見余嘉錫〈四庫提要辨證序〉

❸ 蕭一山《清代通史》（臺北：臺灣商務印書館，民國五十一年九月修訂本臺一版），卷中，頁六六—六七。

❹ 《四庫全書總目》（臺北：藝文印書館，民國五十八年影印）卷首，頁十九。

古同文之盛。❺

然而古今載籍繁多複雜，且清內府本身已有相當收藏，爲避免漫無目標的蒐集，而又能確實彌補中秘所缺，安徽學政朱筠首先建議：

中秘書籍，當標舉現有者以補其餘也。……請先定中書目錄，宣示外廷，然後令各舉所未備者以獻，則藏弆日益廣矣。❻

有了中書目錄的依據，再要求民間「各舉所未備者以獻」，方法雖極其正確，但我國自雕版印刷術盛行之後，圖書大量印行，民間藏書的重複性頗高，爲避免同一種書的重複蒐集，清高宗因令：

各省蒐輯之書，卷帙必多，若不加之鑑別，悉令呈送，煩複皆所不免。著該督撫先將各書敘列目錄，註係某朝某人所著，書中要旨何在？簡明開載，具摺奏聞。俟彙齊後，令廷臣檢覈，有堪備閱者，再開單行知取進。❼

茲後復考慮到各家著述品質有高下之別，而《四庫》的蒐集有一定的容量，面對浩如煙海的書林，勢必有所節制，才易竟功，並維持《全書》的水準，於是清高宗再指示：

坊肆所售舉業時文，及民間無用之族譜、尺牘、屏幛、壽言等類；又其人本無實學，不過嫁名馳鶩，編刻酬倡詩文，瑣屑無

❺ 《辦理四庫全書檔案》（前引書），上冊，頁一。

❻ 仝前註，上冊，頁四。

❼ 仝❺。

> 當者，均無庸採取外，其歷代流傳舊書，內有闡明性學治法，關繫世道人心者，自當首先購覓。至若發揮傳注，考覈典章，旁暨九流百家之言，有裨實用者，亦應備為甄擇。❽

排除不重要的文獻之後，又就民間藏書的現況，規劃出重點徵集方向：

> 遺籍珍藏，固隨地俱有，而江浙人文淵藪，其流傳較別省更多，果能切實搜尋，自無不漸臻美備。

又云：

> 聞東南從前藏書最富之家，如崑山徐氏之傳是樓、常熟錢氏之述古堂、嘉興項氏之天籟閣、朱氏之曝書亭、杭州趙氏之小山堂、寧波范氏之天一閣，皆其著名者，餘者亦指不勝屈，並有原藏書目，至今尚為人傳錄者。即其子孫不能保守，而輾轉流播，仍為他姓所有，第須尋原竟委，自不至湮沒人間；縱或散落他方，為之隨處蹤求，亦不難於薈萃。又聞蘇州有一種賈客，惟事收買舊書，如山塘開鋪之金姓者，乃專門世業，於古書存佚原委，頗能暗悉。又湖州向多賈客書船，平時在各處州縣兑賣書籍，與藏書家往來最熟，其於某氏舊有某書，曾購某本，問之無不深知。如能向此等人善為咨詢，詳加物色，因而四處借抄，仍將原書迅速發還，諒無不踴躍從事。❾

---

❽ 仝前註。

❾ 仝前，上冊，頁十二。

將人文最盛的東南地區，列爲訪求重點，又直接指向大藏書家及有名的書商，目標既明顯，方向又正確，自然容易收到良好的徵集效果。此外，京師所在及官宦世家，亦每多藏書，因此，大學士劉統勳再建言：

臣等遵旨纂辦《四庫全書》，現將《永樂大典》所載，及內府舊藏書目詳檢辦理，其外省採進遺書，自必日就搜輯。而京師舊家藏書及京官攜其家藏舊籍自隨者，亦頗有善本足資採錄，應令將書目鈔送，擇其未經見之書，暫爲借存，給與照票，每積有四五十部，彙單奏聞一次，並於單內將某書係某朝某人著，今從某家借出之處，聲明一摺。⑩

至於內府舊藏中，特別重視寄存於《永樂大典》中的文獻資源，安徽學政朱筠率先上請：

前明《永樂大典》一書，陳編羅載，請擇其中若干部，分別繕寫，以備著錄。查此書原共二萬二千九百餘卷，一萬一千九十五冊，就原書目錄檢查，其中不恆經見之書頗有，若概不分別選擇，殊非採訪遺書本意。⑪

清高宗因令王際華、裘日修專責辦理，並指示：

將《永樂大典》詳悉校核，除本係現在通行，及雖屬古書，而詞意無關典要者，不必再行採錄外，其有實在流傳已少，其書

⑩ 仝前註，上冊，頁十五。

⑪ 仝前註，上冊，頁六。

足資啓牖後學，廣益多聞者，即將書名摘出，撮取著書大旨，敘列目錄進呈，俟朕裁定，彙付剞劂，其中有書無可採，而其名未可盡沒者，祇須注出簡明略節，以佐流傳考訂之用。⓬

任何大事務的完成，首推人才。《四庫》館中充斥碩學鴻儒，曠世大家，以其學識的淵博，自當能從文化的高明處著眼，有效的掌握全國文獻。然而民間書藏非內府所能自主，如果蒐集方法不當，假皇家之權勢強求硬取，必產生隱瞞或反彈的現象，但政策過於寬鬆，則許多寶愛古籍的人士，或不肯獻書。因此，館臣又規劃出周詳的徵集辦法，茲歸納如下：

1.**獎勵：**

此項辦法包括：倍併收購；贈送皇家圖書〔凡進書百種或五百種以上者分別致贈內府出版的《佩文韻府》或《古今圖書集成》一套〕；鈐印〔在呈進的各書篇首鈐蓋翰林院印，發還原書後，可增加書藏者的榮耀〕、題詠〔選出特別精醇的圖書由皇上親爲題詠，識於簡端。〕、載名〔獻來之書如經採用，在《四庫總目》書名下載錄獻書者姓名，永爲紀念〕。

2.**發動相關人士、全面調查訪求：**

(a)飭各學校教職，親往藏書家，婉轉開導。

(b)派員至書賈坊林或窮鄉僻壤處，留意購求。

(c)遴選地方士紳，幫同蒐訪。

⓬ 仝前註，上冊，頁八。

(d)發動僚屬之姻親戚友，協助查訪。

(e)各省設局並定章程統籌辦理。⑬

搜求圖書從城鄉到窵遠的地區，足見執行之徹底及用心之專勤。

除上述方法之外，又顧慮到許多珍罕秘笈，最爲藏書家所不肯輕易流出，因此清高宗一再表明修書意在稽古右文、嘉惠學林，絕不在爭奪秘本。所以又明示如果僅係鈔本留存者，借來繕錄副本後，即給還原書。而爲確保信譽，對借鈔之文獻，訂有詳密的管理辦法，凡從各省借到之書《四庫》館臣建議：

> 臣等酌議刊刻木記一小方印，於各書面頁填注乾隆三十八年某月、某省督撫、某鹽政某，送到某人家所藏某書，計若干本，並押以翰林院印。仍分別造檔存記，將來發還之日，即按書面木記查點明白。…按單給還藏書家，取具收領存案。……且有官印押記，爲書林增一佳話。⑭

至於各官宦家藏的借書，則給與照票，每積有四五十部，即彙單奏聞一次，並於單內將某書係某朝某人著，今從某家借出之處，聲明一摺，作爲日後給還的依據。

《四庫》館臣修纂前的重點準備工作，落實在文獻合理徵集及有效率的控管，而其以內府所藏爲基礎，以天下書遺藏做後盾，並透過

⑬ 詳見吳哲夫撰《四庫全書纂修之研究》（台北：國立故宮博物院，民國七十九年），頁三十八。

⑭ 《辦理四庫全書檔案》（前引書），頁十七。

編目造冊的功夫，使公私藏書互相映照，既避免大量重複書的堆積，也排除無用文獻的充斥，眞正達成廣收博採，取用精華的目的，是日後順利成書的要因之一。

三、詳立選書標準、規定修纂辦法

由於訪求文獻規劃詳盡，以及執行徹底，民間大量圖書的湧進加上內府原有的豐富收藏，修書的事前預備工作可謂圓滿告成，於是就著手進行實際的纂修工程。而爲能便捷取用資料，首先將徵集到的圖書，加以集中管理。乾隆三十八年三月四庫修書處辦理事臣奏請：

> 翰林院衙內，現辦《永樂大典》，所有房屋俱已充滿，將來各省送到書籍，俱應彙歸書局收存檢辦，更無餘地可容。查署內有敬一亭，其房間頗爲寬敞，向係武英殿將各種書版交到收貯。今擬將此項書板查明，暫行移貯詹事府，交該衙門檢點稽查，即將空出之敬一亭爲收辦各項書籍之用，俟《四庫全書》辦竣，仍將書板取回原處收貯。[15]

而爲方便取用，則先將所有收到之書，依門類列架，並詳細編目，大學士劉統勳建議：

> 俟各省所採書籍全行進呈時，請敕令廷臣，詳細校定，依經史子集四部名目，分類彙列，另編目錄一書，具載部分、卷數、

---

[15] 仝前註，上冊，頁十一。

撰人姓名，垂示永久，用昭策府大成。⑯

圖書按部類彙列，可方便取檢，而詳細編目，則是作爲纂修時進行芟蕪取腴，摘取適用書的準備。有了目錄之後，便是確立選書的方向，共所周知，圖書內容貴在其高明性與永久性，爲不使全書流於低俗，四庫館臣於凡例中特別強調：

今昭求古籍，特創新規，一一辨厥妍媸，嚴爲去取，其上者悉爲編錄。⑰

摘取高水準的圖書，但又考慮到學術門派往往具有相互影響，又互相激發的特性，既所謂「識小之徒專門撰述」，亦有「增廣見聞」、「羽翼經訓」的功能，所以又訂下：

文章流別，歷代增新，古來有是一家，即應立是一類，作者有是一體，即應備是一格，斯協於《全書》之名。⑱

修纂大書目的於嘉惠學林、保存文獻之外，亦應留意到對世道人心的作用，才能矜式士林，影響後世。因此《四庫》館臣對作品的選件，爲收教化功能，特別考量到作者的人品，以期收到教化功能，當時主持修纂的靈魂人物，即曾有以下言論：

明之宋濂、高啓、李東陽、吳寬、王鏊、李夢陽、何景明、徐

⑯ 仝前註，上冊，頁七。

⑰ 《四庫全書總目》（前引書），卷首，凡例。

⑱ 仝前註。

> 禎卿、高叔嗣、唐順之、王愼中、歸有光、李攀龍等，均以正派相承，爲一代冠冕，悉宜並存。

又說：

> 諸集中端亮如張九齡，清介如趙抃，忠直如陸贄，學品純正如司馬光，奉使不辱如郝經，雖其著作本有可取，而文以人重，亟錄之，尤以矜式士林。⑲

人品之外，作品內容是否純正，也列入收錄條件，故紀昀以爲：

> 文格遞變，僞體日生，凡不軌於正者，悉從刪汰。⑳

有了摘錄群書的大原則後，便進行實際的纂修工作，但面對大量的圖書，到底何種圖書應予著錄並即行發下繕寫？當年所依據者爲何種目錄？雖已無明確資料可資參考，不過據乾隆三十八年三月四庫館臣所擬出的「需辦章程」中言及：

> 《四庫全書》集藝苑之大成，考核宜歸精當，今所辦《永樂大典》內摘出各書舊本頗多，而各省所採遺書，現奉特旨令各督撫實力經理，自必廣收博取，即內府舊儲書籍，卷帙亦甚浩博，現有之纂修……分派辦理，至各書詳檢確核，撮舉大綱，編纂總目。㉑

---

⑲ 《四庫全書薈要總目》（國立故宮博物院藏，摛藻堂原抄本），卷首，聯句詩。

⑳ 仝前註。

㉑ 《辦理四庫全書檔案》（前引書），上冊，頁十。

可見修書之前，曾將內府所藏及各省進書，全面「詳檢確核」，然後編纂成總目，作為修纂的依據。惟因擔心此一「總目」不夠精善，於是再調派許多方家大儒，悉心審核，故館臣又建議：

臣等公同酌議，查現在纂修翰林紀昀、提調司員陸錫熊，堪膺總辦之任。此外並查有郎中姚鼐、主事程晉芳、任大椿、學政汪如藻、原任學士降調侯補之翁方綱，亦皆留心典籍，見聞頗廣，應請添派為纂修官，令其在館一同校閱，悉心考核，方足敷用。又查有進士余集、邵晉涵、周永年，舉人載震、楊昌霖于古書原委亦能多識，應請旨行文調取來京，在分校上行走，更足資集思廣益之用。㉒

可推想出當年《四庫全書》收錄書「草目」的出爐，係經過許多專家集思廣益，細心核定的。此草目或即為日後武英殿所刊行附有提要之《四庫全書總目》的藍本。

在完成編纂目錄之同時，館臣也將書冊設計樣本進呈：

至《四庫全書》面頁顏色，現在酌定款式……謹先將書樣呈覽，俟欽定後，即將應用各素絹行文該織造處如式織辦備用。其應用紙張、版片、行文各該處支取，所有原辦絹版紙片，界畫裝潢，及飯食各項事，宜派武英殿員外郎劉惇、永善經管總辦。㉓

書樣既定，又責有專司，在物質條件完全解決之後，便進行《全

㉒ 仝前註，上冊，頁十一。

㉓ 仝註㉑。

書》的繕抄謄錄。而為顧及成書的品質，特又從在京之舉人及貢監各生內，擇選「字畫工緻」及「通曉畫法」的人員參與繕抄或繪圖。書手所寫各書，規定應於領辦時交局，並自行開明字數頁數，提調於驗明字跡整齊及無錯亂遺脫之篇頁後，方准查收。然後按日發交分校官校勘，再移交督催處，核其所報字數相符，再覆知提調，按月造檔。同時又強調如有以少報多之弊，即責令按三倍罰寫。而為能控制成書時間，再嚴格要求工作量：

> 每人每日寫一千字，每年扣去三十日赴公所領書交書之暇，計每年可寫三十三萬字。㉔

此外，並訂有「五年議敘」的考成辦法。修纂時效的控制固然重要，然圖書貴在保存文獻的史眞，如果錯誤百出，則書冊的外貌再堂皇富麗也將失色，因此館臣規定：

> 所有分寫收發各事宜，應即就武英殿辦理，其未經發寫之前，有舊刻顯然訛誤，應行隨處改正，及每卷繕竣後，併須精加核對。㉕

而為稽核，又規定於書冊後的副頁，塡寫謄錄及校對者的銜名。有了如此周詳的辦法，理應不致有草率錯誤的事情發生，不過校書是最困難的工作，所謂校書如掃落葉，一面掃一面生，乾隆三十八年十月清高宗抽查已謄錄之書冊，即發現有錯誤二處，隨即下令館臣「妥

㉔ 仝註㉒。

㉕ 仝前註。

立章程，俾各盡心校錄無訛」。館臣因又於分校之外，再添設覆校層級曰：

> 若不添設覆校一層，則分校謄錄之是否盡心，無從稽覈，仍恐因循貽誤。㉖

爲使分校者能知所儆勉，另設功過簿並確立獎罰辦法以專責成。當年對校出之錯誤，規定如一二字者，即行校補，如錯至數行及半頁者，則即行換頁裝訂，以避免遺漏遲誤。

《四庫全書》因採謄錄成書方式，而同一種著作之古書往往有若干版本傳世，其間難免互有差異，必須藉助考校，方知其正訛情形，館臣因將辛苦校勘成果，附於各書冊之後，其辦法爲：

> 校出原書錯訛更正之處，應附載卷未。……如僅係筆畫之訛，僅載某字訛某，令校改；如有關文義考訂者，並略附按語如下，如此則辦《全書》更爲精當。㉗

《四庫》館後來將全部所得精印而成《考證》一百卷出版。由此亦可看出當年館臣在文獻內容上嚴密控管的情形。除此之外，爲有效控制進度，提昇書品，於覈校之上，又設總校一層，專司收發、督催、稽考字體課程及款式篇頁諸事。《四庫全書》之所以能順利完成，並普受學林推重，其人事管理之得當，文獻內容存正的講究，厥居其功。

㉖ 仝前註，上册，頁十九。

㉗ 仝前註。

四、籌畫典藏環境、規避書害辦法

這部「綜全書之淵海」的《四庫全書》，纂成不易，故如何妥善保管使其長久發揮利用功能？始終爲館臣嚴肅認眞的思考問題。圖書的有效管理及利用，涉及到編目是否完美與精確，留待下節敘述。至於全書是否能「昭久遠」以「垂示無窮」，則與收藏環境有絕對關係。

《四庫全書》館對典藏環境的講求是既師法前人經驗，而又有所創制的。我國古代藏書方面，傳存最久又保管完善的莫過於明代浙江的天一閣藏書，因此在《全書》修纂過程中，清高宗即曾派人前往考查察，以做爲日後建立藏書閣的參考。乾隆三十九年六月二十五日諭云：

> 浙江寧波府范懋柱家所進之書最多，因加恩賞《古今圖書集成》一部，以示嘉獎。聞其家藏書處曰天一閣，純用磚甃，不畏火燭，自前明相傳至今，並無損壞，其法甚精。著傳諭寅著，親往該處，看其房間製造之法如何？是否專用磚甃，不用木植？並其書架款式若何？詳細詢察，燙具準樣，開明丈尺，呈覽。寅著未至其家之前，可預邀范懋柱與之相見，告以奉旨：因聞其家藏書房屋、書架造作甚佳，留傳經久，今辦四庫全書，卷帙浩繁，欲倣其藏書之法，以垂久遠。故令我親自看明，具樣呈覽。爾可同我前往指說，如此明白宣諭，使其曉然於心，勿稍驚疑，方爲妥協。將此傳諭知之，仍著即行覆奏。㉘

㉘ 仝前註，上冊，頁二七。

寅著負命前往察看後，旋覆奏云：

> 天一閣在范氏宅東，坐北向南，左右磚甃爲垣；前後簷，上下俱設窗門；其樑柱俱用松杉等木。共六間；西偏一間，安設樓梯，東偏一間，以近牆壁恐受濕氣，並不貯書。惟居中三間，排列大廚十口，內六櫥，前後有門，兩面貯書，取其透風。後列中櫥二口，小櫥二口。西一間，排列中櫥十二口。櫥下各置英石一塊，以收潮濕。閣前鑿池，其東北隅又爲曲池。傳聞鑿池之始，土中隱有字型，如天一二字，因悟天一生水之義，即以名閣。閣用六間，取地六成之義。是以高下、深廣，及書櫥數目、尺寸，俱含六數。特繪圖具奏。

從這兩則文獻可以看出《四庫》館針對藏書環境及建築的重視，特別顧慮到書冊爲紙張的本性，因而加強對防火及防濕氣兩項的措施。

此外，蟲害也是藏書的大敵，所以在防蟲害上又下功夫。乾隆三十八年三月十一日館臣即建請：

> ……至於《四庫全書》面頁顏色字樣，現在酌定款式，又《永樂大典》每千本爲一套，今擬亦仿其例裝潢，用杉木板爲函，以防蠹損。㉚

目前庋藏國立故宮博物院的《文淵閣四庫全書》共裝木函六千一百四十四個，不但整齊美觀，而當年這項防蠹害的考量，更使全書每

㉙　《東華錄》乾隆七十九條。

㉚　仝㉑。

一書冊至今觸手如新。

還值得一提的是，七閣《四庫全書》的收藏，姑不論是否意在「昭文治之盛」，但也寓有風險分散的考量。事實已證明，當年七閣《全書》分儲大江南北的構思及實現，的確是《全書》能逃避全燬於近代戰火的主要原因。

五、開放書冊利用、規範借閱章程

清高宗敕令修纂《四庫全書》，始終強調「稽古右文」、「用光文治」、「嘉惠藝林」的宗旨。當乾隆五十五年七閣《全書》完成入藏後，即明白宣諭：

> 《四庫全書》薈萃古今載籍，至爲美備，不特内府珍藏，藉資乙覽，亦欲以流傳廣播，沾溉藝林。……著該督撫等諄飭所屬，俟貯閣《全書》排架齊集後，諭令該省士子，有願讀中秘書者，許其呈明到閣抄閱，但不得任其私自攜歸以致稍有遺失。[31]

圖書固貴在利用，但若管理不當，往往容易造成損壞或遺失。所以《四庫》館臣有在修纂之同時，早已預爲公諸天下學林之準備。乾隆四十一年六月初一日上諭：

> 至於《四庫》所集，多人間未見之書，朕勤加採訪，非徒廣金匱石室之藏，將以嘉惠藝林，啓牖後學，公天下之好也。……翰林許讀中秘書，即大臣官員中，有嗜古勤學者，宜許告之所

[31] 仝前註，下冊，頁二八。

司，赴閣觀覽。第不得攜取出外，致有損失，其如何酌定章程？並著具議以聞。[32]

《四庫》館臣因擬定管理及借閱辦法覆奏云：

請參仿宋制，置文淵閣領事閣二員，以大學士，協辦大學士、翰林院掌院學士兼充，總司典掌。置文淵閣直閣事六員：以由科甲出身之內閣學士，由內班出身之滿詹事、少詹事、侍讀、侍講學士等官兼充，同司典守釐輯。置文淵閣校理十六員：以由內班出身之滿庶子、侍讀、侍講、洗馬、中允、贊善、編修、檢討，及由科甲出身之內閣侍讀等官兼充，分司註冊、點驗。以上皆爲定額，仍仿宋代館職結銜例，一切章奏文移，令其繫銜於本銜之上。如遇缺員，領閣事、直閣事，由翰林院具疏請簡；校理，由領閣事大學士會同掌院學士遴員引見。如遇出差，照日講官例請署。

再管鑰啓閉，內府司存，亦宜參仿宋制，置提學閣事一員，以內務府大臣兼充。如遇缺員，即由內務府具疏請簡。再排次清釐，似非內府員役所能，亦宜參仿宋制，置文淵閣檢閱八員，以由科甲出身之內閣中書兼充，如遇缺員，由領額事大學士遴員奏補。至閣中書籍，若概許開函繙閱，不無翫損，請俟全書告竣，各藏副本於翰林院。如大臣官員欲觀秘書，准其告之領閣事赴署請閱。有願持筆札就鈔者，亦聽，不許私攜出院。如

[32] 仝前註，上冊，頁四〇。

> 遇疑誤，須對正本者，令其認明某書某卷某葉，彙爲一單，告之領額事，酌派校理一員，同詣閣中請書檢討。

對於管理員額數量、人員資格、庫房啓閉、以及如何辦理提借等等項目都予以規範，而其中值得注意的是建立「副本」的構想，這與今日圖書館對善本書除非爲特殊研究之需要外，只提供微片利用，其維護原件的苦心是一致的。

南三閣《四庫全書》完成後，清高宗又考慮到江南讀書士子特多，利用《全書》者必頻繁，因此又於乾隆四十九年二月二十一日頒令：

> 《全書》繕竣，分貯三閣後，如有願讀中秘書者，許其陸續領出廣爲傳寫，《全書》本有《總目》，易於檢查，祇須派委妥員，董司其事，設立收發檔案，登註明晰，並曉諭借抄士子，加意珍惜，毋致遺失污損，俾藝林多士，均得殫見洽聞，以副朕樂育人才，稽古右文之致意。㉝

增加了「收發檔案，登註明晰」的規定，又與今日圖書館的借閱及博物館展覽的提件規定相似，足見當年對各閣《四庫全書》的利用及管理，有相當周密完備的設想。

六、詳慎編目分類、標幟部類表徵

圖書有清明的帳冊，典藏及查檢才有依據，而合理的部次群書，

㉝ 國立故宮博物院藏，小方冊上諭檔，編號〇〇二三。

取用始能便捷，所以詳盡的藏書目錄，是做好維護及利用工作的必要手段。我國古代公私藏書，自來注重編目，《漢書·藝文志》記載劉向、劉歆父子整理中秘藏書說：「每一書已，向輒條其篇目，撮其旨意，錄而奏之。」這種慎細編目的方法，早已被相繼師法成爲傳統。《四庫》館臣不但傳承其法，且青出於藍，更臻完善。乾隆三十八年（一七七三）三月十一日，館臣首先提出編纂《總目》的構想：

> 做劉向、曾鞏等目錄序之例，將各書大旨及著作源流詳悉考証，詮疏崖略，列寫簡端，並編列《總目》以昭全備。㉞

清高宗因按館臣意見，進一步指示：

> 今於所列諸書，各撰提要……每書先列作者之爵里，以論世知人；次考本書之得失，權眾說之異同，以及文字增刪，編帙分合，皆詳爲訂辨，巨細不遺，而人品學術之醇疵，國紀朝章之法戒，亦未嘗不各昭彰癉，用著勸懲㉟。

《四庫全書》的編目除了登錄書名、作者之外，更對書籍的相關內容做概略性的整體交待。這樣的編目，極有助於利用者，難怪晚清張之洞推崇其書說：「讀書宜有門徑，得門而入事半功倍」接著又說：「此事宜有師承，然師豈易得，書即師也。今爲諸生指一良師，將《四庫全書總目提要》讀一過，即略知學問門徑矣。」

由於《四庫全書》載籍廣博，《總目》共達二百卷，如果不是爲

㉞ 仝㉑。

㉟ 吳哲夫撰《四庫全書薈要纂修考》（台北：國立故宮博物院，民國六十五年），頁六二引。

特殊目的查考，在檢尋方面就會感覺不便。清高宗思慮及此，於是又敕令編了一套《簡明目錄》。清乾隆三十九年七月二十五日上諭：

至現辦《四庫全書總目提要》，多至萬餘種，卷帙甚繁，將來抄刻成書，繙閱已頗爲不易，自應於《提要》之外，令刊《簡明目錄》一編，祇載某書若干卷，註某朝某人撰，則篇目不繁而檢查較易，俾學者由書目而《提要》，由《提要》而得《全書》。嘉與海內之士，考鏡源流，用昭我朝文治之盛。著《四庫全書》總裁等，遵照悉心妥辦[36]。

這部《簡目》只載書名、作者及卷數，類似今日的收藏目錄，全帙還不及《總目》的十分之一，如果就點檢查尋用途而言，甚爲方便。

圖書目錄雖完整，但如果儲放處所位置零亂，毫無秩序，還是無法找到用書，對藏書的管理，及安全的維護都有不良影響。因此《四庫》館臣在按目錄排書上架外，又繪制一套書架明析方位圖，將各架上圖書詳細登載，而有《四庫全書分架圖》的編定。

當然編目只是帳簿，如果不能按圖書內容給予分類，對於學術門類的彰顯，及時代學術發展的情況，便無法掌握，也讓使用者常常感到不方便。《四庫》館臣思及於此，乃一方面採用歷代以來甚有體系的四部分類法，又一方面根據學術文化具體現況施予適當的調整，使之更嶄新更合理。因此倣效明代《千頃堂書目》集部按作者年代排列群書先後爲序的方式，將之推廣到各部類圖書的排列，這種擇善而從

[36] 《辦理四庫全書檔案》上冊，頁二九。

的繼承前人方法，加上合理的創見，遂使《四庫總目》被視爲歷來最好的目錄。清著名學者周中孚在其《鄭堂讀書記》中即具推崇說：

> 竊謂自漢以來，簿錄之書無論官撰、私著，凡卷第之繁富，門類之允當，考證之精審，議論之公平，莫有過於是編矣㊲。

《四庫全書》除有完善的編目外，尚具一項特色，便是將各大門類的書在書冊封面標幟顏色，即經部綠色、史部紅色、子部藍色、集部灰色，用意在求醒目，易於辨識群書，既方便於文獻的取用，又利於書冊的整理保管。這種以顏色爲文獻部類表徵，也是有所沿襲的，隋開皇十七年（五九七）秘書丞許善心整理藏書，編成目錄，當時東都長安有嘉則殿，西都洛陽則有修文殿及觀文殿，都有豐富的書藏。隋煬帝即位後，令將各處藏書分爲上、中、下三品，以求易於識別，並各以紅琉璃軸，紺琉增軸、漆軸來裝潢圖書。唐玄宗時也令將四庫書，各以顏色區分，經庫用鈿白牙軸、黃縹帶、紅牙籤；史庫用鈿青牙軸、白縹帶、綠牙籤；子庫用紫檀軸、朱帶、碧牙籤；集庫用綠牙軸、紫帶、白牙籤。是知以顏色來協助識別圖書類別，其來久遠。

七、重視傳統經驗、講求權變創新

任何事務不注重傳統，往往離根離本，空泛而不實，然而完全墨守成規，難免又會阻礙發展的良機。《四庫》館臣有見於此，在文獻

㊲ 清周中孚撰《鄭堂讀書記》（台北：世界書局，民國五十四年影印），卷三十二，頁十一。

收錄及管理上，有以下各項特點：

1.擇善而從，不泥於舊說。《四庫全書》在編目方面，雖然維護正統四部分類法，卻能取諸家之長，匡正前人所不逮。《四庫全書薈要·凡例》中曾說：

> 分門別類，如歷代史志，鄭樵《通志略》、《崇文總目》、晁公武《讀書志》、陳振孫《書錄解題》、馬端臨《文獻通考》、焦竑《經籍志》及諸家編目各有不同，或間相糾正，今悉爲參考，擇其區別精當者從之，未敢泥於一家之說也。

對前代編目擇善而從外，對前人分類不當的書，又一一改隸於其他適當的類別中：

> 古來諸家著錄，往往循名失實，配隸乖宜……如《筆陣圖》舊入小學類，今惟以論六書者入小學。其論八法者，不過筆札之工，則改隸藝術。《羯鼓錄》之屬，舊入樂類，今惟以論律呂者入樂，其論管弦工尺者，不過世俗之音，亦改隸藝術。…《孝經集靈》舊入孝經類，《穆天子傳》舊入起居注類，《山海經》、《十洲記》舊入地理類，《漢武帝傳》、《飛燕傳》舊入傳記類，今以其或涉荒誕，或涉鄙猥，均改隸小說。…凡斯之流，不可殫述，並一一考核，務使不失其眞[38]。

既能師法前人所長，又能匡正古人之所不逮，梁任公曾爲之稱頌說：「其（指《四庫總目》分類法）述作義例之周備，實已爲《崇

[38] 《四庫全書薈要總目》前引書，卷首，凡例。

文總目》以下所莫能逮。」

2.根據需要，創立新法。清高宗曾說：「朕一再思維，《四庫全書》之輯……務求精當，使綱舉目張，體裁醇備，足爲萬世法制。」欲求精當醇備，有效幫助尋檢圖書，《四庫》館臣除兼採各家之長外，在顧及學術文化發展的實際情況下，做了不少的創新。例如盡量控制類別的繁複，在四大部類之下，分爲若干小類，小類之下再分若干子目，使衆多的小類及其部分子目作爲分支的分支，成爲一個以四大部類爲主幹的龐大分類體系。如此類別簡明，一目了然，較易達到舉一綱而萬目張的效果。又如《四庫全書》各類中，以集部別集類著錄書近千種最多，遠遠超過史部所有各類書的總和，所以說「四部之書，別集最雜」。同類書太多，匯集在一起，查檢不易，館臣因以時代爲次，做爲暗類，分爲六個時代階段，以時代來暗分子目，解決查檢不易的難題。再如古代常有內容繁雜的綜合性圖書，歸類不易，另又有些門類的圖書傳存已少，如果按前人之例，保留類目，便失去《四庫》館臣「類簡書繁」的本意，因此設立「雜類」，一方面避免有類無書或收書極少的現象，一方面又解決了分類的難題，因而使《總目》更趨於完備實用。此外，古代文獻數量龐大，如果不能有效節制，全書必定完成無日，且易流於虛浮，因此館臣又設存目書，以分擔浩繁書籍收錄的困難，同時也可藉以分別書品的高下，使利用者有所甄別參考。

3.瞭解文化必須從廣大及高明處著眼，《四庫》館臣在選書方面，雖然以尊經崇儒爲大原則，猶顧及賅通權變的重要性，而廣收其他足以「增廣舊聞」、「羽翼經訓」的書籍。清高宗四十年（一七七五）四月曾頒諭：

> 顧《四庫》之藏，浩如淵海，必權衡有定，去取乃精。昔董仲舒請罷黜百家，專崇孔氏，陶宏景則一事不知，引爲深恥。今將廣收博采，而傳注時多曲說，稗官不免誣詞，異學混儒墨之談，僞體濫齊梁之豔，於人心世教，未見有裨。但如墨守經師，胥鈔語錄，刊除新異，摒斥雕華，則九流之派未疏，七略之名不備，抱殘守匱，亦難語賅通㊴。

《四庫》館臣根據此項原則，認爲「凡能自明一家者，必有一節之足以自立，即其不合於聖人者，存之亦可爲鑒戒。」因而訂下「文章流別，歷代增新，古來有是一家，即應立是一類，作者有是一體，即應備是一格。」的收書體例，在豁達的胸襟下，《四庫全書》終於成爲具有四十四類六十六子屬的一部綜合性文化大叢書，其不抱殘守缺，賅通權變，著眼於文化的廣博性，是其成書後受到學林重視的重大原因。

4.體認文化是群體人生的共業。人類文明範圍廣泛，且彼此間常有相互旁參的功用，所以文化能不固步自封，才能愈見壯大。我國古來即有：雖小道必有可觀，而芻蕘狂夫之言，也不加廢黜的傳統觀念。所以我國文明雖誕生早，又發展快速，但從不排斥外來知識，例如魏晉南北朝時代，王儉的《七志》、阮孝緒的《七錄》均著錄傳入的佛釋經籍，而《隋書·經籍志》也載錄外來醫書十餘種之多。中國人長久以來與鄰邦來往，早對天下之廣闊有所認知，同時爲不自限於

㊴ 《大清高宗純皇帝實錄》（臺北：華聯出版社，民國五十三年影印），卷九八一，頁一四三九九。

孤陋寡聞，對外在的世界，自來便感到興趣與尊重。因此傳統中國知識界不斷的有介紹外在世界風土人情等專書的出現，如劉宋時釋法顯的《佛國記》、唐釋玄奘的《大唐西域記》、宋徐兢的《宣和奉使高麗圖經》、元周達觀的《眞臘風土記》、明董越的《朝鮮賦》等書，均是其例。

《四庫全書》地理類外記之屬，於盡收以上各書外，又增錄多種歐西這類作品，如意大利人艾儒略的《職方外紀》、比利時人南懷仁的《坤輿圖說》等書，更使當時知識界的眼光，擴散到澳、非、美等洲。《四庫》館臣將這種不自限於孤陋寡聞的傳統精神予以發揮，使圖書的蒐集廣及於流傳國內的外來作品，以從古開新的弘大眼界來暢通文化生命，意義極爲深遠。

八、結　論

《四庫全書》薈萃群集，爲我國前代著作做總結，猶如一座我國古文化的精緻圖書館。這座館藏所以能夠順利完成又完好的屹立至今，而爲學林所樂於進出利用，應歸功於當年文獻掌握正確、徵集手段高明、管理規則詳密、資料分類得當、典藏環境妥善，分藏副本奏效。當然，以今日眼光看待全書，固不無缺失，然而當年館臣之籌畫實多可取，茲舉其最具啓發性數則於下：

1.廣蒐博採，放眼全國圖書，由博取精，力求文獻之完整性。

2.採集目錄運用的得法，選書方向明確，徵集文獻技巧高明，既方便圖書的控管與取用，復顧及全書品質之提昇。

3.用開放融攝及廣納百川的精神，對所有學術門類及中外知識均予重視，有暢通文化生命的期待。

4.選件顧及文化發展系統，表現「承先啓後」、「繼往開來」的重要，並以之激發文化意識及樹立文化理想。

5.透過整理研究，正確的分類編目，來關心使用者的方便，同時建立完整的帳簿，供作群書之管理。

6.注重創作者的人品及思想，導正世道人心，垂範來嗣。

7.借重他人成功的典藏經驗，規劃完善制度，分藏副本，維護書冊，使之傳示無窮。

《四庫全書》在蒐集上力求作品種類之系統與數量上的完整，又能講求保存與分類研究的正確方法，值得蒐藏文物的借鏡。而《四庫》館臣能借助他人經驗，既汲取傳統又予以改良創新，今日談圖書管理及維護工作，如果也能在傳統方法及新科技的引進方面求取平衡，相互爲用，則典藏工作必將更成功而完美。至於圖書蒐藏方向以及服務學林的心意，若也能從高明遠大處著眼，從文獻有效管理與方便檢用上下手，則效益也將更爲弘大。

《四庫全書》訂正析論：原因與批判的探求

楊晉龍*

提要

本文旨在擺脫泛政治化的思考模式，企圖通過對乾隆教化思想的層面，瞭解其蒐集遺書編成《四庫全書》的動機和目的。

本文認爲乾隆兼具知識份子和統治者的身分，使其「以天下安危爲己任」的態度愈加明顯，爲教化士民同登「一道同風之盛」，故採擇遺書中「有益於世道人心」者爲教化之典籍，基於典籍的純淨和完善，故有校讐和訂正及刪改、禁燬諸事同時發生。刪改是因該著者表現了合乎倫理的要求，故僅將違礙的字句刪改，至於在人格上有瑕疵，在內容上違反倫常之作，則必須加以燬棄，以免妨害社會的和諧安康。所以乾隆蒐遺書編纂《四庫》的過程中，有關篩選、淨化、校勘等工作，均與提供符合建立其心目中理想人格的典籍選有關，可見《四庫全書》刪禁等相關工作的內涵是「教化」的，不必僅從「政治迫害」的單一負面作用上考慮。

* 中央研究院中國文哲研究所籌備處助研究員。

今人批評乾隆破壞文獻的完整與眞實性，乃基於「文獻保存」和「言論自由」的角度發言，這類批判固言之成理，惟與乾隆由教化觀點而發的「保留具有教化價值」的立場實不相應，故值得商榷。

關鍵詞：《四庫全書》、教化、乾隆、批判、文獻、言論自由。

一、緒言：研究之回顧與旨趣

《四庫全書》的完成，在世界文化史上應該是件值得重視的大事，然而多數研究者由於此事係由清高宗乾隆帝（1711-1799）強力干預下完成，且在修纂過程中發生了百多起文字獄，更在書籍的內容上進行頗多的修改刪正，以及反滿民族情緒等原因的影響，不免過分強調政治作用，在研究態度上頗有「泛政治化」之嫌，❶因過度的政

❶ 這種「泛政治化」的研究態度，從任松如：《四庫全書答問》（上海：上海書店，1992年影印1935年啓智書局版），頁23「第五問：編纂《四庫全書》之原因何在」中所謂「就實際言，則乾隆帝一人之私意而已」及頁69「問六：乾隆之私意何若」的十三項「私意」中已見其端倪；至郭伯恭：《四庫全書纂修考》（上海：上海書店，1992年影印國立北平研究院史學研究會1937年版），頁15「纂修《四庫全書》之動機」一節中所云「寓禁於徵」（頁3）而落實，此後「四庫學」研究者幾乎眾口一詞的沿用，至今猶未見重大改變。其實乾隆的編書除政治的作用外，應還有文化的意義，見吳哲夫老師：〈四庫全書修纂動機的探討〉，《故宮文物月刊》（台北）第7卷第4期（1989年7月），頁62-71；李朝先等；《中國圖書館史》（貴陽：貴州教育出版社，1992年），頁257；張杰：〈四庫全書與文字獄〉，《清史研究》1997年第1期（3月15日），頁45-54所論，張杰在該文頁45認爲這種政治作用的提法「失之武斷」。

治聯想，故歷來表現在研究上的多數是「糾繆補闕」的成績；至於《四庫全書》的價值、意義、思想內涵等相關的研究，尤其是在研究態度上能夠把《四庫全書》當成客觀對象加以冷靜研究者，實在不多見，筆者遂在一九九四年完成〈「四庫學」研究的反思〉一文，主張應從文化和瞭解的觀點來研究，以彌補以往從「政治作用」研究上的不足。❷

本文即承襲「瞭解」的態度來探討《四庫全書》在編輯過程中進行訂正等行爲的內在意義，訂正的工作包括文字的校勘和內容的導正二項，文字的校勘是比較技術性的工作，即將原書的訛誤和鈔寫之際的筆誤，予以必要的復元。❸內容的導正係指對該書的刪改、禁燬，以符合著錄的標準。有關文字校勘和書籍刪禁的情形，論者頗多，❹本文因此不再重複同類的研究，而將重點轉移到乾隆「爲什麼」要如此注重刪禁等相關工作的問題上。換言之，本文主要在論析乾隆下令蒐輯書籍並對部分著作及作者採取刪禁的措施時，除因其身爲帝王而

---

❷ 見《中國文哲研究集刊》第4期（1994年3月），頁349－394。

❸ 乾隆三十八年（1773）十月十八日永瑢奏上的〈功過處分條例〉中，即分爲「原本訛誤」、「謄錄誤寫」、「文義考訂」等需校勘之事。見中國第一歷史檔案館編：《纂修四庫全書檔案》（上海：上海古籍出版社，1997年），頁167－171。又見陳垣、王重民、侯植忠輯：《辦理四庫全書檔案》，頁18b－20a，楊家駱先生：《四庫全書概述》（台北：中國辭典館復館籌備處，1971年），頁715－716。

❹ 相關研究成果可參見林慶彰先生主編：《乾嘉學術研究論著目錄（1900－1993）》（台北：中央研究院中國文哲研究所籌備處，1995年），頁35－117所錄「四庫學」諸相關條目，即可見研究之大宗多在「糾繆補闕」和「文字獄」等相關議題上。

無法擺脫的「政治考慮」外，是否還有其他可能？如果有，則其內涵爲何？此內涵又與考訂工作的關係如何？本文的意圖即要回答有關「乾隆帝爲什麼要嚴令訂正」的疑問，此則涉及乾隆的教化理想，也就是乾隆帝所期望的「良民」內涵的問題，而有關乾隆思想的研究，似乎還未見較令人滿意的成果；❺再則現代人對乾隆刪禁書籍的批評，到底是基於何種理由發言，也頗值得探討，以上二點即本文要討論的主題。

二、訂正原因的探討

原因包括動機和目的，乾隆既大力蒐輯遺書，要求精確讎校，改正訛誤；且又大量刪改、禁燬存世的著作（包括其父雍正帝頒布的《大義覺迷錄》等），甚至因而製造不少文字獄，在清朝已進入盛世的時空下，乾隆「爲什麼」要如此作？亦即乾隆訂正書籍的動機爲何？有關編纂《四庫全書》的動機，業師吳哲夫教授已有〈四庫全書修纂動機的探討〉鴻文可供參考，故本文不再贅述。至於刪禁的原因，丁原基學長《清代康雍乾三朝禁書原因之研究》第五章❻和吳哲

❺ 陸申：《乾隆皇帝傳的世紀末審視——兼及傳紀史學的方法問題》，《清史研究》1997年第3期（9月15日），頁112–118一文中，考查六部有關乾隆帝的專傳，認爲「共同的薄弱環節，即對于乾隆帝思想的研究尚嫌不夠」（頁115），這是因爲研究者僅注意到乾隆在政治上的角色作用，忘了乾隆其他方面的可能性，因此「泛政治化」的意圖過重故也。

❻ 丁原基：《清代康雍乾三朝禁書原因之研究》（台北：華正書局，1983年），頁112–314，歸納所禁諸書內容爲「未避廟諱、謗議國君」、「涉及清代前期史事」、「反清志士」、「普懷故國、語涉怨望」、「有虧臣節者」、「倖進大臣」、「議論聖賢」等七項。

夫師《四庫全書纂修之研究）第八章已將乾隆朝所禁書籍之內容予以整理分析，❼本文因此也就不再討論，而將焦點完全集中在「訂正」的原因，尤其是「刪禁」的原因上。

吳哲夫師認爲歷代帝王整理圖書均「潛藏著推廣政教的深遠目的」，又說乾隆「立意修纂《四庫全書》的舉動，實可視爲一位傳統知識分子，肩負起文化薪火遞傳的責任感」，❽結合兩種觀點，筆者因而纔認爲完全從「政治」單一的角度審視乾隆訂正《四庫全書》的行爲是不夠的，還必須從傳統知識分子那種「以天下安危爲已任」的精神實踐上去瞭解，這種傳統知識分子對社會安危的關懷而引發的自我責任感，可以舉近代大儒錢賓四先生（1895-1990）爲例，賓四先生說：

> 顧余息念，數十年孤陋窮餓，於古今學術略有所窺，其得力最深者莫如宋明儒。雖居鄉僻，未嘗敢一日廢學。雖經亂離困阨，未嘗敢一日頹其志。雖或名利當前，未嘗敢動其心。雖或毀譽橫生，未嘗敢餒其氣。雖學不足以自成立，未嘗或忘先儒之榘矱，時切其嚮慕。雖垂老無以自靖獻，未嘗不於國家民族世道人心，自任以匹夫之有其責。❾

---

❼ 吳哲夫師：《四庫全書纂修之研究》（台北：國立故宮博物院，1990年），頁212-254「四庫館燬禁圖書之內容分析」一節，歸納爲「民族思想方面」、「詆譭清人」、「涉及明清史事」、「其他原因（首惡之人、三藩史事、兵書、非聖無法、明末閹黨、迷信與誨淫、書中有空闕等）」四項。

❽ 見〈四庫全書修纂動機的探討〉，頁62及《四庫全書纂修之研究》，頁256。

❾ 錢穆：《宋明理學概述·序》（台北：台灣學生書局，1984年），頁2。

乾隆之富貴「十全」固與錢先生之「亂離困阨」有間，然作爲一個傳統知識分子的「共識」，應該是不會有多大差距的，因此過度強調乾隆作爲帝王的「個人私心」，遂因而抹煞其他可能性，當然是偏頗而未盡圓滿的。筆者乃推衍吳師之意而以「教化子民」之觀點另加考察，吳師以爲或有一論之價值，遂秉師命而述一愚之見焉。

從「教化」的觀點考察乾隆嚴命訂正的原因，其動機應是提供他認爲最合適的教化的典籍，目的則是希望透過這類典籍的引導發用，而造就其心目中良善的士民，以達到社會和諧，國家安康的熙皞之世。乾隆此種思想的發展如何？茲分三點述之。

(一)君師牧民的責任

乾隆帝是歷史上少見的好學皇帝，而他所受的教育可說是最完整最典型的儒家教育，尤其是程朱等宋代理學的純粹教育。乾隆在七十一歲（1781）時曾自述其學習之歷程：

> 國語（滿語）自幼習之；六歲習漢書；乾隆八年（1743，33歲）始習蒙古語；二十五年（1760，51歲）平回部，遂習回語；四十一年（1776，66歲）平兩金川，方習番語；昨四十五年（1780，70歲）因班禪來謁，兼習唐古忒語。今蒙古及回語已精通，其番語、唐古忒語亦能解名物器數，而尚弗純熟，未能言達事之始末，然並國語及漢文，則已通六處語音矣。使自八年弗習此四處語，則至今尚藉人通譯，不能盡悉其情，而亦無過虛度此數十年，可見諸凡不可自畫而弗勤學也。[10]

[10] 〔清〕蔣溥、彭元瑞等編：《清高宗御製詩文全集·御製詩四集·古希》

由此可見乾隆勤學之程度，其在乾隆六年（1741，31歲）時曾告訴上疏勸其不可游逸的叢洞說：「朕性耽經史，至今手不釋卷」，⓫事實上乾隆自始即以「書生」自許，雍正十三年（1735，25歲）回答督撫等「書生不能勝任」、「書氣未除」的疑惑時就說：

> 夫讀書所以致用，凡修己治人之道，事君居官之理，備載於書。……人不知書，則偏陂以宅衷，操切以處事，生心害政，有不可救藥者。若州縣官果足以當「書生」二字，則以易直子諒之心，行寬和惠愛之政，任一邑則一邑受其福，…朕自幼讀書宮中，講誦二十年，未嘗少輟，實一書生也。……至於「書氣」二字，尤可寶貴，果能讀書，沈浸醞釀而有書氣，更集義以充之，便是浩然之氣。人無書氣，即爲粗俗氣、市井氣，而不可列於士大夫之林矣。……且朕聞外間斥人之短，每云「伊欲做好人」，朱子云：「學者通病，在思作貴人，而不思作好人」，人人果欲做好人，行好事，則甚有益於民生，有益於國事，造福無窮。⓬

乾隆肯定讀書的功能，由此可見。如果前引文只在說明他學習語言的勤奮，那麼他在七十五歲（1785）所謂：

（台北：國立故宮博物院，1976年），卷80/la-b/冊8「象譯由來通六音」句下〈自注〉。

⓫ 〔清〕慶桂等編：《清高宗實錄》，《清實錄》（北京：中華書局，1985年影本），卷136/11b/961/冊10。

⓬ 《清高宗實錄》，卷5/3b-5a/231-2/冊9。

> 髫齡以至古稀歲，實與簡編手未離；《四庫》新看編纂就，抽翻無有不宜時。⓭

詩中的自白，也就可以見到乾隆勤學不懈的精神了。而其對經書的學習則「《易》《書》《詩》自幼背讀成誦，《禮記》《春秋》則長而翻閱粗習，不似三經之深沃也」，⓮除《五經》的學習外，乾隆最熟悉的是朱子之著作，乾隆六年（1741）七月一日「訓諸臣公忠體國諭」中自白云：

> 從古帝王以優柔寡斷而致敗者，恆有之；從未有振綱肅紀，生殺予奪，大權不移而致敗者也。朕自幼讀書，研究義理，至今《朱子全書》未嘗釋手。所謂廓然而大公，物來而順應者，朕時時體驗，實踐躬行。凡用人行政，發號施令之際，實皆本於憂勤，出以乾惕，自信公正無私，不稍偏倚，可以對天地，可以告天下臣民。⓯

⓭ 見《御製詩五集·安瀾園十詠：四宜書屋》，卷12/16b/冊9；又五十五年（1790，80歲）所作（釋奠禮成有作）「望不入經七十載」句下〈自注〉云：「予自六歲讀書，至今七十四載」，卷53/12a/冊10，亦可見乾隆自少至老的勤學態度。

⓮ 見《御製詩四集·題五經萃室岳珂宋版五經·禮記》「實異三經饜飫醇」句下〈自注〉，卷94/3b/冊8，時爲乾隆四十八年（1783，73歲）。

⓯ 見《清高宗實錄》，卷146/lb–3b/1094–5/冊10；又《御製詩初集·讀朱子全書》云：「少時慕才華，研精味辭藻；……雖云俗慮無，卻被詩魔擾。至理在目前，棄而求深窈；曠蕩無所歸，悵悵盈懷抱。近讀文公書，習氣從茲掃；因知九仞山，一簣功不少。作此聊自訟，詎足云見道」，卷5/3b/冊2，由此可見乾隆對朱子著作的欣賞認同，故乾隆二十七年（1762，52歲）

文中所謂「廓然而大公，物來而順應」，實指朱子（1130-1200）辛丑（1181）〈延和奏箚二〉、戊申（1188）〈延和奏箚五〉二處所論爲君需去「人欲」而行其「天理」之公一事，⓰而乾隆此番告白，實其一生行政之準則，至老未變，可見朱子學說對乾隆之影響，⓱前文引錢賓四先生之論，正因其「在宋代理學家中獨尊朱子」，⓲而用以見在朱子影響下之儒者，固有以「於國家民族世道人心，自任以匹夫之有其責」之共識，況以乾隆之爲帝王而自任有君師之責者，其以教化之存心而蒐輯考訂群書，自爲理所當然之舉。

所作〈過紫陽書院示諸生〉有「道重繼濂洛」之言，《御製詩三集》，卷21/1b/冊5；而以爲朱子之解〈大學〉「得歷聖傳心之要」，《樂善堂全集定本·跋朱子大學章句》，卷8/21a/冊1。又可參戴逸：《乾隆帝及其時代》（北京：中國人民大學，1992年），頁86-91所論。

⓰ 〔宋〕朱熹著，郭齊、尹波點校：《朱熹集》（成都：四川教育出版社，1996年），卷13/514-8/冊2、卷14/538-543/冊2。

⓱ 如乾隆之於刑獄，所謂「明刑弼教」、「刑期無刑」、「辟以止辟」、「除莠正以安良」、「明刑所以弼教，教莫大於綱常」等觀點，實均可在朱子戊申（1188）〈延和奏箚一〉及〈延和奏箚二〉論「刑獄」中見之。乾隆之觀點可參見《清高宗實錄》，卷5/29a-31a/2445/冊9，雍正十三年（1735）、卷78/29b-30a/237/冊10，乾隆三年（1738）、卷439/9b-10b/716/冊14，卷449/24a-b/854/冊14，乾隆十八年（1753）、卷1141/8a-9b/278/冊23，乾隆四十六年（1781）、卷1450/7a-8a/336/冊27，乾隆五十九年（1794）等處所論，實則乾隆在位六十年，有關刑獄觀點的言論不少，此處僅舉幾條以供參考，有興趣之讀者可再加深究。朱子之文見《朱熹集》，卷14/532-535/冊2。

⓲ 見余英時先生：〈錢穆與新儒家〉，《猶記風吹水上鱗》（台北：三民書局，1995年），頁68。錢先生之尊朱子至謂孔子而外，再無第二人，見《朱子新學案·朱子學提綱》（台北：三民書局，1989年），第1冊，頁1。

乾隆不但身居帝王之位，且熟悉《五經》，而《易》《書》《詩》均能成誦，故於《尚書·泰誓》「元后，作民父母」、「天佑下民，作之君，作之師」之言，⑲自當了然於胸，因此乾隆以「君父」、「君師」自居，而自謂有教化子民的責任，當是一自然而然之態度，乾隆二年（1737）九月爲其父雍正帝（1678-1735）建「聖德神功碑」之〈頌〉即謂：

> 曰予作君，在厚其生，其災其害，我躬是膺。曰予作師，在正其德，其薄其頑，我躬之忒。設監置牧，惟民之安。……興禮明教，以示之則；禁暴詰姦，以除其慝。……重道崇文，德心是懋。⑳

這雖在崇頌其父，然乾隆既以爲帝王之道在「敬天法祖，勤政愛民」，㉑則稱頌其父者，亦正以自期許也，因此乾隆五年（1740）仲

---

⑲ 〔漢〕孔安國傳，〔唐〕孔穎達等正義：《尚書注疏·泰誓上》（台北：藝文印書館，1981年影印阮刻《十三經注疏》本），卷11/4a-6a/152-3/冊1。

⑳ 《清高宗實錄》，卷50/27a-29a/855-6/冊9。

㉑ 「敬天法祖，勤政愛民」、「法祖勤民」、「敬天愛民」、「敬天尊祖」、「敬天法祖」等，其實所蘊涵之意義皆同，即清朝之帝王，自以爲係上天之子，以天爲父，故行政措施應依天理而行，效法祖先愛民養民之君師君父之責，以不負上天及祖宗付託國家之重責大任，其文自康熙、雍正而乾隆，於爲文昭告天下，或奠祭祖先時每用之。見《清聖祖實錄》，卷1/9a/43/冊4、卷128/8b/370/冊5、卷138/14a/507/冊5、卷186/3a/984/冊5、卷286/6a/787/冊6；《清世宗實錄》，卷6/14a/132/冊7、卷30/31b/461/冊7、卷88/3b/177/冊8、卷159/20a-b/954/冊8；《清高宗實錄》，卷7/42a/

秋丁祭孔子時，即有「君師誠有愧，仰止志方長」之期許，至五十五年（1790）仲春丁祭時又有「踐阼承天五十五，君師兼責愧難當」的客套語。㉒實則乾隆五年（1740）十月十九日〈訓飭士習流弊申明爲己之學諭〉中已謂「國家養育人才，將用以致君澤民，治國平天下」，而以太學生不知「求至於聖賢」爲憂，因自謂「朕膺君師之任，有厚望於諸生」，乃引朱子之論，以勸戒諸生，㉓乾隆十年（1745）作〈撿近稿偶誌〉詩則謂：

> 少小學爲文，韓蘇有卓型；別裁及詩格，李杜眞前旌。立言人所志，見道羌孰能；自讀宋儒者，始知朱與程。詔我爲學方，主敬與存誠；空言信何補，要道在躬行。矧茲繼百王，君師任匪輕。㉔

294/冊9、卷146/23a–b/1105/冊10、卷576/4b/331/冊16、卷921/1b/346/冊20、卷1268/2a/1096/冊24、卷1442/12a/258/冊27、卷1446/1b/285/冊27、卷1475/4b/708/冊27、卷1487/27b/896/冊27、卷1489/19a/926/冊27等處，此僅摘錄，非全部之文，然已可見清帝王之自我期許矣。

㉒ 見《御製詩初集·庚申仲秋丁祭先師孔子》，卷4/8a/冊2、《御製詩五集·仲春丁祭至聖先師禮成述事》，卷53/11b/冊10，所以謂其「客套」，乃其在「闕里將臨祇面牆」句下〈自注〉云：「數十年欽承至教，返之躬行莅政，猶覺未敢自信耳」，然乾隆六十年（1795）正月卻下諭說：「今思先師孔子，道集大成，師表萬世。朕自沖齡服膺聖教，久而無倦，凡行政典學，悉皆得自心傳」，《清高宗實錄》，卷1468/9a/606/冊27，觀其言豈非謂得孔子之師傳，則其意當是可爲士民之師矣。

㉓ 《清高宗實錄》，卷129/17a–19a/887–8/冊10。

㉔ 《御製詩初集》，卷27/6b–7a/冊2；又《御製詩四集·經畬書屋即事》亦有「士不通經不足用，況予身繫作君師」之言，時爲乾隆三十八年（1773），卷15/15b/冊7。

此見其以君師自任，及程朱學的影響。乾隆四十二年（1777）效白居易《新樂府）詩中〈繚綾〉一詩更可見乾隆自認爲君師乃無可逃避之責任，他說：

> 繄余實懼風氣日趨華，更思亦有不得不然之勢已；大都開刱必儉樸，承平日久定奢靡。……日甚一日將安窮，……人心世道與文風，日流日下皆如是，……反樸還淳豈不願，言易行難，君師之任將誰諉？將誰諉？惟有業業兢兢、懷敬懷懃，欲以責人先責己。㉕

身爲統治者對於有關人心世道之變化，有不得不負的責任，而作法則是懷戒愼之心以身作則，乾隆由於特別重視爲師者以身作則之要求，故在乾隆五十七年（1792）發現有老師替學生考試的鎗手案，而刑部所擬罰則太輕時，大爲震怒的訓斥官員外，並謂自己有「統御萬方，教育斯民，兼作君作師之責」，故於此等無恥之事，要重加懲創，「以端師範而正人心」。㉖嘉慶元年（1796）傳位給嘉慶帝（1760-1820）的詔書中，更明白宣稱「天生民而立之君，使爲司牧」的任務，㉗從以上諸引文所言，則乾隆自任爲士民師範之態度，殆無疑義。而其意則在以身作則以教化士民，故有「要道在躬行」、「責人先責已」的自我要求。㉘

㉕ 《御製詩四集·用白居易新樂府成五十章並效其體·繚綾》，卷44/27b-28a/冊7。

㉖ 《清高宗實錄》，卷1412/20a-b/994/冊26。

㉗ 《清高宗實錄》，卷1494/6b/990/冊27。

㉘ 乾隆五年七月二十四日陳浩奏上乾隆四年以前所發之諭旨二十冊時，乾隆

乾隆初登帝位，即特別強調帝王之責任在「教養兩端」，因此在即帝位一個月後即下諭給「總理事務王大臣」等云：

從來帝王撫育區夏之道，惟在教養兩端。蓋天生民而立之君，原以代天地左右斯民，廣其懷保，人君一身，實億兆群生所託命也。……蓋恆產恆心，相爲維繫。倉廩實而知禮義，理所固然，則夫教民之道，必先之以養民，惟期順天因地，養欲給求，俾黎民飽食煖衣，太平有象，民氣和樂，民心自順，民生優裕，民質自馴，返樸還淳之俗可致，庠序孝弟之教可興，禮義廉恥之行可敦也。㉙

可知「教」「養」爲其施政主旨，乾隆五年更由於各地督撫未能確實留心「勸農」「積貯」等事，下詔責備云：

天爲百姓而立之君，君不能獨爲治也，而分其任於督撫，凡百姓之事，皆君之事，即皆督撫之事也。……勸農、積貯等務，……督撫中之實在留心者，果不多見。……殊不思治天下之道，莫大於教養二端。朕之初意，俟養民之政，漸次就緒，閭閻略有盈寧之象，則興行教化，易俗移風，庶幾可登上理。㉚

乾隆雖以「教養」兩端並舉，然自二文觀之，則猶以「養民」爲重；

即有「以身令者從，以言令者訟。……未臻至理者，皆不能躬身倡率之故也」之言，可以參考。見《清高宗實錄》，卷123/20a–b/810/冊10。

㉙ 此雍正十三年（1735）九月二十六日之諭，見《清高宗實錄》，卷3/30a–33b/194–6/冊9。

㉚ 《清高宗實錄》，卷123/12b–13b/806/冊10。

乾隆八年（1743）閏四月〈訓地方官整飭風俗論〉則謂「教養由來並重」，乾隆九年（1744）五月〈訓督撫勸課州縣實行教養論〉中說得更清楚云：

> 爲治以安民爲本，安民以教養爲本，二者相爲表裏而不可偏廢，務求實效而不務虛名，乃克盡父母斯民之道。㉛

此時乃由偏重養而強調教養「相爲表裏而不可偏廢」，乾隆十二年（1747）二月經筵講《周易》「君子以教思無窮，容保民無疆」二句，乾隆之論亦特別強調「教與養亦相資而不可離者」、「教正所以爲養，養正所以爲教」之義，㉜「養民」的事情顯然已有成效，故開始重視「教民」之事，而《十三經注疏》、《二十一史》亦在本年稍後刻成，㉝亦可證乾隆開始注意「教民」之一端。三十七年（1772）正月「命中外蒐輯古今群書」則重點已全放在「教民」一事了，所謂「稽古右文」「游藝養心」、「多識前言往行以蓄其德」「關係世道人心」「文治光昭」等等，㉞均可見其注重「教化」之內涵。乾隆三十八年（1773）十月秋讞大典之後，乾隆即有勾決人犯「每歲總不見少，豈朝廷之教化，尙有未孚」之疑，㉟更可見其偏重「教化」之意，故乾隆四十六年（1781）有「道德齊以禮，聖訓如日

㉛ 見《清高宗實錄》，卷190/15b/449/冊11及卷217/12b-15a/792-4/冊11。

㉜ 《清高宗實錄》，卷284/5b-6a/701/冊12。

㉝ 《清高宗實錄》，卷286/6b-9a/728-9/冊12。

㉞ 《清高宗實錄》，卷900/7b-9b/4-5/冊20、卷919/5a-6b/317/冊20。

㉟ 《清高宗實錄》，卷945/1b-3a/794-5/冊20。

照，政刑民苟免，安能致熙皞」之歎，㊱乾隆五十四年到六十年（1789–1795）亦每因「亂倫」及「多殺人命」之案而自責云：「民俗之未醇，自由教化之未至，朕披閱之下，不能不引以為愧」，而要求督撫等「以化民敦俗為首務」等等相近似之言，㊲更是明顯以「教化」為重的表現，由此可見乾隆之蒐輯遺書，實以「教化」為考慮，初猶未慮及所謂「一人之私」的政治動機，其後即令加入政治動機的因素，亦不能排除其「教民化民」的原始動機。學弟曾聖益考查《四庫全書總目》著錄和存目的標準，而得出「重視經典教化之功，及提倡實用之學之目的」、「重實用重教化，為傳統儒者之理想，亦是《四庫全書》編纂之主要精神」的結論，㊳亦可為本節論述旁證。

乾隆帝如同余英時先生所指的歷代皇帝一樣，「兼具公私兩重身份」，㊴在私的方面，他自認是「讀書人」，因此具有傳統士人「改

㊱ 《御製詩四集·改教》，卷79/7b–8a/冊8；《清高宗實錄》，卷1127/1b–2a/57/冊23。

㊲ 見《清高宗實錄》，卷1324/6a–7b/922/冊25、卷1382/32b–34b/551–2/冊26、卷1384/13b–14b/577–8/冊26、卷1474/12b–15a/695–6/冊27等處所言。

㊳ 曾聖益：《四庫總目經部類敍疏證及相關問題之研究》（台北：國立政治大學中國文學研究所碩士論文，1996年），頁246–247；周積明：《文化視野下的四庫全書總目》（南寧：廣西人民出版社，1991年），第一章〈經世實學〉，頁22–64所論，經世、淑世、入世的目標之背後亦隱藏了「教化」的意義，惜周氏未加析論。另外謝蒼霖、萬芳珍：《三千年文禍》（南昌：江西高校出版社，1992年），頁507，認為乾隆文字獄不但「對付在位的中上層士人」，也「對付不在位的下層士人」。這種禁燬刪改擴及全面的現象，也可以反證乾隆不是針對某一階層的「教化」觀點。

㊴ 余英時先生：〈君尊臣卑下的君權與相權〉，《歷史與思想》（台北：聯經出版事業公司，1976年），頁74–5。

造世界」以天下爲己任的精神；[40]但他在公領域又是一位執行國家職能的統治者，具有無可推卸的牧民的君師之責，[41]因此無論從公或從私，乾隆以「教化」爲己任的態度，應該是毫無疑問的，這也就是他要下令蒐輯天下遺書，編纂《四庫全書》最原始的動機之所在。

(二) 理想士民的要求

乾隆教化的動機，自然和其設想的目的相關，身爲士人與統治者雙重身分，且深受程朱理學影響下的乾隆，其心目中理想的士民應該是何種形象，不但是教化目的所在，也是他禁改著作判準的原始來源。「理想士民」的內涵，可由清朝頒佈以曉諭全體人民的「聖訓」中得知，蓋崇奉「敬天法祖，勤政愛民」原則理想的滿清皇帝，自有其一貫教化的原則，故乾隆之際的「理想士民」之「訓導原則」，實亦承襲康熙帝（1654-1722）在康熙九年（1670）十月癸巳日所頒之諭，康熙云：

> 朕維至治之世，不以法令爲亟，而以教化爲先。其時人心醇良，風俗樸厚，刑措不用，比屋可封，長治久安，茂登上理，蓋法令禁於一時，而教化維於可久，若徒恃法令，而教化不

---

[40] 參見余英時先生：〈周禮考證和周禮的現代啓示〉，《猶記風吹水上鱗》，頁159—160和周積明：《文化視野下的四庫全書總目》，頁25所論。林毓生的「五四精神」之論亦可參考，見林毓生：〈邁出「五四」以光大「五四」〉，《五四：多元的反思》（香港：三聯書店，1988年），頁38。

[41] 傳統中國的國家職能有六：鞏固統一、集中財富、駕馭人民、推行教化、興修水利、調節經濟。見岳慶平：《家國結構與中國人》（香港：中華書局，1989年），頁39—44所論，而「推行教化」則是其中最重要的一項。

先，是舍本而務末也。近見風俗日敝，人心不古，囂凌成習，僭濫多端，狙詐之術日工，獄訟之興靡已；或豪富凌轢孤寒、或劣紳武斷鄉曲、或惡衿出入衙署、或蠹棍詐害善良，萑苻之劫掠時聞，讐忿之殺傷疊見。陷罹法網，刑所必加；誅之則無知可憫，宥之則憲典難寬；念茲刑辟之日繁，良由化導之未善。朕今欲法古帝王尚德緩刑，化民成俗，舉凡：「敦孝弟以重人倫」、「篤宗族以昭雍睦」、「和鄉黨以息爭訟」、「重農桑以足衣食」、「尚節儉以惜財用」、「隆學校以端士習」、「黜異端以崇正學」、「講法律以儆愚頑」、「明禮讓以厚風俗」、「務本業以定民志」、「訓子弟以禁非爲」、「息誣告以全良善」、「誡窩逃以免株連」、「完錢糧以省催科」、「聯保甲以弭盜賊」、「解讐忿以重身命」以上諸條，作何訓廸勸導？及作何責成內外文武該管各官，督率舉行？爾部詳察典制，定議以聞。[42]

這篇諭旨把康熙帝對社會的期許和訓導的原則說得很清楚，同年十一月己卯日「通行曉諭八旗，并直隸各省府州縣鄉村人等，切實遵行」，[43]其實際成效，康熙則希望是「臣清子孝，兄友弟愛。人人皆讀正書，勉盡職業，國安民治，盜賊寧息」。[44]到雍正二年（1724）二月雍正帝將這「十六條聖諭」「復尋繹其義，推衍其文，共得萬言，名曰《聖諭廣訓》」，雍正三年四月命全國「童蒙即加誦讀，縣

---

[42] 《清聖祖實錄》，卷34/10a-11a/461/冊4。

[43] 《清聖祖實錄》，卷34/21a-b/466/冊4。

[44] 《清聖祖實錄》，卷251/17a/492/冊6，康熙五十一年（1712）十月。

府考覆試時，令其背錄一條，方許錄取」，軍中則「每月朔望，齊集兵丁，宣讀講聽」。㊺乾隆二年（1737）八月命各有司「實心宣講，多方勸導，務使遠方僻壤之民，共知遵守，是訓是行」；乾隆八年（1743）閏四月飭地方官實心講說，剴切開導，以覺世牖民，而得「一道同風之盛」。㊻可見自康熙始，即把此「十六條」當作社會教育的指導準則，李建興以爲清朝的宣講之法：「有唱有白，入情入理，極有效之社會教育也。」他又認爲這「十六條」所代表的「清代社會教育目標，無非在豢養士子，不要犯上作亂，安分守己，爲地方表率，謀所以輔佐治術，安定政治」而已，故與「作育人才」無干，㊼李氏從學校和知識教育的立場發言，故有此論。實則此「十六條」訓廸的對象是所有士民，且其目的乃在造就「良民」，並非要「作育人才」，是行爲的並非能力的教育，注重的是教化功能，而非處事應變的才能，這是康熙以來社會教育一貫的目標。

乾隆的教化原則和目標，自然不會違背其父祖「臣清子孝，兄友弟愛。人人皆讀正書」之類的期許，不過他曾自述自己的行事是：「志在魯《論語》，行在〈虞典〉謨」，㊽有關《尙書》作君作師等以教化爲己任的思想態度，前文已述及，至於「志在魯《論語》」的意思，可藉其父雍正的話來瞭解，雍正帝說：

㊺ 《清世宗實錄》，卷16/1b-4a/265-7/冊7、卷31/32a-b/481/冊7。

㊻ 《清高宗實錄》，卷49/4a-5a/833-4/冊9、卷190/15b-18a/449-451/冊11。

㊼ 李建興：《中國社會教育發展史》（台北：三民書局，1986年），頁114-7。

㊽ 《御製詩二集·齋居讀書效白居易體》，卷22/3b/冊3，作於乾隆十六年（1751）。

> 魯《論》一書，尤切於人生日用之實，使萬世之倫紀以明，萬世之名分以辨，萬世之人心以正，風俗以端。若無孔子之教，則人將忽於天秩天敘之經，昧於民彝物則之理，勢必以小加大，以少陵長，以賤妨貴，尊卑倒置，上下無等，干名犯分，越禮悖義。所謂「君不君，臣不臣，父不父，子不子，雖有粟，吾得而食諸？」其爲世道人心之害，尚可勝言哉！惟有孔子之教，而人道之大經，彝倫之至理，昭然如日月之麗天，江河之行地，歷世愈久，其道彌彰，統智愚賢不肖之儔，無有能越其範圍者，綱維既立，而人無踰閑蕩檢之事。……使非孔子立教垂訓，則上下何以辨？理制何以達？……人第知孔子之教，在明倫紀、辨名分、正人心、端風俗，亦知倫紀既明，名分既辨，人心既正，風俗既端，而受其益者之尤在君上也哉？㊾

乾隆固然非雍正，但乾隆自承「六十年來，恭閱祖宗《實錄》，周而復始」，㊿則以雍正所論作爲乾隆之志，應不致產生太大的偏差。由前述諸文，可知乾隆社會教育的理想亦不外是「倫紀明、名分辨、人心正、風俗端」，也就是「臣清子孝，兄友弟愛。人人皆讀正書」一類的表現，這當然是傳統中國知識分子的共同要求，也是統治者的要求，所以雍正纔說「受其益者之尤在君上」，這並非表示這些傳統共有的教化理想，完全成爲統治者的工具，事實上剛好相反，「統治者如要持久地保有江山，必須與人民的想法及利益妥協」，而這種教化

㊾ 《清世宗實錄》，卷59/19b-21a/905-6/冊7。

㊿ 《清高宗實錄》，卷1489/28a/931/冊27。

理想的要求，更可能是「已存於民間的倫理，提升到理論的層次」後的產物，故「不獨爲君主所樂聞，亦適合人民的胃口」，51則乾隆教化理想當然不能完全視之爲「政治作用」。

除前述較爲抽象的「綱維」外，乾隆理想中士民的實際表現，亦可由他一些諭旨訓令中見到，歸納乾隆所謂「良民」的內容表現有：「守法奉公」、「感動天良」、「尊君親上」、「自愛敦行」、「改過遷善」、「孝親敬長，重義輕利」、「安分守法」、「親上敬長，改過遷善」、「敦行孝弟，崇習禮讓」、「尊君親上，安靜守分」、「洗心滌慮，安分守法」、「感動奮發，各自砥礪，共爲忠良」、「尊君敬上」以及「懷刑畏法」、「畏法愛身」等等，52從這些引文觀察，乾隆期望的士民是知恩圖報、守分守法、尊君親上，且能改過遷善，並知畏法的「忠良」之民。這是結合「十六條」和「志在魯《論語》」後所得理想士民的內涵，即乾隆教化目的所在，更是他在蒐輯遺書後有刪、改、禁等行爲的原因，蓋實欲貫徹此一教化目的故也。

---

51 參見張德勝：《儒家倫理與秩序情結——中國思想的社會學詮釋》（台北：巨流圖書公司，1989年），頁141–143所論。

52 見《清高宗實錄》，卷3/15b/187/冊9、卷4/40b/221/冊9、卷18/8a/457/冊9、卷137/16b/980/冊10、卷137/20a/982/冊10、卷171/19b/176/冊11、卷275/7b/593/冊12、卷431/16a/634/冊14、卷489/25b/141/冊15、卷873/5b/706/冊19、卷1373/37b/421/冊26等，及〈黃檢私刻其祖父黃廷桂奏疏案〉，《清代文字獄檔》（台北：新興書局，1987年《筆記小說大觀》），第45編，第5冊，頁376。「懷刑」「畏法」當然是消極性的行爲表現，這是乾隆退而求其次的要求。

㈢ 典籍內涵的選擇

乾隆為教化其子民成為知倫理、守本分、知感恩的端人正士，自然要考慮在教育的過程中提供適宜的典籍作為教材，以便教育出守法知禮感恩的良民，這就是乾隆蒐輯遺書的原始要求，遺書蒐輯後自然要經過整理篩選、補闕校讐的過程，以確定蒐錄書籍在文字等形式上的完整性，以及在思想內容上符合教化目標的合宜性，這就是訂正工作產生的原因。從文字形式上要求有校讐的工作，從思想內容上要求，遂有刪、改、禁諸事，以此觀之，則蒐輯遺書等相關行為，實乃欲擇取、改訂以得適宜之典籍、汰除有害或不良之書刊。蓋握有實際教育目的決定權者，因其預期之社會形式與道德要求，必然影響及教育之內容，故其干涉與選擇典籍以為教化之用，毋寧是正常且必然的現象，英國當代分析派教育哲學家懷特（John White, 1936-）就認為「教育的目的應該是什麼」的問題，是和「這些目的應該由誰來決定」的問題「不可分割地聯繫在一起」，因為「教育目的的內容以及對教育目的控制權的問題不能孤立開來討論，因為對其中一個問題的回答往往蘊含著另一個問題的答案」，[53]乾隆身為國家領導者，不管客觀上或主觀上均擁有決定教育目的之責任與權力，他為養成理想上能守綱常倫理的良民而有系統的編纂合宜的典籍，提供其臣民，以達成其造就良民人格的目的，豈非理所當然。[54]因此全以政治需要論乾

---

[53] 〔英〕John White著，李永宏等譯：《再論教育目的》（北京：教育科學出版社，1992年據1982年英文版譯），頁1-2所論。

[54] 謝扶雅說「凡一民族在某時代，鑒於某種特殊需要，為謀適應之起見，往往有意的，有系統的專以造就某種特殊人格為事；此所謂教育政策」，又

隆之蒐輯遺書，恐怕把問題太簡單化了，今人在完全不瞭解傳統帝王的思考模式（至今從未見眞正擺脫「反帝」心態的政治化影響，客觀的去瞭解帝王在他角色上，思考問題時的心理）的情形下，每從帝王僅有自私的爲長保他「一家一姓」永遠掌控天下的權力思考問題，實則即以「長治久安」而言，有何百姓反對，若無法排除「政府」的存在與干涉，所謂「民主」與「帝制」的優劣，恐非現代人一廂情願的單線思考模式所能評價。蓋傳統中國帝王正如余英時先生指出「兼具公私兩重身份」，他當然也和我們一樣，有自私自利的一面，但是他自以爲「天之子」「天命所在」以及「作君作師」「牧民」的神聖使命，豈是一般從未握有實際政治權力的現代知識分子所能瞭解，以乾隆爲例，他就特別強調「人君奉天子民，其康寧以天下爲量，與衆人不同」，批評陶淵明「不求甚解」一言，以爲「若夫爲君者，勅命幾康，將以大公示天下，有疑而不決，何以服天下之心，而爲出治臨民之本乎」；(55)故有御史要求「沙汰僧道」令其還俗，乾隆則以爲「分田授井之制既不可行，將此數十萬無衣無食、游手好閒之人，置之何

教科書的「每一編者，必各有本身所處之地位，與其自有之信仰，獨特的見解，因此遂不免偏於一方面的觀察而失事理之平」，見《人格教育論》（台北：西南書局，1972年），頁150、205，這固然是指現代的情形，但用來觀察傳統帝王在社會教育上的行爲，應該也有相近之處，乾隆爲達成其塑造士民人格的需要，實施圖書檢查改訂，從言論自由的角度論，自然值得商榷。

(55) 見《御製詩五集·洪範九五福之三曰康寧聯句》「外域舊安新附連」句下〈自注〉，卷77/27b/冊10；《御製詩四集·有暇》「按語」，卷78/11b-12a/冊8。

處邪」，[56]再則他也認爲富人聽歌遊樂，於民俗固有害，但卻可益貧民，他論其事云：

> 嘗謂富商大賈，出有餘以補不足，而技藝者流，藉以謀食，所益良多。使禁其繁華歌舞，亦誠易事，而豐財者但知自嗇，豈能強取之以贍貧民，且非王道所宜也。化民移俗，言之易而行之難，率皆類此。[57]

這種考慮當然是從整體利益著眼，再則也可從乾隆強調「一代之興，皆由積德累仁」及「天下者，天下人之天下也，非南北中外所得私」的觀點，[58]瞭解傳統中國帝王「公身分」的思考模式，近現代研究《四庫全書》相關問題時，成見太深，主觀過強，其心理狀態可藉分析心理學之說以明之：即「享樂原則」和「現實原則」的支配太強，故對乾隆蒐書之動機多作一些「爲所欲爲」的「本我獨霸」之批判，以便得到早已設定的「適應世界」的媚俗之論，眞能以「超我」作客觀深入的價值與是非之判斷者，還是佔少數，[59]這也就是長期以

---

[56] 見《御製詩初集》，卷31/5b-6a/冊2。

[57] 見《御製三集·香昇寺》「三月煙花古所云」一首下〈自注〉，卷46/8a/冊6。

[58] 見《御製詩四集·題大金德運圖說序》，卷14/16a/冊7；《清高宗實錄》，卷 1225/7a-b/424/冊24。另外他爲社稷之故，願意犧牲兒子的行爲，亦可見其「公」的思想，《清高宗實錄》，卷1189/24b-25a/906-7/冊23。

[59] 有關分析心理學內涵應用的論述，汗牛充棟，此處參考〔美〕Lorraine Bradt Dennis和Joan Hassol合著，王天禔等譯：《人類發展與健康問題之探討》（台北：文軒出版事業公司，1987年），其14-22所論。

來「泛政治化態度」研究「四庫學」而歷久不衰的內在原因。若能捨棄此種單一的思考模式，不把帝王視作僅是「私領域的既得利益把持者」，而將之置於客觀的「公領域的大衆權益維護者」，將會發現乾隆蒐輯遺書和删改、禁燬著作的行爲，其教化意義實大於政治意義，只不過主持下令者爲帝王，維護的思想內容和執行的方式，無法符合二十世紀學者的「嚮往性道德」的要求而已。至於這種經過時空轉變後而將乾隆當時視爲「價值」的思想，貶抑成「妖魔鬼怪」的態度，固然是人類歷史發展歷程中常有的現象，[60]但卻非客觀正確的研究態度，所以纔要特別強調「歷史感」的「瞭解」「體驗」的研究態度，而其結論亦較不易流於「對歷史作情緒反應」的歧途，以此觀之，則可見《四庫全書》內涵之選擇，和乾隆「教化」思想有非常密切的關係。

乾隆蒐輯遺書的緣故，雖然可從乾隆三十七年正月初四日下令「蒐輯古今群書」的論旨中得到訊息，不過最清楚的則是三十八年五月十六日的告白，乾隆說：

> 方今文治光昭，典籍大備，恐名山石室，儲蓄尚多，用是廣爲蒐羅，俾無遺佚，冀以闡微補闕。所有進到各書，並交總裁等，同《永樂大典》內現有各種，詳加釐勘，分別刊、鈔。擇其中罕見之書，有益於世道人心者，壽之梨棗，以廣流傳。餘則選派謄錄，彙繕成編，陳之册府。其中有俚淺訛謬者，止存

[60] 參見陳秉璋、陳信木合著：《道德社會學》（台北：桂冠圖書公司，1988年），頁151–2、182–4等處所論。

書名，彙入《總目》，以彰右文之盛，此採擇《四庫全書》本旨也。[61]

從這段告白可知蒐輯遺書是爲提供「採擇」以成《四庫全書》，而目的則爲「闡微補闕」，即將遺書中「有實在流傳已少，其書足資啓牖後學，廣益多聞者」錄出，「以佐流傳考訂之用」；[62]再則要「擇善流傳」，亦即選擇其中「有益於世道人心者」，刊刻流傳，以嘉惠藝林及後學；三則將次要而非罕見之書，繕錄後呈進皇家藏書處，所謂「用廣石渠金匱之藏」也；四則將價値較次者，只錄其書名，即做爲「存目」，彙入《總目》中，用以彰顯清皇朝崇重文治的實績，這些理由在爾後亦一再重述，而廣傳以嘉惠士林之意，更是其中重點，自三十八年二月提出後，常在詔文中被刻意強調出來，[63]可見乾隆一開始即有此意，故除在大內、盛京、御花園、避暑山莊建文淵、文溯、文源、文津四閣分貯四部《四庫全書》外，更在人文淵藪的江浙地區之揚州、鎭江、杭州另建文匯、文宗、文瀾三閣，以及計畫在翰林院另錄一分副本，以方便有心向學的士子，提供他們閱讀和傳鈔。[64]開

---

[61] 《清高宗實錄》，卷935/1b–2a/578–9/冊20。

[62] 《清高宗實錄》，卷926/25b–26a/452–3/冊20。此係針對《永樂大典》而發言，然觀前後文，知其乃乾隆蒐輯遺書之用意。

[63] 見《清高宗實錄》，卷958/22b/991/冊20（39年5月）、卷963/28a/1069/冊20（39年7月）、卷1160/22b–23b/538–9/冊23（47年7月）、卷1199/9b–10a/34–5/冊24（49年2月）、卷1225/20a–b/431/冊24（50年2月）、卷1315/23a/776/冊25（53年10月）、卷1355/11a–b/152/冊26（55年5月）等處所論。

[64] 有關七閣的完成、儲書及開放閱讀之情，參見吳哲夫師：《四庫全書纂修之研究》第五章，頁134–162所論。

放這四處供士子閱覽傳鈔，自然是希望這些典籍對端士習、正人心、厚風俗有正面的幫助，乾隆最終的理想是「一道德以同俗」，社會的情形是：「風俗醇厚，民生樂業，奸宄不生，訟獄衰息，爲不善者惟恐人知」的和諧狀態，[65]而這一理想狀態正需簡編以化之，乾隆云：

> 權輿二典之贊堯舜也，一則曰文思，一則曰文明。蓋思乃蘊於中，明乃發於外，而胥藉文以顯；文者，理也，文之所在，天理存焉，文不在斯乎！孔子所以繼堯舜之心傳也，世無文，天理泯而不成其爲世，夫豈鉛槧簡編云乎哉！然文固不離乎鉛槧簡編以化世，此《四庫》之輯，所由亟亟也。[66]

編《四庫》所以「化世」，此意於〈文淵閣記〉中說得更明晰，乾隆云：

> 國家荷天庥，承佑命，重熙累洽，同軌同文，所謂禮樂百年而後興，此其時也。而禮樂之興，必藉崇儒重道，以會其條貫，儒與道，匪文莫闡，故予蒐《四庫》之書，非徒博右文之名，蓋如張子所云：「爲天地立心，爲生民立道，爲往聖繼絕學，爲萬世開太平」，胥於是乎繫。……建文淵閣以待之，……於以枕經葄史，鏡己牖民，後世子孫，奉以爲家法，則予所以繼繩祖考覺世之殷心，化育民物返古之深意，庶在是乎！庶在是

---

[65] 見《清高宗實錄》，卷538/15a-b/800/冊15，此乾隆二十二年五月十日殿試策文，問士子如何纔能達到此理想之境。

[66] 《清高宗實錄》，卷1189/9b-10a/899/冊23，此〈文淵閣記〉之文，作於乾隆四十八年九月二十日也。

乎！[67]

所謂「牖民」「覺世」「化育民物返古」在在可見乾隆以教化爲主而蒐輯遺書以成《四庫全書》的動機和目的，《四庫全書總目·凡例》所謂「大聖人敦崇風教，釐正典籍之至意」一條，[68]亦可作爲有力的佐證。

教化爲主而採擇書籍，故乾隆指示修纂總裁等：「務須詳慎決擇，使群言悉歸雅正，副朕鑑古斥邪之意」，[69]雅正之言自是前文所說「有益世道人心」諸作，這些論著在採入《四庫全書》之際，自然要經過一番整理的工夫，就如同蒐錄《通志堂經解》諸書一樣，要將闕訛處，「補刊齊全，訂正譌謬，以臻完善，嘉惠儒林」；有疑問的也要像考求淮、泗二水是否相通一樣的詳加「細繹考訂，明確詳悉」，亦即要「悉心校勘，以期並臻完善」，而達「讐校無訛」的要求，[70]

[67] 《清高宗實錄》，卷968/57a–58b/1211–2/冊20；又《御製文初集·詞林典故序》云：「夫布衣韋帶之士，由立言以期不朽足矣，若夫國家右文重道，將以淑世熙績，繼往聖之絕學，開萬世之太平，胥是賴焉。」卷11/10a/冊1，此文作於乾隆十二年，可知乾隆早有此賡續道統，君師統合的教化理念。

[68] 〔清〕永瑢等：《四庫全書總目·卷首》（北京：中華書局，1992年），頁18中。《清高宗實錄》，卷1290/3b/290/冊25，所稱「引俗入古」之言亦可爲證。

[69] 《清高宗實錄》，卷997/4a–b/331/冊21。

[70] 見《清高宗實錄》，卷1225/20b/431/冊24、卷1351/7a–8a/79–80/冊26、卷1342/21b–22a/1201–2/冊25、卷1290/27a–b/302/冊25。又可參考《御製詩四集·新正含經堂》「刪駁折中信非易」句後〈自注〉，卷18/12b/冊7、〈仍駐沙河所〉「《四庫》校前書」句下〈自注〉，卷52/18a/冊8，前文言「文義」之訂正，後文言「文字」之校勘，可見乾隆對校訂工作之注意，惜館臣並未盡責，至訛誤甚多。

這是從「詳慎決擇」積極方面而言，亦即要內容醇正，校勘無誤。從消極方面言，則必需除去「有害世道人心」之著作，「世道人心」郭成康等認爲義同「風俗人心」，「蓋指社會風氣和人的思想」，(71)不過這裏的「心」字，似乎也可參考林毓生所謂「內在道德的功能」或「內在思想經驗的功能」一說，(72)亦即指能妨礙讀者接受或執行道德行爲之人的表現或著作，如錢謙益（1582-1664）等反復之貳臣、屈大鈞（1630-1696）等不能殉節者，於道德行爲上已有虧缺，又想要「假語言文字以圖自飾」，其人其文皆不足取，故而禁燬其書，「以勵臣節，而正人心」，(73)因爲「文章者，所以明天理、敘人倫而已，舍是二者，雖呈其才華，適足爲害，不如不識字之爲愈也」，(74)「天理人倫」即前述「尊君親上」等事也，至於如黃道周（1585-1646）等人，則「風節凜然」「允爲一代完人」，自然不能因「字句干犯」的小節而毀其書，故「就其應避之字，略爲刪改，書仍錄而存之」，用以「植綱常」「立名教」。(75)至於斥責、怨望之詩文，則因

(71) 郭成康、林鐵鈞：《清朝文字獄》（北京：群眾出版社，1990年），頁28。

(72) 〔美〕林毓生著，穆善培譯：《中國意識的危機》（貴陽：貴州人民出版社，1986年），頁64。

(73) 見《御製文二集·命議予明季殉節諸臣諡典諭》、〈命國史館編列明季貳臣傳諭〉，卷7/4b-11a/冊1；《清高宗實錄》，卷836/5b-7a/155-6/冊19、卷1021/1b-5a/683-5/冊21等處所言。

(74) 《御製文二集·題楊維楨鐵崖樂府》，卷18/6a-b/冊1，又參《御製文初集·沈德潛選國朝詩別裁集序》，卷12/10b-12a/冊1、《御製詩四集·用白居易新樂府成五十章並效其體詩序》，卷44/1a-b/冊7兩處所論。

(75) 見《御製詩四集·題劉宗周黃道周集序》，卷29/19a-20a/冊7、《清高宗實錄》，卷1021/1b-5a/683-5/冊21。

該人於清朝食毛踐土，深受國恩，乃敢指斥君父，「不諳君臣大議，不念父子至情之人，洵爲亂臣賊子，天理國法，皆所不容者也」，(76)此等人天良已喪，實不齒於人類，(77)故需禁燬以免「害人心義理之正」。(78)從以上被禁燬者遭斥責和刪改者受肯定，均在「尊君親上」等倫理道德操守上發言，可知乾隆採擇的標準，是從倫理教化的角度考慮，也就是從提供最適宜的典籍，以教化子民，使其達到「一道同風」的和諧狀態上考慮。

經由上述討論，可見乾隆蒐輯遺書的目的是爲彰顯清朝文治之盛、增益皇家藏書及擇取「有益世道人心」之書籍，而擇取這些醇正著作的目的，即要教化人民，共幾「一道同風之盛」，基於教化的需要故有刪改人格高尚者在字句上干礙之處，以及禁燬在人格上、倫常上可議者之著作的事發生，這一作爲的目的，正是爲了保證提供給士

(76) 見《清聖祖實錄》，卷234/15a/343/冊6，此說最明白故引以爲言，清聖祖又說明代遺民百姓挖掘明帝之陵，「此與掘伊祖父之墓何異」，卷272/4a/658/冊6，可見清帝以君作父的觀念；乾隆也以爲「目無君上，爲人類中所不可容」，又說見到逆詞而不痛心疾首者，「譬如聞人詈其父祖，轉樂爲稱述，非逆子而何」，可見其以君爲父的觀點，《清高宗實錄》，卷431/15b/633/冊14、卷542/29a/877/冊15。

(77) 此賈誼之言，謂：「上設廉恥禮義以遇其臣，而臣不以節行報其上者，則非人類也。故化成俗定，則爲人臣者主耳忘身，國耳忘家，公耳忘私，利不苟就，害不苟去，唯義所在」，〔漢〕班固著：《漢書·賈誼傳》（台北：鼎文書局，1995年點校本），卷48/2257/冊3。乾隆常言「非人類」等相近語句即用此意。

(78) 見《清高宗實錄》，卷964/10b/1084/冊20、卷1129/17a–b/91/冊23、卷1150/17a/416/冊23等處所言。

民的典籍，均是正面引導走向「尊君親上」等道德的要求，可見《四庫全書》訂正的原因是「教化」的，蓋因乾隆既自承是「書生」，又兼爲「君師」，無論就公或私的領域來看，其以「世道人心」爲己任的自我要求，都會促使他從「教化」的角度考慮問題，這也可以從乾隆禁燬著作和留存而加以刪改著作的理由：「綱常名教」爲主而得到這一答案。

三、刪禁是非的反思

乾隆蒐輯遺書而編成《四庫全書》的行爲，大多數學者都持正面肯定的態度，惟對其刪改、禁燬書籍的行爲頗致微詞，吳哲夫師云：

> 館臣在「仰見大聖人敦崇風教」的結果，乃於編輯《全書》時，對若干著作，採去取不敢不嚴的態度，因而影響到許多文獻的完整及眞實性，《四庫全書》之最爲後人垢病者，此亦其中之一端。[79]

從現代研究方法上的共識，要求文獻的完整和眞實，毋寧是正常且必要的態度。但是乾隆蒐輯遺書，並不是爲提供給現代人作研究，而是基於傳統知識分子和代天牧民帝王的雙重身分所自認「教化」責任下，考慮提供最優良的典籍，以便教化士民，使成爲符合傳統倫理道德人格爲標準而選書，所以三十七年下詔時，就明言要「甄擇」「檢覈」，三十八年更明白說是「擇其中罕見之書，有益於世道人心者，

---

[79] 吳哲夫師：《四庫全書纂修之研究》，頁126；又參頁300。

壽之棃棗，以廣流傳」，可見乾隆是以「道德教化」的標準來收藏流傳書籍，今人乃用「文獻完整」的要求責備他，恐待商榷。乾隆既以「道德教化」爲準，則文獻資料中若有違背此項標準者，當然在所必刪，因爲詩文不是用來發洩情緒的工具，而是用來表達作者對社會國家和人民的關懷或責任，亦即需「爲君臣民物而作」「誠以如此爲詩，方可謂之詩」，[80]所以乾隆所謂「不以人廢言」的「言」，指的是「有益於世道人心」之論，亦即有助於道德教化的言論，也就是用來「明天理、敘人倫」，表現「忠孝」的內容。[81]因此那些記載失實，任意謾罵，刻意在遣詞用字上橫加褒貶或自我掩飾的著作，[82]以及深受清朝教養之恩，父祖生存在清朝，食毛踐土百年以上，而猶不能以尊父之心而尊崇清帝者：或見人詈罵而幸災樂禍、或妄發不實之論、或逆倫指斥等等一類的著作，均違反道德教化的原則，因此必需禁燬，至於人格高尚者的著作，其文中指斥的有干礙之字句，其當日亦是爲「君臣大義」而發，乃各爲其主，故其干礙字句不可留，而著作則必需存，因此加以刪改，此一刪改行爲，依然著眼於道德教化，故曰「維持名教」。[83]這些被禁燬的著作，都是乾隆認定違反他的「教化觀點」者，就乾隆而言，若讓這類著作流傳，必然會煽惑人心，對人心起腐蝕的作用，於是天理滅而人欲橫流，不但會破壞社會的和諧，甚至導致國家的崩潰，全體人民均受其害，身爲「全國的大

---

[80] 《御製詩四集·用白居易新樂府成五十章並效其體》，卷44/1a-b/冊7。

[81] 《御製文初集·沈德潛選國朝詩別裁集序》，卷12/11a/冊1、《御製文二集·題楊維楨鐵崖樂府》，卷18/6a-b/冊1。

[82] 參見《御製文初集·記載》，卷22/11a-13a/冊1所論。

[83] 《御製詩四集·題劉宗周黃道周集》，卷29/19a-20b/冊7。

家長」，爲了國家、社會和人民的安樂著想，禁絕這類「有害世道人心」的著作，當然是義不容辭的責任，基於這一「良善」的教化動機，所以「隻字不遺」的保留文獻資料，不但是無意義且是不必要的，正確的作法應該是「保存具教化意義」的文獻，可見今人以「文獻完整齊全」的標準，詬病《四庫全書》的刪改、禁燬，固然言之成理，用來責備乾隆「用心不當」，則未免缺乏相應的瞭解了。

乾隆刪改、禁燬書籍行爲，所以被現代人詬病的另一原因是他違背了現代人「言論表達自由」的原則，事實上現代人譴責乾隆破壞文獻的完整與眞實性時，其背後早已預存此一「言論自由」的潛在要求。由於乾隆的刪改禁燬，讓後人無法得知當時作者和時代全貌，而只能見到乾隆預想設計好的面貌，由此衍生又可見美國式「蘭克歷史主義」的設想，以爲文獻資料完整，歷史眞相即可顯現。[84]但事實上作者留給後代的公開資料，早已經過刪改，這類的事例，在傳統中國，比比皆是，可見所謂「文獻資料齊全完整」的留存，不過是個理想而已。至於「言論自由」的問題，直到今日還是個見仁見智的問題，近來民衆對大衆傳播媒體以報導「內幕」「罪惡」「色情」爲主的內容，因而引發社會犯罪的問題，迭有討論，是否要立法加以管制，也是各說各話，但是大部分的家長則傾向於「管制」，而不贊成無限制的放縱式的「言論自由」。[85]以此觀之，則乾隆以爲某類書籍傳播的訊息，可能引發犯罪行爲，因此加以刪改，嚴重的則加以查禁，這種基於社會教化觀點的行爲，其實直到現代，還是在繼續發生

---

[84] 參見余英時先生：《歷史與思想·自序》，頁9–11。

[85] 參見《中央日報》1998年5月12日5版等所作之報導。

中。今人又有什麼理由要求二百多年前無論在客觀上或主觀上均以「家長」自居的乾隆，要有「言論無限自由」的觀念，這種要求未免顯得現代人太「不夠民主」了吧。[86]

此段論述旨在說明現代學者以「文獻完整齊全」和「言論無限自由」的觀點，批判乾隆「社會道德教化」觀點下的禁書行爲，顯得不相應也缺乏瞭解，並非在替乾隆作翻案文章，只是認爲批判歷史人物或歷史事件時，不可濫用自己做不到，或者從未眞正落實執行的最高理想爲標準來要求古人，只是提醒研究者在下判斷之前，先嘗試著較具「歷史感」的去「體驗」一下古人所生存時代的情境，瞭解的越深入則批判就更能令人信服。現代學者對以往帝王的行爲，幾毫無例外的皆以「政治迫害」視之，這種結論太容易，也太廉價，而價値恐怕也不高，今人如此泛政治化的概括帝王行爲，而不願眞正客觀的瞭解、深究其思想和心理的研究方式，實際上也是另一種「政治迫害」。《纂修四庫全書檔案》的編者們曾認爲：「通過對所進書籍進行篩選和『淨化』，用『欽定』的《四庫全書》範本作爲思想武器，正人心而厚風俗，維繫封建統治秩序，固是乾隆帝纂修《四庫全書》的本旨之一」，誠然已觀察到乾隆「教化」觀點在編輯《四庫全書》時的重大影響與作用，可惜他們還是認爲帶有「政治目的」的「寓禁於徵」纔是乾隆的主要目的，[87]這種結論終究無法完全擺脫泛政治化研究的窠臼，可見「刻版印象」之累人。這也就是筆者撰寫本文的另一目

[86] 這是劉潞批評現代學者要求乾隆有民主作風的不當作法，見《古稀天子乾隆·前言》（香港：商務印書館，1988年），頁1-2。

[87] 《纂修四庫全書檔案·前言》，頁4。

的：希望研究者擺脫「刻版印象」式的結論，先瞭解體驗後再作分析，以得較貼近歷史事實的答案。

四、結　論

乾隆蒐輯遺書編成《四庫全書》的過程中，所以嚴命訂正，因而一再要求館臣認眞校勘和刪改、禁燬等行爲的原因，經由上述討論，可得以下數點結論：

1.前賢在研究相關問題時，受到「泛政治化」態度的影響甚深，故每從政治的單一作用上考慮，以爲乾隆蒐輯遺書後，進行刪改、禁燬，都是爲消泯漢人的反抗或民族思想而作。此說過度簡化乾隆的蒐輯遺書之行爲，值得商榷。

2.乾隆不但是「全國大家長」的「君父」，也自認是「全國教化者」的「君師」；更自承是「讀書人」，故其對道德倫理的教化工作，有一分「無可推卸」的責任感，這就是他蒐輯遺書最原始的動機——教化士民的需要。

3.乾隆登基之初雖亦強調「教養」二事並重，實則偏重在「養」；到乾隆八年前後，纔開始強調「教養相爲表裏，二者不可偏廢」；到三十七年下蒐輯遺書詔時，則偏向「教」的態度已非常明顯，而其後亦經常爲士民犯法，自己無能感化而自愧，可見乾隆確因「教化」的原因而蒐輯遺書。

4.乾隆教化士民的目的，是希望士民遵循尊君親上、奉公守法、重義輕利、奮發砥礪、改過遷善、孝弟禮讓等要求而爲良民，其消極上則是希望人民能「畏法愛身」，這是孔子：「道之以政，齊之以刑，民免而無恥；道之以德，齊之以禮，有恥且格」（《論語·爲政》）意涵的實際表現，將抽象理論落實到實際的行政中。

5.教化士民具有理想道德人格的目的，落實到實際的行政措施上，就是選擇適宜的典籍，用以啓廸引導、潛移默化，而蒐輯遺書後的訂正，正是爲達成這一目標必須進行的工作。

6.蒐輯遺書後所作的校勘和愼擇「有益世道人心」諸書、及刪改、禁燬部分書籍的工作，是爲保證提供的典籍，符合乾隆教化的要求。

7.詳愼精校，以成善本和甄選出符合乾隆教化理想的書籍，另外刪改忠臣烈士等關係名教之文，使其不再有干礙字句，這都是在積極方面，選擇優良典籍以供給士民的正面行爲。

8.禁燬「有害世道人心」的著作，是在消極上剷除不良書刊的行爲，因爲這類人或著作，具有煽惑人心，使其天良泯滅的可能性，爲防止其破壞社會的和諧安寧，故需加以禁燬，[88]以免士民受害。

---

[88] 按這種「防微杜漸」的教化憂患意識，普徧流行在士大夫和帝王之間，除《清高宗實錄》，卷40/22a–b/719/冊9、卷1279/11a–14b/134–5/冊25；《清代文字獄檔·屈大均詩文及雨花臺衣冠塚案》，第5冊，頁195、〈李湖奏劉翱私編供狀律應斬決摺〉，第5冊，頁338等處的記載外，又可參王彬：《禁書文字獄》（北京：中國工人出版社，1992年），頁99–115相關論述。再則這種禁書以維倫理道德教化的觀點，又可在顧炎武、黃宗羲、顏元、錢大昕等書中見到：顧炎武著，徐文珊點校：《原抄本日知錄》（台北：台灣明倫書局，1979年），卷17，頁390–391〈重厚〉、卷20，頁534〈科場禁約〉、頁540–541〈李贄〉、卷21，頁547〈文須有益於天下〉；黃宗羲：《明夷待訪錄·學校》，沈善洪主編；《黃宗羲全集》（台北：里仁書局，1987年點校本），第1冊，頁10–14；顏元著，王星賢

9.根據前述各項論據，可知乾隆廣蒐遺書而加以抉擇、訂正（校勘、刪正）的原因是基於教化士民的考慮。蓋用以提供「淨化」過的著作，以達成其「化民成俗」，幾國家於「一道同風之盛」的理想社會：風俗醇厚、民生樂業、奸宄不生、訟獄衰息、爲不善者惟恐人知。這一理想的和諧安定的社會，豈非千古以來無權無力的庶民所嚮往的嗎？

10.乾隆以「教化」之故而刪改、禁燬不少書籍，破壞文獻的完整及眞實性，故引發後人強烈的指責。惟查考這類指責者根據的「文獻完整齊全」和「言論無限自由」的標準來看，雖言之成理，未免過甚苛求。一則乾隆蒐書的動機是「道德教化」的，不是「文獻保存」的，故其篩選、淨化書籍，自有其理據，當然也就無法符合今人「期望」了；再則言論是否應該限制，直到今日猶是個見仁見智的問題，用此理由苛責乾隆，顯然是標準過高。

11.從現在學術自由的觀點來看，乾隆的禁燬、刪改書籍等相關的行爲，自然不足取，所以也沒有必要爲其作翻案文章，只是強調在研究時應當要能擺脫帝王行事必是政治的、必爲其一家一姓作打算的泛

等點校：《顏元集·存治編·靖異端》（北京：中華書局，1987年），上冊，頁116-117；錢大昕：《十駕齋養新錄·文字不苟作》（台北：華江出版社，1973年標點本），卷18，頁455及呂友仁標校：《潛研堂文集·正俗》（上海：上海古籍出版社，1989年），卷17，頁282等處所論，尤其顧炎武所謂「此以正養蒙之道也」（頁391）與「無益於人，多一篇多一篇之損矣」（頁547）的觀點，最能表現禁燬書籍的教化意義。以此觀之，乾隆禁書之行爲，自非其一人之意，實亦有其時代及學風之原因在，而非僅其個人意志之呈現而已。

政治化的「刻版印象」的牢籠，比較如實地把帝王當作一個兼具公私兩種身分的人，當其在進行文化相關的措施時，不必先入爲主的認定他任何措施都必然和人民對立的，則或者也可以發現帝王「人性」的一面，其行政措施事實上並不必然是「自利的」，傳統中國自認爲「君師」而代天牧民的帝王，豈眞能無「公益的」思考，蓋其深信帝位因「德厚」而有，養民教民即所以積德之方法，尤其是時時將「敬天法祖，勤政愛民」奉爲圭臬的乾隆，蒐輯遺書編輯《四庫全書》自是其整體「教化」中的一環，所以纔會在圖明阿報告查繳民間流傳曲本的奏摺上批曰：「好！知道了，此亦正人心之一端」的話，[89]這亦可用來證明乾隆的刪改、查禁是「教化的」而非僅僅是「政治的」而已。換言之；亦即在無法擺脫的「政治作用」聯想下，事實上其背後隱涵著強烈的「教化」動機，因此全以「政治迫害」的角度來思考討論這一刪禁的行爲，當然是不夠圓滿的，因爲忽略了其維護理學正統思想「教化」的一面。

附記：本文宣讀之際，蒙王國良先生及大陸學者王俊義、周積明、羅琳等三位教授，提供不同意見，使本文可能發生的訛誤，減至最低，謹此致謝。1998年5月12日成稿，6月27日修正。

[89] 《清高宗實錄》，卷1127/25a/69/冊23。

楊家駱教授對於「四庫學」的貢獻

胡楚生*

一、引　言

楊家駱教授是當代著名的史學家，他一生長期從事著述與出版工作，尤其對於目錄學與百科全書之學，更有精深的探究與重要的貢獻。

楊教授是江蘇江寧人，生於民國元年，卒於民國八十年，享年八十歲。楊教授年幼時，從其舅父張夔卿研習經史，治學從目錄入手，後又從吳炯齋與吳向之二位先生習「史注」之學，同時楊教授的曾祖父楊新甫、祖父楊星橋、父親楊紫極，都是著名的文史學者，楊教授秉承家學，有不少的學術研究，也是繼續他父祖的未竟之業而加以光大的。

民國十七年，楊教授進入教育部工作，也同時開始了他的著述工作，民國十九年，楊教授與其兄楊家驄、弟楊家駒和楊家駟，在南京

* 中興大學中文系教授

創辦了中國辭典館及中國學術百科全書編輯館，開始大規模的編輯出版事業。

楊教授學識淵博，著述宏富，對於近代學術研究與出版工作，有極大的影響，此文之作，則僅就楊教授對於「四庫學」的貢獻，作一敘述。蓋自《四庫全書》編纂完成之後，有關《四庫全書》編纂之計劃、編纂之人員、編纂之場地、貯存之地點、提要之撰寫、檢索之方式、修纂之得失等等，問題浮現，而逐漸形成一「四庫」之「學」，深受學術界之關注，楊教授對於「四庫學」的各種著述，遂亦產生極重要的貢獻。

二、《四庫大辭典》

民國十六年，楊家駱教授開始編著《四庫大辭典》一書，歷經三年，至民國十九年，全書撰成，民國二十年，是書出版，時楊教授年方弱冠，當時，社會上不少人士對於該百萬言之巨著竟完成於一年方二十歲的青年之手，有所懷疑，以至於楊教授不得不在金陵大學圖書館舉行楊氏父子手稿聯展，以釋群疑。

《四庫大辭典》的出版，目錄學家姚名達在《中國目錄學史》中，稱許此書爲「目錄學之似因實創之作」，王雲五先生爲該書撰序，認爲「是我國第一部最適用最便檢查的圖書大辭典」，同時，爲該書題辭的社會名流、學者專家如林森、蔡元培、居正、于右任、孫科、陳立夫、梅貽琦、梁漱溟等亦達數百人之多。

該書以《四庫全書總目》二百卷，以及《四庫存目》等爲其範圍，加以整理，楊教授以爲，《四庫全書總目》，篇卷太繁，讀者閱覽，並不方便，他說：

> 《總目全書》，為卷二百，編讀全書，勢所難能，且均以類次，不明類例，及欲讀之書，屬何性質者，在此二百卷中，檢索一書，不啻淘金沙江，採珠麗水，責其有求必應，一索即得，難矣，翻檢不便，是其一失也。
>
> 《總目》以書名立條，設於某書僅知撰人，即無從檢索，不以人名立條，是其二失也。
>
> 《總目》各提要，於文字增刪，篇帙分合，皆詳為訂辨，往往提要一則，纍纍千數百言，不惟閱讀稽時，抑且難得要領，不能要言不煩，是其三失也。
>
> 《總目》於撰人生平，除於隱僻者，敘述較詳，烜赫聞人，概為略去，雖史籍俱在，然其聚也，非在一地，其得也，不能雷同，縱皆擁於座右，亦不免東翻西檢之勞，況各書敘述，繁簡易趣，求其符於所需，殊未易言，不詳撰人生平，是其四失也。

楊教授認為《四庫全書總目》，確有上述四種撰述上的缺失，為了改正此四種缺失，楊教授於是重新整理《四庫全書總目》，而撰成了《四庫大辭典》一書，全書分別以「書名」和「人名」為立條的標準，「書名條」共約一萬條，「人名條」共計七千餘條，全書總共凡一萬七千餘條，二百五十餘萬字。「書名條」下，包括該書之卷數、撰人或編注人姓名、類次、解題、版本等各項。「撰人條」下，包括所著或所編注各書名稱、撰人時代、籍貫、小傳、四庫失收之著作名稱、撰人詳傳參考書各項。「書名條」及「撰人條」，又按字典的方式編排，並採用王雲五先生的「四角號碼檢字法」作為排次的依據，極便檢索。以下先舉數則「書名條」的例子，以見該書內容一斑。

0862 7-01《論語全解》十卷

宋陳祥道撰，是書每以莊子之說證論語，祥道長於三禮之學，故詮釋論語，亦於禮制爲最詳。○張目有舊抄本，題重廣陳用之學士眞本、八經論語全解義、振綺堂有抄本、亦題全解義。○四書一。

2590 0-17《朱子讀書法》四卷

宋張洪齊熙同編，以朱子門人輔廣所輯者爲上卷，而以所續增者列爲下卷，分居敬持志、循序漸進、熟讀精思、虛心涵泳、切己體察、著緊用力六項，皆以文集語類排比綴輯，分門隸屬，綱目井然，於朱子一家之學，可云覃思研究矣。○元至順刊本、抄刊。○儒家二。

2825 7-35《儀禮鄭注句讀》十七卷、附《監本正誤》、《石經正誤》二卷

清張爾岐撰，是書全錄儀禮鄭注，摘錄賈疏，而略以己意發明之，因其文古奧難通，故並爲之句讀，所附監本正誤石經正誤，考訂亦詳。○乾隆八年高氏刊本、和衷堂本。○禮二。

另外，像「撰人條」的例子，如：

0023 1-14「應劭」

風俗通義。○後漢南頓人，字仲遠，少篤學博覽，舉孝廉，拜泰山太守，連破黃巾，郡內以安，獻帝遷都於許，詔劭爲袁紹軍謀校尉，時舊章湮沒，書記罕存，劭綴集所聞，又著漢官儀及儀禮故事，卒於鄴。○附漢書卷七十八應奉傳。

7171 6-40「區大任」

百越先賢志，〇明順德人，字楨伯，嘉靖中以歲貢累官南京戶部郎中。

7132 7-75「馬驌」

左傳事緯、繹史。〇清鄒平人，字宛斯，順治進士，官靈知縣，蠲荒除弊，荒亡復集，卒官，諳熟古代史事，時稱馬三代。〇國朝先正事略卷三十二、碑傳集卷九十一、文獻徵存錄卷二、漢學師承記卷一、國朝學案小識卷十三、清史列傳卷六十八、清代樸學大師列傳第十三。

《四庫大辭典》正文之前，刊有王雲五先生《四角號碼檢字法》，《大辭典》正文每則「書名」或「人名」條條目之上，第一排號碼為第一字之四角號碼，第一排橫線前一碼為第一字之附角號碼（即第五角），橫線後二碼為第二字上二角之號碼。《大辭典》卷首，另外尚有「筆劃索引」及「拼音索引」，以備檢索之用。

三、《四庫全書概述》

民國二十年十月，《四庫大辭典》已全稿印成，楊家駱教授就《大辭典》再加檢閱，忽覺應該別撰有關《四庫全書》之論著，附於稿後，於是而有《四庫全書概述》一書之作。此書於民國二十一年出版。

《四庫全書概述》分為「文獻」、「表計」、「類敘」、「書目」四大部分，全書約四十二萬多字，其中以「文獻」部分最為重要，約佔全書份量十分之七。

「文獻」部分，又分「編纂」、「採禁」、「鈔印」、「館臣」四章，「編纂」一章，主要在於敘述《四庫全書》編纂之經過，體例之得失，以及近年間續修《四庫全書》之呼聲，大抵搜輯歷來有關編纂《四庫全書》之各種資料，依時代先後排纂而成。「採禁」一章，主要在於敘述《四庫全書》所用底本之來源，以及是時文字獄與禁繳書籍之情況。「鈔印」一章，主要在於敘述《四書全書》分鈔七部以及歷次籌印之經過。「館臣」一章，則主要敘述當時參與編纂《四庫全書》人員之事蹟及軼聞。

「表計」部分，則收有「四庫全書著錄存目書統計表」、「文津閣書架函冊頁確數表」、「四庫全書依據書本來源表」、「清初藏書家一覽表」、「四庫全書薈要書目表」、「四庫全書孤本書目表」、「武英殿聚珍版叢書書目表」、「永樂大典採輯書書目表」、「官修書表」、「帝后著作表」、「四庫著錄存目外明清兩代敕撰書書目表」、「婦女著作表」、「僧侶著作表」、「道流著作表」、「歐人著作表」、「明末清初來華基督教士及其著作表」、「以別名發表之著作表」、「不著撰人之著作表」、「四庫全書總目卷類對照表」、「四庫全書館大事表」、「修書期間文字獄一覽表」、「四庫全書館館臣一覽表」等共二十二表。

「類敘」部分，則分經、史、子、集，摘鈔《四庫全書總目》中之四部總敘，各類小段，及重要按語而成，不啻一簡要之國學概論。

「書目」部分，亦分經、史、子、集，登錄《四庫全書》以及《存目》中之「書目」，實係《四庫全書》一最簡明之分類目錄。

《四庫全書概述》撰成當時附於《四庫大辭典》之後，一併印行。民國六十年八月，楊教授又應門下學子之請，將《四庫全書概述》單獨重印，同時，爲了適應需要，《四庫全書概述》重印時，分爲兩種版本，其中一種版本是增附了林鶴年《四庫全書表文箋釋》、周雲青《四庫全書提要敘箋注》、《四庫簡明目錄》，另外一種版本，則是除了增附前述三書之外，更增附了《辦理四庫全書檔案》及《四庫採進書目》兩書。

四、《四庫全書學典》

楊教授所撰著之《四庫全書學典》，出版於一九四六年（民國三十五年）六月，由上海世界書局印行，書前有李石曾氏所撰〈世界學典書例答問〉一文，主要討論《世界學典》與《四庫全書學典》之關係。

《四庫全書學典》第一部分爲「四庫全書通論」，通論部分，共分爲九章、五十四節，從九章的分別，以及五十四節的標目，可以看出「四庫全書通論」所彰顯的內容。

「四庫全書通論」第一章爲「導言」，此章分爲三節，第一節爲「提供一個想像四書全書的輪廓」，第二節爲「四庫全書之世界性及其知識世界的幅度」，第三節爲「中國政府清算知識之機構的本質問題」。

第二章爲「四庫全書的知識體系」，此章分爲七節，第四節爲「三千四百七十種原著怎樣構成一個整體」，第五節爲「四部的理論與實際」，第六節爲「經部」，第七節爲「史部」，第八節爲「子部」，第九節爲「集部」，第十節爲「四部分類源流一覽」。

第三章爲「四庫全書史上的幾個主要命題」，此章分爲五節，第十一節爲「四庫全書館的搜集工作」，第十二節爲「四庫全書館的組織」，第十三節爲「四庫全書館中的學者」，第十四節爲「收藏四庫全書的七個建築物」，第十五節爲「四庫全書的印刷問題」。

第四章爲「四庫全書統計」，此章分爲三節，第十六節爲「從分類上看著錄書和存目書的種數卷數比例」，第十七節爲「四庫著存目所列各類書之時代比例」，第十八節爲「從冊數頁數上看著錄書各類確量的比例」。

第五章爲「關於四庫全書的百種專書」，此章分爲十一節，第十九節爲「四庫全書參考書目凡例」，第二十節爲「四庫全書提要書目」，第二十一節爲「四庫全書校勘書目」，第二十二節爲「四庫全書據本書目」，第二十三節爲「四庫全書印本書目」，第二十四節爲「四庫著錄書庫本外板本書目」，第二十五節爲「四庫修書搜禁書目」，第二十六節爲「四庫全書失收書目」，第二十七節爲「四庫全書史科書目」，第二十八節爲「四庫全書目錄（不附提要）書目」，第二十九節爲「四庫全書索引書目」。

第六章爲「四庫全書前後清算知識的工作」，此章分爲四節，第三十節爲「四庫全書前六次清算知識的工作」，第三十一節爲「四庫全書後清算知識工作的新途徑」，第三十二節爲「中國叢書史」，第三十三節爲「中國叢書目錄史」。

第七章爲「續修四庫全書」，此章分爲四節，第三十四節爲「續修的呼聲」，第三十五節爲「續修技術問題的建議者」，第三十六節爲「建議編刊中華全書的理由」，第三十七節爲「中華全書編刊辦法」。

第八章爲「世界學典」，此章分爲十一節，第三十八節爲「世界學典與四庫全書中華全書」，第三十九節爲「世界學典之宇宙論的基礎」，第四十節爲「學典的雛形時代」，第四十一節爲「學典啓導互助與自由思想的時代」，第四十二節爲「世界學典方法論舉要一，學典世界在自然世界與大同世界間的地位」，第四十三節爲「世界學典方法論舉要二，世界學典冊與冊間的組織關係」，第四十四節爲「世界學典方法論舉要三，世界學典每冊內的組織」，第四十五節爲「世界學典方法論舉要四，世界學典的外形」，第四十六節爲「世界學典暫用定義及與之配合的文化建設」，第四十七節爲「世界學典功能論及其對世界大同貢獻的預期」，第四十八節爲「世界學院中國學典館」。

第九章爲「世界學典中文版中的四庫全書學典」，此章分爲六節，第四十九節爲「四庫全書學典」，第五十節爲「四庫全書通論」，第五十一節爲「四庫全書辭典」，第五十二節爲「附論世界學典中文版辭典之部的排檢法」，第五十三節爲「四庫全書綜覽」，第五十四節爲「將繼四庫全書學典出版的有關學典」。

通論之末，附載有「在天空將吐魚白色的深夜中」一文，並有補述「辭典廣編和徵覽」一文。

《四庫全書學典》中最主要之部分，則爲《四庫全書辭典》，《辭典》由楊教授所撰《四庫大辭典》改編而成，仍然分爲「書名條」及「人名條」兩項，一共一萬七千餘條，爲檢索《四庫全書》最爲便利之工具。

《四庫全書學典》中另一主要部分爲《四庫全書綜覽》，此一部分，分爲三編，第一編有「進四庫全書表」、「四庫全書凡例」、

「補充四庫全書凡例之重要文獻」、「四庫全書總目部類敘及重要案語」、「四庫全書著錄書及存目書總目」、「四庫全書總目卷類對照表」、「四庫全書薈要文獻」、「四庫全書薈要書目」。

第二編有「四庫全書考證書目表」、「四庫著存目內官修書表」、「四庫著存目內帝后著作表」、「四庫著存目內婦女著作表」、「四庫著存內佛教徒著作表」、「四庫著存目內道教徒著作表」、「四庫著存目內以別名發表之著作表」、「四庫著存目內不著撰人之著作表」、「四庫著存目內撰人有疑問諸著作表」、「永樂大典輯本書目表」、「武英殿聚珍板叢書書目表」、「四庫全書珍本初集書目表」、「阮元進四庫未收書分類書目及與點查書目影印書目對照表」。

第三編爲李石曾氏所著「世界學典引言」之中譯。

綜覽《四庫全書學典》一書，基本上，是由楊教授的《四庫大辭典》和《四庫全書概述》改編擴大而成，大體而言，從《四庫全書》的編纂，到《四庫全書》的內容，到續修《四庫全書》的倡議，到《四庫全書學典》與《世界學典》的關係，以上幾個重要的問題，此書都作出了一個全面性的統計與分析，對於讀者認識《四庫全書》而言，有著極其重要的幫助，對於《四庫全書學典》與《世界學典》的未來關係，此書也提出了前瞻性的建議。

五、續修《四庫全書》計劃

《四庫全書》自清代乾隆年間纂編完成之後，新出版的書籍越來越多，因此，近百年來，曾經多次出現續修《四庫全書》的呼聲，一八八九年，清翰林院編修王懿榮上疏於光緒帝，請續修《四庫全書》，一九〇八年，翰林院檢討章梫又上疏光緒帝，請續修《四庫全書》，但都因事未能成功，民國以後，又有多次的建議，也都因故未有結果。

民國三十五年三月一日，中國國民黨六屆二中全會於重慶舉行，楊教授草就〈請建議政府，普設機構，推廣四庫全書義例，纂修中華全書，以紀念總裁之豐功偉業，並利文化之建設與溝通案〉一文，並請由吳稚暉、李石曾、王寵惠三位先生提案，當經通過，送請國民政府實施，其「辦法」總要如下：

一、各市縣設立市縣全書館（如重慶市稱「重慶市全書館」），聘本籍學者及他市縣籍學者各若干人合組委員會，以處理編刊事宜。

二、各省設立省全書館（如江蘇省稱「江蘇省全書館」），聘本省學者及外省學者各若干人合組委員會，以處理編刊及聯絡事宜。

三、於國都所在地，設全國性之「中華全書館」，聘本國學者及國外學者各若干人合組委員會，以處理研究聯絡及編列事宜。

至於較爲細密的工作，舉其要者，則可摘述如下：

1.各該市縣古今著作，無論刊本、墨本、全本、殘本，悉加搜集、校訂。佚書之有遺文曾爲他書所稱引者，別爲輯出。其已有數輯本者，重勘而合併之。各書悉撰提要，弁於書前。俟成書後彙編爲市縣全書總目提要，並附佚書考及待訪書目。總目提要外，另編簡明目錄一帙。

2.採訪本地之史蹟、文獻，彙修爲本地「方志」，其體例應採最合科學方法者。

3.志書成後，每年續修一地方「年鑑」，以爲補充，出至十年後，彙集重修新志。

4.關於詩、文、詞、曲及民間文學，凡無專集者，悉彙編於「文存」中，編成後續得者，編爲二集、三集，出至十集後，彙編爲新文存。

5.以上各項編列完成後，合稱「某市縣全書」，照「中華全書館」釐訂之格式、尺寸、紙質、裝訂等共同標準，自行陸續印刷。

6.凡有關於學術問題、技術問題及事實限制問題，或地方無力搜集校訂部份，得商請本省全書館及中華全書館辦理。

7.各市縣全書定五年成書，書成後機構不予裁撤，仍從事新出書稿資料之續搜、續校、續編、續印。

以上所摘幾項，是屬於「市縣全書館」所應致力之工作。

8.在中華全書館及各縣市全書館間，負聯絡調配之責。

9.收入省內各市縣全書之書，作爲該省全書之一部份，省全書館不必重複搜校；但省內市縣無法搜集校訂者，或於某書著作者知爲本省人而不詳其籍隸某市縣者，其著作則由省機構搜集校訂之。其撰作書前提要，彙編總目提要、簡明目錄及考證等，悉如各市縣全書之例。

10.以上各項編列完成，連省內各市縣全書，合稱「某省全書」，除省內各市縣全書館已印之書外，其印刷及編製綜合索引，如各市縣全書之例。

11.各省全書定七年成書，書成後機構不予裁撤，仍從事新出書稿資料之續搜、續校、續編、續印。

以上所摘幾項，是屬於「省全書館」所應致力之工作。

12.釐訂搜集、校訂、撰作提要之程序與方法，及刊印之格式、尺寸、紙質、裝訂等共同標準。

13.收入各省全書之書作爲中華全書之一部份，不必重複搜校。

14.以上各項編列完成後，連各省全書，合稱「中華全書」。

15.中華全書定十年成書，書成後機構不予裁撤，仍從事新出書稿資料之續搜、續校、續編、續印。

以上所摘幾項，是屬於「中華全書館」所應致力之工作。

總之，楊教授計劃修纂的《中華全書》，也就是續修的《四庫全書》，主要是採取全國動員，分工合作的方式，加以進行，他將修纂《中華全書》的工作，分爲市縣、省、全國三個層次，由全國進行統籌規劃的設計，由省和市縣進行分工的實際運作，等到各市縣的部分編纂校訂完成之後，作爲基礎，匯歸到省，再由省匯歸到全國，如此一來，分工合作，全國各市縣皆進行動員，市縣省各自工作，而全國性的「全書」，自然統一完成，卻不需要像清代當年纂修《四庫全書》一般，集中大批人力、物力，專館編校鈔寫，而後歷經多年，方抵於成，因此，楊教授續修《四庫全書》，完全是一種化整爲零，集體工作的方法。

楊教授所撰寫「纂修中華全書」之計劃，雖經民國三十五年中國國民黨六屆二中全會通過，送請國民政府施行，但是，民國三十八年，政府遷台，此項計劃，遂不獲實際推動。

民國四十二年開始，楊教授主持世界書局的編務，他採取「間日出書一冊」的方式，出版「中國學術名著」多輯，每輯中所選書籍，凡古籍中有新校新注之本，則儘量採用，如舊本必不可缺者，則儘量採取最早及最完整之版本，至民國五十二年，楊教授離開世界書局時，已出版「中國學術名著」六輯，兩千八百餘種。楊教授並爲已出各書分別撰寫「要指」，每週發表，以辨章學術、剖析源流，章明該書之指歸。這些書籍，剛好爲楊教授計劃中的續修《四庫全書》，奠下了良好的基礎。

接著，楊教授遂發表了一連串的「續修四庫全書計劃」，在發表的「續修四庫全書工作單元舉例」之中，計有「四子書廣徵擬目」、「宋明理學名著初集述旨」、「全明雜劇擬目」、「景印郡邑叢書彙編議」、「疑年錄統編」、「輯印學報彙編議」、「兩漢遺籍輯存」、「三國遺籍輯存」、「兩晉遺籍輯存」、「南北朝遺籍輯存」等等。

例如在「宋明理學名著初集述旨」一文中，楊教授針對理學大師而擇取其相關著述，加以蒐羅刊出，如邵雍之《擊壤集》、周敦頤之《周子抄釋》（呂柟編）、張載之《張子抄釋》（呂柟編）、程顥、程頤之《二程子抄釋》（呂柟編）、謝良佐之《上蔡語錄》、楊時之《語錄》、尹焞之《壁帖》及《師說》、胡宏之《知言》、朱熹之《朱子語類》、《朱子年譜》（王懋竑編）、《近思錄》、《續近思錄》（張伯行編）、《廣近思錄》（張伯行編）、《白鹿洞學規條目》（王澍編）、呂祖謙之《麗澤論說集錄》、陸九淵之《象山集》、《陸子學譜》（李紱撰）、楊簡之《先聖大訓》、陳亮之《龍川文集》、葉適之《習學記言》、陳淳之《北溪字義》、眞德秀之《大學衍義》、程端禮之《讀書分年日程》、吳與弼《日錄》、薛瑄之《讀書錄》、陳獻章之《白沙集》、羅欽順之《困知記》、湛若水之《格物通存要》、王守仁之《陽明集要》、顧憲成之《東林會約》、《東林商語》、高攀龍之《就正錄》、劉守周之《人譜》、《人譜類記》、黃道周之《榕壇問業》、朱之瑜之《朱舜水集》，作爲第一批宋明理學名著之代表作品。

又如在「輯印學報彙編議」一文中，楊教授提出了整理現存以中文所出版之學報的建議，準備陸續編印爲「學報彙編」一至十輯。十輯以後則爲以外文出版之漢學學報。楊教授曾就晚清以迄民國三十八年所出雜誌一千八百一十三種中，選錄載有中國學術論文之「學報」一百九十七種，以備「學報彙編」一至十輯之取材，而以學報名稱筆劃多少爲次，則有《人文月刊》、《山東大學文史叢刊》、《女師大學術季刊》、《文史雙月刊》、《文華圖書館專科季刊》、《文學年報》、《中山大學文史學研究所月刊》、《中央大學文藝論叢》、《中央研究院歷史語言研究所集刊》、《中法大學月刊》、《北大國學月刊》、《史學年報》、《東北大學季刊》、《東吳學報》、《武大文哲季刊》、《金陵學報》、《食貨》、《清華學報》、《船山學報》、《國學季刊》、《華國》、《輔仁學誌》、《燕京學報》、《暨南學報》等等，一共一百九十七種，選取其中重要論文，另行分類排列，各加適當總稱，分冊出版，以便於檢索應用。

這些續修《四庫全書》的工作計劃，對於實際進行續修《四庫全書》的工作，確實奠立下良好的理論基礎。

民國八十五年四月，第一屆「兩岸古籍整理學術研討會」在台北國家圖書館舉行，北京圖書館李致忠教授發表了一篇論文，〈曠古巨帙，學術存眞—略談《續修四庫全書》〉，提出了大陸已在進行續修《四庫全書》的工作，而工作時所採取的方式，和楊教授計劃中纂修《中華全書》的方式，也有非常接近的地方。在李致忠教授的論文中，他也提到，「風聞台灣方面也曾有過續修之議。」筆者是時在場，也即提出，台灣有人從事續修《四庫全書》的工作，不是「風聞」，而是事實，並以蔣復璁與楊家駱兩位教授所推動的計劃爲例相告，會後，並以楊教授所撰寫的〈續修四庫全書工作計劃單元〉數篇寄贈李教授參考，也承他來函致謝。

六、結　語

自從《四庫全書》纂修完成之後，學者們除了利用《四庫全書》的資料，從事學術研究之外，同時，對於探討《四庫全書》的相關問題，也非常熱切，例如有關《四庫全書》編纂之目的、計劃、編纂之人員、編纂之場地、貯存之地點、提要之撰寫、檢索之方式、內容之得失、《四庫全書》的未來等等，都是受到學者們關注的問題，討論既多，逐漸遂形成一專門研究「四庫」之「學」的學問，成爲學者們探討的對象。

楊家駱教授對於「四庫學」的著述，《四庫大辭典》主要是對《四庫全書》的提要工作，以及檢索工作，作出了清晰簡要便利的貢獻。《四庫全書概述》與《四庫全書學典》，則是針對《四庫全書》的纂修過程以及學術內涵，蒐集原始文獻，作出了最直接最全面的述介，後來，郭伯恭氏撰有《四庫全書纂修考》一書，於民國二十五年出版，吳哲夫先生撰有《四庫全書纂修之研究》一書，於民國七十九年出版，大陸學者黃愛平有《四庫全書的纂修研究》，於一九九〇年出版，對於「四庫學」的全面研究，自然都有極爲重要的價值，但是，楊家駱教授的著述，在這一方面，仍然有其開拓性的貢獻。

另外，關於續修《四庫全書》的意見、建議、計劃和實踐，百餘年來，也是學術界討論不已的問題，楊家駱教授在這一方面的建言和計劃，仍然是一個極爲重要的理論基礎，其貢獻仍然是值得肯定的。

以上所述，僅僅只是剋就比較狹義的「四庫學」而討論的，如果將「四庫學」的範圍放寬廓大，則楊教授的許多著述，像《叢書大辭》、《中國文學百科全書》、《中國學術名著要指》、《歷代經籍志》等等，似乎也都可以列入對「四庫學」的貢獻之內。

總之，在近代「四庫學」的研究上，楊家駱教授的貢獻，是深深地讓我們欽佩的。

第一屆中國文獻學學術研討會議程表

日期	時間	主席	主講	特約討論	討論題目
民國八十七年五月二十三日（星期六）	9：00－9：15	開幕式			
	9：20－10：20	昌彼得			專題演講：四庫學的展望
	10：20－10：30	休息			
	10：30－12：00	傅錫壬	魏白蒂	昌彼得	《四庫全書》纂修外一章：阮元（1764－1849）如何提挈與促進嘉道時代的學術研究
			周積明	李威熊	《四庫全書總目》與十八世紀中國文化的流向
			黃愛平	夏長樸	《四庫全書總目》的經學觀與清中葉的學術思想走向
	12：00－13：15	午休			
	13：15－14：45	劉兆祐	杜澤遜	吳哲夫	「四庫存目書」進呈本之亡佚及殘餘
			羅琳	喬衍琯	《四庫全書存目叢書》的徵訪及其著錄
			張建輝	陳仕華	編印《四庫全書存目叢書》側記
	14：45－15：00	休息			
	15：00－16：30	王仁鈞	殷善培	王樾	中法西法，權衡歸一？——讀《四庫全書總目》天文算法類提要
			林慶彰	劉兆祐	四庫館臣纂改《經義考》之研究
			馬銘浩	林柏亭	《四庫全書》所表現出的藝術觀—以《四庫全書》藝術類書目爲觀察對象

日期	時間	主席	主講	特約討論	討論題目
民國八十七年五月二十四日（星期日）	8：45—10：15	周彥文	黃復山	蔣秋華	《四庫全書》術數類選書意義之探析
			劉　薔	王福壽	「四庫七閣」始末
			何廣棪	潘美月	《四庫全書》本《直齋書錄解題》館臣案語研究—以《解題》經錄之部館臣案語爲限
	10：15—10：30	休　息			
	10：30—12：00	高柏園	吳哲夫	莊芳榮	清四庫館臣對文獻文物管理方法之探尋
			楊晉龍	王國良	《四庫全書》訂正析論：原因與批判的探求
			胡楚生	金榮華	楊家駱教授對於「四庫學」的貢獻
	12：00—12：50	午休後前往故宮			
	14：00—15：30	吳哲夫	羅　琳		座談會 主題：當代整理《四庫全書》的成果
			陳仕華		
			羅鳳珠		
			王福壽		
	15：30—17：00	參觀故宮典藏文淵閣《四庫全書》			

國家圖書館出版品預行編目資料

兩岸四庫學：第一屆中國文獻學學術研討會論文集

淡江大學中國文學系主編.-- 初版.— 臺北市：
臺灣學生，1998(民 87)
面；公分

ISBN 957-15-0901-9 (精裝)
ISBN 957-15-0902-7 (平裝)

1.四庫學研究，考據等 2.文獻學 – 論文，講詞等

082.1 87011494

兩岸四庫學：第一屆中國文獻學學術研討會論文集

編者：淡江大學中國文學系
出版者：臺灣學生書局
發行人：孫善治
發行所：臺灣學生書局
臺北市和平東路一段一九八號
郵政劃撥帳號00024668號
電話：(02)23634156
傳真：(02)23636334
本書局登記證字號：行政院新聞局局版北市業字第玖捌壹號
印刷所：宏輝彩色印刷公司
中和市永和路三六三巷四二號
電話：(02)22268853

定價 精裝新臺幣四二〇元
平裝新臺幣三五〇元

西元一九九八年九月初版

01107

ISBN 957-15-0901-9 (精裝)
ISBN 957-15-0902-7 (平裝)